PARAMILITARES Y AUTODEFENSAS

1982-2003

Instituto de Estudios Políticos
y Relaciones Internacionales.
Universidad Nacional de Colombia

Grandes Temas/13

Mauricio Romero

PARAMILITARES Y AUTODEFENSAS

1982-2003

Instituto de Estudios Políticos
y Relaciones Internacionales.
Universidad Nacional de Colombia

temas 'de hoy.

Colección: Grandes Temas
© Instituto de Estudios Políticos y Relaciones Internacionales, IEPRI, 2003
© Editorial Planeta Colombiana, S. A., 2003
Calle 73 No. 7-60 - Bogotá, D.C.

COLOMBIA: www.editorialplaneta.com.co
VENEZUELA: www.editorialplaneta.com.ve
ECUADOR: www.editorialplaneta.com.ec

Primera edición: junio de 2003
Segunda edición: febrero de 2005

ISBN: 958-42-0613-3
Impresión y encuadernación: Cargraphics S. A. - Red de Impresión Digital

Impreso en Colombia
Printed in Colombia

Para Elisa

ÍNDICE

ACCU	Autodefensas Campesinas de Córdoba y Urabá
Ademacor	Asociación de Maestros de Córdoba
AD M-19	Alianza Democrática Movimiento 19 de Abril
Ado	Autodefensa Obrera
Anapo	Alianza Nacional Popular
ANUC	Asociación Nacional de Usuarios Campesinos
AUC	Autodefensas Unidas de Colombia
Augura	Asociación de Bananeros de Urabá
Ausac	Autodefensas Unidas de Santander y Sur del Cesar
BID	Banco Interamericano de Desarrollo
CAJ	Comisión Andina de Juristas
Cinep	Centro de Investigación y Educación Popular
Codhes	Consultoría para los Derechos Humanos y el Desplazamiento
Credhos	Corporación Regional para la Defensa de los Derechos Humanos
CUT	Central Unitaria de Trabajadores
DAS	Departamento Administrativo de Seguridad
Dijin	Dirección de Policía Judicial e Investigaciones
ELN	Ejército de Liberación Nacional
EPL	Ejército Popular de Liberación, luego Esperanza, Paz y Libertad
FARC	Fuerzas Armadas Revolucionarias de Colombia
Fedegan	Federación Nacional de Ganaderos

Festracor	Federación de Trabajadores de Córdoba
Funpazcor	Fundación para la Paz de Córdoba
HRW	Humans Rigths Watch
Idema	Instituto de Mercadeo Agropecuario
IEPRI	Instituto de Estudios Políticos y Relaciones Internacionales
M-19	Movimiento 19 de Abril
MAS	Muerte a Secuestradores
MQL	Movimiento Quintín Lame
MRN	Muerte a Revolucionarios del Noreste
OIT	Organización Internacional del Trabajo
ONG	Organización no gubernamental
ONU	Organización de las Naciones Unidas
PDPMM	Plan de Desarrollo y Paz del Magdalena Medio
Pepes	Perseguidos por Pablo Escobar
PIB	Producto interno bruto
Sintrabanano	Sindicato de Trabajadores del Banano
Sintrainagro	Sindicato Nacional de Trabajadores de la Industria Agropecuaria
UP	Unión Patriótica
UITA	Unión Internacional de Trabajadores de la Alimentación
USIS	United States Information Service

Esta investigación contó con el apoyo de diversas personas e instituciones. En el Cinep, Fernán González fue un excelente tutor en los pasos iniciales de este trabajo. Las conversaciones informales con Isabel Bolaños fueron de una ayuda inmensa para entender las dimensiones locales del fenómeno y su complejidad, y para recorrer la geografía del valle del Sinú, la serranía de Abibe y Urabá, e intercambiar opiniones con una gran variedad de personas. Además, la familia de Isabel me brindó su confianza y una amable acogida en las diferentes visitas a Montería. La Comisión Fulbright financió los estudios iniciales de posgrado en el New School for Social Research, en New York, donde este trabajo tomó cuerpo bajo la inspiradora tutela de Charles Tilly y su seminario de investigación. Los fondos para la investigación de campo los proporcionaron Colciencias y el BID, lo mismo que la Fundación para la Promoción de la Ciencia y la Tecnología, del Banco de la República. Rocío Rubio fue una excelente asistente de investigación. Salomón Kalmanovitz y Rocío Londoño pusieron en riesgo su patrimonio al servirme de fiadores para una de las financiaciones. La redacción del primer manuscrito fue apoyada por Augusto Varas y por una beca de la Fundación Ford, además de la hospitalidad de Tom Holloway en el Hemispheric Institute on the Americas, en la Universidad de California, en Davis. La parte final del trabajo se pudo realizar gracias a la ayuda de Ilsa-Planeta Paz y la colaboración de Carlos Salgado. A mis amigos en el IEPRI, gracias por las críticas, comentarios y sugerencias. El grupo de compañeros de vida de «los fríjoles del viernes» compartió las ideas iniciales del libro y tuvo la oportunidad de sazonarlas y degustarlas. A todos y todas, gracias. Las limitaciones del trabajo hubieran podido ser mayores sin su afecto y colaboración. Sin embargo, este libro habría sido imposible sin la paciencia y el amor de Elisa.

El estudio de movimientos guerrilleros, insurgentes o revolucionarios ha tenido una larga tradición en las ciencias sociales. Innumerables análisis de rebeliones en Europa, Asia, África y América Latina evidencian el surgimiento y desarrollo de organizaciones insurreccionales[1]. Sin embargo, las reacciones políticas y armadas que estos movimientos provocaron no han recibido la misma atención, a pesar de su influencia en el resultado de las rebeliones y, en general, en el deterioro, y en ocasiones el colapso de los Estados donde ocurrieron. Este libro aborda dicho problema al estudiar el surgimiento de los grupos paramilitares, y luego su consolidación en las AUC, entre 1982 y 2000. Las AUC, federación de grupos paramilitares, han sido un factor decisivo desde mediados de los años noventa en los fallidos intentos por negociar una finalización del enfrentamiento armado entre el gobierno y los movimientos guerrilleros aún en armas en Colombia.

Al ejercer violencia en contra de civiles desarmados a quienes acusan de ser simpatizantes de la guerrilla, los paramilitares y las autodefensas han recuperado el control de áreas en las que antes ocurrían no sólo problemas de seguridad para los propietarios locales e inversionistas externos, sino agudos conflictos políticos y una intensa movilización social por derechos y reconocimiento. Esa capacidad de los paramilitares para implantar estabilidad y orden en las regiones donde se ubican ha creado un sólido apoyo de sectores de las élites regionales para su organización. Sin embargo, la aceptación lograda por las AUC debilitó la autoridad del gobierno central en esos territorios y exacerbó el declive del Estado colombiano. ¿Cómo explicar el florecimiento de organizaciones armadas paraestatales y de empresarios de la coerción en un Estado que aún no ha colapsado? ¿Por qué la violencia se escaló en Colombia mientras que la mayoría de países de América Latina pacificaron sus sistemas políticos en los años ochenta y noventa del siglo anterior? ¿Cómo explicar la consolidación de las AUC en el período de estudio, cuando sus diferentes grupos fueron responsables de violaciones masivas de derechos humanos y de la generalización de la violencia, precisamente bajo gobiernos civiles y elegidos por voto?

Hasta mediados de los años ochenta, académicos estadounidenses y europeos elogiaban a Colombia, Costa Rica, México y Venezuela por mantener gobiernos constitucionales durante los años sesenta y setenta, mientras que el resto de América Latina sucumbía a los golpes y regímenes militares (Fitch, 1986; Mainwaring, 1992; Mainwaring y Scully, 1995; Rouquié, 1986). No obstante, a diferencia de Venezuela, la «democracia consociacionalista» de Colombia no logró incorporar a sus guerrillas de izquierda en el juego de la política institucional en los sesenta (Hartlyn, 1992)[2]. A diferencia de Costa Rica y Venezuela, el Estado colombiano ha enfrentado una prolongada insurgencia guerrillera desde esa década, una masiva violación de los derechos humanos desde los años setenta y narcoterrorismo desde inicios de la década de los ochenta. Además, en contraste con México, donde la autoridad civil se ha establecido firmemente sobre la autoridad militar, en Colombia las Fuerzas Armadas controlaron hasta 1998 buena parte de la respuesta oficial a la movilización colectiva y a la rebelión armada (Americas Watch, 1992; Gallón, 1979; Hartlyn, 1986; Leal, 1994a; 1994b; Reyes, 1990; Serrano, 1995).

Colombia fue también el primer país latinoamericano en iniciar negociaciones de paz con la guerrilla. Éstas comenzaron en 1982, mucho antes que los procesos de paz en Centroamérica, donde existieron otras rebeliones armadas importantes. Sin embargo, mientras que las negociaciones en Nicaragua, El Salvador y Guatemala concluyeron exitosamente en la década de los noventa, el enfrentamiento armado en Colombia se intensificó. La apertura política inicial que permitió las conversaciones en todos los países tomó otra trayectoria en Colombia, y el conflicto armado se incrementó. Los estudios que contrastan los cambios de régimen militar a gobiernos civiles en el Cono Sur con las transiciones democráticas de los procesos de paz centroamericanos, asumieron que una vez iniciadas, las negociaciones de paz llegarían a un final feliz (Arnson, 1999). Estos trabajos no consideraron la secuencia de las reformas, el impacto de éstas en el conflicto armado ni cómo esos cambios provocaron oposición, incluida una reacción armada.

Este texto presenta una perspectiva analítica que hace hincapié en una explicación política del surgimiento de los grupos paramilitares y de autodefensa en Colombia. Para esto utiliza el concepto de *empresario de la coerción*, el cual hace referencia al individuo especializado en administración, despliegue y uso de la violencia organizada, la cual ofrece como mercancía a cambio de dinero u otro tipo de valores (Volkov, 2000). Los empresarios de la coerción no deben confundirse con los hombres de negocios corrientes y sus empresas, sean legales o ilegales. Ambas generan ingresos produciendo bienes y servicios para el mercado, pero sus administradores generalmente no usan la violencia, sino que pagan a aquellos que sí son especialistas en su despliegue y uso[3].

Esto no quiere decir que la ganancia económica sea el fin de estos portadores de violencia organizada. A partir de ésta se definen límites, se regulan comportamientos y se inducen valoraciones y, en últimas, órdenes sociales que no implican estabilidad o justicia, sino dinámicas de autoridad, obediencia y regulación social, incluida la económica. Esa ganancia es, más bien, un medio para unos objetivos más amplios. En el caso de los paramilitares y las autodefensas en Colombia, esos objetivos han sido la restauración y en algunos casos una nueva definición de regímenes políticos locales y regionales amenazados por las políticas de paz del gobierno central. Estas políticas han ofrecido a los grupos insurgentes en negociación oportunidades para una mayor influencia y visibilidad, lo mismo que han dado la posibilidad a sectores sociales excluidos de hacer escuchar su voz en ese contexto de redefiniciones.

El argumento del trabajo quiere resaltar un aspecto que no ha recibido la suficiente atención para entender el surgimiento de estos empresarios de la coerción: el contexto de negociaciones de paz, apertura política y descentralización en el cual surgieron los grupos paramilitares en los años ochenta. En ese contexto de potenciales redefiniciones a favor de la guerrilla, de sus aliados y sus simpatizantes, surgieron riesgos y amenazas para los equilibrios de poder regional, situación que llevó a un cambio drástico en las formas de coerción, promovido por estos defensores violentos del statu quo. El trabajo sostiene que las intervenciones del gobierno central para negociar acuerdos de paz con la guerrilla desencadenaron dinámicas desestabilizadoras tanto en las regiones afectadas por la insurgencia armada y la movilización social como dentro del mismo Estado.

Primero, las élites regionales rechazaron el reformismo de la Presidencia y desafiaron las políticas de paz del gobierno central; se opusieron públicamente a las negociaciones y callaron frente a la violencia en contra de comunistas, radicales, socialistas o reformistas en el ámbito local. Segundo, narcotraficantes convertidos en propietarios rurales y terratenientes promovieron grupos de vigilancia privada que atacaron a civiles sospechosos de apoyar a la guerrilla, o a grupos movilizados para demandar derechos y políticas de progreso social. Tercero, las Fuerzas Armadas rechazaron las negociaciones entre la Presidencia y las guerrillas, oponiéndose públicamente y favoreciendo el uso de técnicas contrainsurgentes. Éstas tienen como principal objetivo a la población civil, y ser «auxiliador de la guerrilla» se convirtió en el recurso retórico para justificar la eliminación física o la intimidación de miles de activistas sociales, políticos radicales o simples pobladores de regiones con presencia de las guerrillas.

POLARIZACIÓN, COMPETENCIA Y FRAGMENTACIÓN

Las dinámicas señaladas pueden identificarse claramente como tres mecanismos políticos diferentes: *polarización* entre las élites regionales y los dirigentes del Estado central, y entre esas mismas élites y los grupos locales organizados y que apoyaron las negociaciones de paz; *competencia* entre el nuevo poder emergente asociado con el narcotráfico y el de los movimientos guerrilleros y su influencia local en movimientos sociales y políticos, y *fragmentación* dentro de la organización del Estado. El divorcio entre la dirigencia del Estado central y la alta oficialidad del Ejército en relación con las negociaciones de paz facilitó la confluencia subnacional de todos aquellos que se oponían a ese tipo de acercamientos. Éstos amenazaban con desequilibrar los arreglos de poder regional o las redefiniciones surgidas de la acomodación de los nuevos poderes emergentes vinculados con el tráfico de estupefacientes, generando un problema de seguridad para esas élites locales.

La interacción de los tres mecanismos mencionados facilitó el surgimiento y la consolidación de esos empresarios de la coerción, y agravó el deterioro del Estado colombiano, al acentuar aún más la pérdida del monopolio estatal de la violencia organizada, ya debilitado por la existencia de la guerrilla. En efecto, el distanciamiento entre élites regionales y gobierno central al iniciar este proceso de paz con la guerrilla, junto con la oposición de los altos mandos militares a esos acercamientos, facilitó la formación de liderazgos regionales asociados con el narcotráfico. Éstos surgieron al confluir con sectores militares y élites regionales en la oposición a las negociaciones de paz, a unas posibles reformas derivadas de una reincorporación de la guerrilla a la vida civil y al coincidir también frente a los riesgos de seguridad que esas conversaciones trajeron. El peligro de fondo era que esas reformas condujeran a una redefinición en la estructura de poder, tanto local como institucional. Esta coincidencia estratégica entre sectores en un lado y otro de la ley creó una zona gris donde la línea entre legalidad e ilegalidad se disolvió en muchos casos, dando vía libre a la formación de grupos contrainsurgentes privados, con fuertes conexiones con el aparato estatal.

Esas dinámicas políticas en las regiones y en el Estado —polarización, competencia y fragmentación— no sucedieron en un vacío institucional. Por el contrario, los cambios en la estructura estatal que ocurrieron durante las negociaciones entre el gobierno y las guerrillas dificultaron aún más las conversaciones de paz en el ámbito local y regional. De hecho, la descentralización política iniciada en 1988 permitió la elección popular de alcaldes por primera vez en más de un siglo y medio de mandato centralista. Los líderes del régimen bipartidista, conformado por los partidos Liberal y Conservador, consideraron la reforma descentralizadora como una respuesta a la evidente pérdida de legitimidad del Estado y como una terapia contra la insurgencia (Bell, 1998, p. 97).

Paradójicamente, esta devolución de poder a las regiones tuvo un efecto opuesto. La creciente competencia política en el ámbito local facilitada por la elección de alcaldes contribuyó a un verdadero baño de sangre. La secuencia de las reformas fue importante en este resultado. Más competencia electoral dentro de un contexto de insurgencia armada y contrainsurgencia sentó las bases para una rivalidad feroz y creciente entre los que insistían en la redefinición del sistema político y los que defendían el statu quo. La violencia se volvió parte de la rutina política como resultado de la competencia electoral de los actores armados en diferentes regiones.

Las conversaciones de paz y la descentralización fueron parte de una apertura política más amplia que aumentó las expectativas de los movimientos sociales y sus oportunidades para hacer escuchar su voz y propuestas dentro del nuevo ambiente democratizador. Tanto el gobierno como las guerrillas hicieron un llamado a una mayor participación política, como la vía para profundizar la democracia existente. En su discurso de posesión en la plaza de Bolívar, el presidente conservador Belisario Betancur (1982-1986) pidió al pueblo no limitarse a la participación electoral, sino ejercer permanentemente la capacidad ciudadana como un derecho y una obligación: «Sólo entonces podremos decir que nuestro pueblo ha dejado de padecer la historia para convertirse en su propio protagonista» (Betancur, 1982). Era la primera vez que un presidente se dirigía a una multitud expectante tras haber tomado posesión de su cargo ante el Congreso. Al mismo tiempo, el M-19, un movimiento guerrillero pequeño, pero con una audiencia urbana amplia y favorable, exigió la organización de un Gran Diálogo Nacional como condición para firmar un tratado de paz con el gobierno (M-19, 1985).

La postura de Betancur contrastó tajantemente con la línea dura de los tres gobiernos anteriores (1970-1982), en particular con los liderados por el Partido Liberal entre 1974 y 1982. Éstos usaron ampliamente la coerción y las Fuerzas Militares para enfrentar las demandas por tierra y apoyo estatal formuladas por miles de campesinos, y las peticiones de derechos laborales y políticos de trabajadores agrícolas y urbanos (Ramírez y Restrepo, 1989). El reconocimiento del derecho a la protesta y a la movilización por la dirigencia estatal durante el gobierno de Betancur alentó diferentes acciones colectivas rurales y urbanas (Pardo, 1996, p. 44). La rápida asociación de cualquier acción colectiva popular con la subversión comunista y el manejo militar de huelgas y protestas en la década de los setenta y principios de los ochenta, aumentó el riesgo de estas acciones, casi equiparándolo con el de la rebelión armada, y creando una zona de encuentros entre la acción colectiva popular y la guerrillera. El enfoque de Betancur para enfrentar la protesta social y la insurgencia abrió las puertas a mayores transformaciones, las que a la postre terminaron oxigenando el régimen bipartidista, a pesar de la oposición que despertaron en importantes sectores de los dos partidos mayoritarios.

Entre tanto, la oposición legal propugnó por una reforma constitucional para poner fin al monopolio de los partidos Liberal y Conservador representado por un gabinete, una burocracia estatal y un poder judicial compartidos. Junto con estas exigencias de participación y reforma, las organizaciones de derechos humanos y grupos de abogados afines criticaron la extensión de la jurisdicción militar al campo de los civiles. Estas organizaciones reclamaron un control civilista sobre los militares y una reducción de sus prerrogativas. Sindicalistas, activistas sociales, legisladores y políticos progresistas criticaron los tribunales militares para juzgar a civiles, la detención arbitraria de civiles por unidades militares y las funciones de policía judicial de las Fuerzas Militares. Las conversaciones de paz, la apertura del régimen y la descentralización hicieron de la democratización a principios de los años ochenta algo alcanzable para los descontentos con el bipartidismo tradicional.

Sin embargo, los riesgos de desequilibrio a favor de las guerrillas, sus aliados y simpatizantes en los balances políticos regionales, en particular en aquéllos donde el poder emergente de los narcotraficantes se estaba asentando, provocaron la reacción de sectores de las nuevas y viejas élites locales, y propiciaron el surgimiento de una agenda de seguridad frente a los riesgos creados por la nueva situación. Estos grupos sociales rechazaron con vehemencia la incorporación de los antiguos insurgentes y sus agendas públicas. Para ser aceptados como políticos respetables, los rebeldes debían recorrer un camino difícil para dejar de ser un «grupo de forajidos en montonera», como eran calificados por importantes sectores de opinión[4].

Ganaderos y empresarios rurales de Córdoba fueron los pioneros en hacer públicas sus críticas a las negociaciones del gobierno con la guerrilla. Este sector consideró la amnistía del presidente Betancur «como una ilusión, pues significó introducir, en el centro del cuerpo social, a los agentes del caos y de la ruina, que antes operaban en regiones apartadas». De forma semejante, este mismo grupo regional sostuvo que la inclusión de los guerrilleros en el proceso político sería realizar en el plano social «lo que en la vida agraria tantas veces experimentamos: puesta una fruta descompuesta en contacto con una gran cantidad de fruta sana, comunica a éstas su corrupción, las cuales en un futuro no lejano podrán cumplir el mismo papel, contribuyendo a pudrir otros conjuntos»[5].

Igualmente, este grupo regional y económico consideró las negociaciones de paz como una instrumentalización del gobierno por la guerrilla y como un primer paso para «imponer la reforma agraria y hundir los campos en la miseria»[6]. En una extensa carta dirigida al presidente Betancur y publicada como publicidad pagada en los mayores diarios de circulación nacional en agosto de 1984, ganaderos, propietarios e inversionistas agrarios de Córdoba le preguntaban sobre el futuro de los productores rurales frente a la posibilidad de una reforma redistributiva de la tierra como resultado de las negociaciones con la guerrilla: «¿Por qué atacarlos con la reforma agraria y con la impunidad de las invasiones, después de haberlos dejado indefensos frente a la guerrilla comandada por Moscú?»[7].

Es cierto que la «combinación de todas las formas de lucha» —electoral, armada y movilización social— de la guerrilla, en especial de las FARC, no contribuyó en nada a la propuesta de paz del presidente Betancur en 1982, pero tuvo un efecto aún más nocivo en las posibilidades de reconciliación la estrategia contrainsurgente de eliminar los frentes electorales con participación de la guerrilla y los frentes surgidos de los acuerdos de paz. Al aniquilar a la UP, coalición electoral que incluía a sectores progresistas de los partidos tradicionales y otros grupos pequeños, a miembros del Partido Comunista y de las FARC —el grupo insurgente más fuerte—, lo mismo que a movimientos regionales de otras tendencias de la izquierda, la reacción en contra de las nuevas agrupaciones acabó con la posibilidad de debilitar a los «guerreristas» de la guerrilla, al impedir que los partidarios de formas legales de participación pública pudieran cosechar los beneficios de una movilización política exitosa. La impunidad de esta estrategia también dio desde la autoridad una señal que legitimó el uso de la violencia como forma de resolución de conflictos, hecho que ha estado en la base de la crisis de derechos humanos en la que ha vivido el país desde hace dos décadas. Así, a través del terror, los paramilitares y sus colaboradores civiles y estatales comenzaron una carrera como actores decisivos en las posibilidades de una negociación de paz.

Respecto a la elección de alcaldes, uno de los periódicos conservadores más influyentes de Bogotá en los años ochenta sostenía que la posible elección de alcaldes de izquierda era una amenaza a las instituciones democráticas, e incluso a la unidad nacional:

> …las alcaldías que queden en manos de las guerrillas y bajo la inspiración administrativa y política de los grupos de extrema izquierda serán muchas más de lo previsto. Habrá de suponerse, por forzosa consecuencia, que desaparezcan los lazos de unidad con el gobierno nacional, que no opera, y el municipal, en que actuarán los dirigentes marxistas.[8]

Así, la introducción de la competencia política local, la discusión pública de agendas con énfasis en justicia social y derechos, junto con los problemas de seguridad para las élites locales, contribuyeron a alertar a sectores influyentes sobre la posibilidad de una revolución política y social. Este contexto nuevo fue propiciado en diferentes regiones por la negociación entre el gobierno central y las guerrillas, y por las reformas a la estructura estatal.

NEGOCIACIONES DE PAZ Y EMPRESARIOS
DE LA COERCIÓN

El Ministerio de Defensa comenzó a registrar «grupos ilegales de autodefensa» (los paramilitares) en 1986, cuando 93 hombres armados fueron reportados como parte de esas organizaciones (véase Figura 1), no obstante que desde el inicio de la década ya era pública su existencia y aun reconocida por las autoridades, sobre todo en el Magdalena Medio[9]. Desde entonces, hasta el inicio del nuevo siglo, estos grupos aumentaron en número, coordinación, capacidad estratégica e influencia política y geográfica. Si bien el surgimiento de los diferentes núcleos de paramilitares y autodefensas tuvo dinámicas distintas en las diferentes regiones donde hoy tienen influencia, hay dos elementos comunes en todos los casos: participación inicial de grupos de las Fuerzas Armadas y apoyo de élites regionales tradicionales o emergentes. Esa coincidencia entre el notablato local con sectores de las Fuerzas Armadas para organizar grupos irregulares ha variado con las diferentes coyunturas y en las diferentes regiones, y todo indica que la colaboración se estrecha en mo-

FIGURA 1 CRECIMIENTO DE LOS GRUPOS PARAMILITARES,
1986-2000

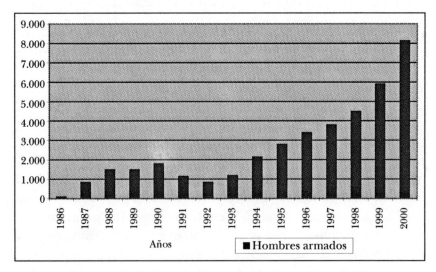

Fuente: Ministerio de Defensa, *Los grupos ilegales de autodefensa*, 2000.

mentos en que se inician procesos de paz entre el gobierno central y las guerrillas.

Desde 1986 hasta 1990 hubo un incremento sostenido en el número de hombres armados incorporados a los diferentes grupos regionales de paramilitares y autodefensas. La desmovilización de cinco organizaciones guerrilleras —M-19, EPL, MQL, ADO y Patria Libre— y la expectativa de paz surgida con la Asamblea Constituyente de 1991, redujeron la intensidad del conflicto por un par de años en algunas regiones. Esto facilitó la desactivación y desarme de algunos grupos, como el de Fidel Castaño en el sur del departamento de Córdoba, hecho que se reflejó en la disminución de miembros vinculados a estas organizaciones observada en la Figura 1.

La correlación positiva entre crecimiento en número de combatientes de organizaciones paramilitares y de autodefensa, y negociaciones con la guerrilla ayuda a entender mejor el carácter reactivo de estos empresarios de la coerción. Esta reacción armada se ha asociado casi exclusivamente con motivaciones económicas, como el acaparamiento de tierras para el latifundio ganadero, el desalojo de poblaciones para aprovechar la valorización predial y los beneficios futuros de proyectos de inversión pública y privada, o con demandas por seguridad ante la extracción de recursos a grupos pudientes por parte de la guerrilla. Sin negar que estos hechos hayan acompañado el desarrollo de estos grupos irregulares, las perspectivas anteriores oscurecen o ponen en un segundo plano el proceso político alrededor del surgimiento y desarrollo de estos empresarios de la coerción, dimensión que este trabajo quiere rescatar.

En 1993 y 1994 el número de combatientes de los paramilitares comienza a crecer de nuevo, como consecuencia del enfrentamiento entre las FARC y el ELN, por un lado, y el gobierno liberal de César Gaviria (1990-1994), por el otro, y los intentos de esas guerrillas de ocupar los territorios abandonados por los grupos insurgentes desmovilizados en el inicio de la década. En el período del también liberal Ernesto Samper (1994-1998) la expansión en número de los paramilitares continúa, aunque con una reducción en su intensidad. Esto obedeció a la legalización por un par de años de las cooperativas de seguridad y vigilancia Convivir, encargadas de la seguridad en las zonas de conflicto, y a que las negociaciones de paz con los grupos en armas no avanzaron durante este período, haciendo así innecesaria una ofensiva contundente para neutralizar la posible incorporación de las guerrillas al sistema político legal y los riesgos de reformas pactadas.

Sin embargo, hay que recordar que el período entre 1994 y 1997 fue de un intenso trabajo organizativo interno para darles un perfil político más definido a lo que hasta el momento eran diferentes grupos dispersos en distintas regiones del país. En concreto, se inició la centralización política y militar de los diferentes grupos paramilitares y de autodefensas, primero a través de la creación de las ACCU, a finales de 1994 y localizadas en el noreste del país, y luego de las AUC, en abril de 1997, bajo la comandancia de Carlos Castaño. Éste, hermano de Fidel Castaño, el creador del grupo Pepes, participó en 1993 en asocio con los servicios antinarcóticos de los Estados Unidos y las autoridades colombianas en la cacería y luego muerte de Pablo Escobar, cabeza del extinto Cartel de Medellín (Bowden, 2001).

La muerte de Fidel Castaño a comienzos de 1994 cerca de San Pedro de Urabá en la serranía de Abibe, en una escaramuza con disidentes del EPL que no se desmovilizaron en 1991, dejó a Carlos al frente de un proyecto contrainsurgente con pretensiones de cobertura nacional y poderosos aliados institucionales y regionales (Aranguren, 2001). En 1997 las recién creadas AUC alcanzaron la cifra de 4.000 combatientes y en el año 2000 su Comando Central dirigía más de 8.000 hombres bien equipados, los cuales controlaban áreas estratégicas del país. Con este respaldo militar, las AUC, bajo la dirección de Carlos Castaño, han desafiado las políticas de paz de la Presidencia, en particular las del presidente Andrés Pastrana (1998-2002), y fueron un factor definitivo en el fracaso de las negociaciones entre este gobierno y el ELN, lo mismo que el principal escollo entre el mismo gobierno y las FARC.

INCREMENTO DE HOMICIDIOS: ¿SÓLO NARCOTRÁFICO Y CRIMEN?

Junto con el surgimiento de los grupos paramilitares se desarrolló otro fenómeno inquietante: la violencia se incrementó en las principales ciudades y en las regiones con agitación social y conflicto político. El aumento de los homicidios fue drástico, tanto en términos absolutos como comparativos, lo que indica una crisis en el monopolio estatal de los medios de violencia. Mientras que la tasa promedio en América Latina era 7 homicidios por cada 100.000 habitantes en 1980, la misma tasa en Colombia estaba cercana a los 21 (véase Figura 2), tres veces más alta que en el resto de América Latina.

Diez años más tarde, la tasa en América Latina se incrementó más del doble, alcanzando 15,5 homicidios por cada 100.000 habitantes, mientras que en Colombia se multiplicó por cuatro, llegando a 80. Esta tasa no había sido tan alta desde los años de la Violencia[10], en las décadas de los cuarenta y los cincuenta, el período más violento en la historia de Colombia en el siglo XX. Incluso en el Perú en 1990, cuando el movimiento guerrillero Sendero Luminoso estaba en su apogeo y era enfrentado por los grupos de autodefensa llamados Rondas Campesinas, la tasa de homicidios era solamente de 10 por cada 100.000 habitantes, ocho veces más baja que en Colombia.

FIGURA 2 TASA DE HOMICIDIOS EN AMÉRICA
LATINA Y EN COLOMBIA, 1980 Y 1990

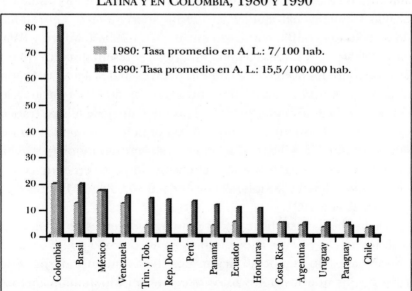

Fuente: Departamento Nacional de Planeación, 2000.

El contraste entre estas tasas de homicidios es desconcertante y merece una explicación. El narcotráfico ha sido comúnmente responsabilizado por una parte significativa de los altos índices de violencia en Colombia. Investigadores dentro y fuera del país han hecho notar la coincidencia entre el aumento de la participación de los traficantes colombianos en el cultivo y comercio de estupefacientes desde mediados de los años setenta, la creciente canalización de recursos y armas hacia la población y el incremento de los asesinatos (Safford y Palacios, 2002, p. 360). Es lo que la perspectiva analítica conocida como *economía del crimen* llama un «choque criminal», en el que los incentivos para incurrir en delitos aumentan y las oportunidades de actividades ilegales se difunden en la sociedad, llevando a un colapso del sistema judicial que no reacciona con rapidez ni eficacia, y reduce los costos de delinquir (Rubio, 1999). No obstante, Perú también fue un importante productor de coca y exportador de pasta de coca en el mismo período, sin haber sufrido un choque de la magnitud como el que se supone que sucedió en Colombia y sin tener una tasa de homicidios tan alta, como se observa en la Figura 2.

Existe, sin embargo, otra explicación más multifacética para tan alta cifra de asesinatos. Alrededor de 11.000 muertos en combate y 23.000 asesinatos extrajudiciales fueron aparentemente el resultado directo del conflicto armado entre 1975 y 1995 (Safford y Palacios, 2002, p. 362). Estas 34.000 muertes representan cerca de un 10% de todos los homicidios cometidos en estas dos décadas. Como al parecer el grueso de las muertes violentas no está relacionado con el conflicto armado, parece plausible culpar de ello al tráfico de drogas. No obstante, ¿cómo explicar aquellos momentos en los que los homicidios descendieron en el mismo período? (véase Figura 3), o ¿cómo pasar por alto el posible impacto en el descenso de la criminalidad y la violencia de cerca de 5.000 guerrilleros desmovilizados en 1991?

De hecho, las estadísticas sobre muertes violentas de la Figura 3 reaccionan claramente a los cambios en el contexto político y a las posibilidades de democratización. Los tres momentos después de 1964 en los que los homicidios decrecieron momentáneamente comparten una característica: fueron años extremadamente politi-

FIGURA 3 HOMICIDIOS EN COLOMBIA, 1948-1998

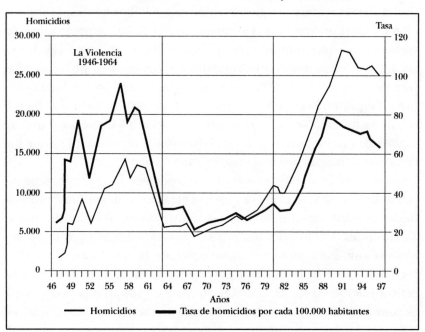

Fuente: Departamento Nacional de Planeación, 2000.

zados con grandes esperanzas de cambio. La polarización sobre las reformas era extrema y las expectativas sobre los resultados eran enormes. El primer descenso ocurrió durante el gobierno reformista y modernizador del liberal Carlos Lleras Restrepo (1966-1970). Lleras intentó democratizar la propiedad agraria y promover la organización y producción campesina, pero enfrentó una férrea oposición terrateniente. El segundo descenso ocurrió durante la primera etapa del gobierno del presidente Belisario Betancur (1982-1986), quien inició las primeras negociaciones de paz entre el gobierno y los diferentes grupos guerrilleros en 1982. Estas negociaciones abrieron el camino a reformas políticas más amplias y represadas durante más de una década, luego de la presidencia del liberal Julio César Turbay (1978-1982), gobierno que fue acusado de tolerar la tortura de prisioneros y la violación de los derechos humanos en unidades militares (Amnistía Internacional, 1980).

El tercer declive en la tasa de homicidios coincidió con la elección de una Asamblea constituyente y la redacción de la nueva Constitución en 1991. Ésta transformó el marco político institucional tras la desmovilización y desarme de casi 5.000 rebeldes, la disolución de cinco movimientos guerrilleros y el desarme provisional de varios grupos paramilitares, como el de Fidel Castaño en Córdoba. Es decir, en los momentos iniciales de coyunturas políticas que pueden conducir a resultados reformistas y cambios en los equilibrios de poder, las cifras de violencia disminuyen. Esto sucede así mientras los cálculos de los actores armados asimilan las transformaciones y readecúan sus perspectivas sobre la eventualidad de las reformas y su posición en la nueva situación.

Si se mira en detalle lo sucedido después de 1996, límite temporal de la Figura 3, se observa que mientras los muertos atribuidos a bajas en combate se mantuvieron relativamente constantes desde 1994 hasta 2001, los asesinatos de civiles en masacres y muertes selectivas aumentaron significativamente en los cinco años siguientes, como muestra la Figura 4. Este hecho coincide, primero, con la centralización en las AUC de un número importante de los grupos de autodefensas y paramilitares, con el arribo de las ACCU a la región del Urabá antioqueño y chocoano y la competencia armada con las FARC. En este marco ocurre el exterminio o desplazamiento de los cuadros y simpatizantes de la UP, el Partido Comunista y otros sectores políticos en esa región, lo mismo que la retirada de esas fuerzas políticas de las posiciones de dirección del poderoso sindicato de trabajadores del banano, y el control de los cascos urbanos de la zona bananera por este grupo paramilitar (Vicepresidencia de la República, 2002), como se verá en el Capítulo 5.

Luego, ese incremento en la muerte de civiles se acentúa de una forma escalofriante con la apertura de negociaciones de paz con las FARC y con el acuerdo entre este grupo y el gobierno del presidente conservador Andrés Pastrana para una zona desmilitarizada en el suroriente del país en 1998. Esta circunstancia coincide con el aumento en el número de combatientes de los grupos paramilitares registrado en la Figura 1, con la ampliación de su radio de acción e influencia en el Magdalena Medio, en particular en el Sur de Bolívar, donde se opusieron tenazmente a la llamada «zona de convivencia» para el ELN. Ésta había sido acordada entre los negociadores del ELN y el entonces comisionado de paz del gobierno, Camilo

FIGURA 4 MUERTES ASOCIADAS CON
EL CONFLICTO ARMADO, 1990-2001

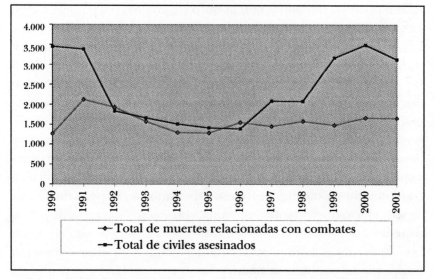

Fuente: Camilo Echandía, con datos del Comando General y CIC de la Policía Nacional; Estado Mayor Conjunto de las Fuerzas Militares. Las muertes en combate incluyen bajas recibidas por la Fuerza Pública, los grupos subversivos y los grupos de autodefensas y paramilitares. Los civiles muertos incluyen asesinatos selectivos y masacres cometidas por los grupos paramilitares y de autodefensa, la guerrilla y agentes sin determinar.

Gómez, como paso inicial a la desmovilización de esa organización guerrillera. De igual manera, esa expansión de los grupos paramilitares hacia el Norte de Santander, la sierra nevada de Santa Marta y el Chocó, entre otras regiones, además de la disputa territorial y el control de áreas con cultivos ilícitos, es parte de la intensificación del conflicto resultado de la apertura de negociaciones de paz entre el gobierno y la guerrilla, y de la disputa por aprovechar o neutralizar, según el caso, los eventuales cambios en los equilibrios de poder que acompañarían esas negociaciones.

DE VUELTA AL PROCESO POLÍTICO Y SUS CONEXIONES

Recientes estudios han discutido la imposibilidad de determinar el motivo de la gran mayoría de los homicidios del país, dada la alta tasa de impunidad existente, y consideran que atribuir a la violencia política entre el 10% y el 15% del total de las muertes violentas puede estar subvalorando esa proporción (Rubio, 1999). Este razonamiento concuerda con la línea de análisis presentada antes, en la que se indica la existencia de una reacción del número de homicidios a las variaciones en el proceso político. Igualmente, los municipios con mayores tasas de homicidios por 100.000 habitantes son precisamente donde están presentes los dos actores armados ilegales, es decir guerrillas y paramilitares, en competencia para controlar regiones estratégicas o neutralizar movimientos de su adversario (Cubides, Olaya y Ortiz, 1995). Lo necesario es hacer evidentes las conexiones entre el proceso político, la subversión armada y su contra, y la criminalidad, así como aceptar que no se pueden trazar divisiones tajantes entre estos tres ámbitos, so pena de perder de vista efectos importantes del conflicto armado, y viceversa. Se puede sostener que si bien es difícil asegurar que hay una tendencia a que la violencia de la delincuencia común y del narcotráfico se sometan a la lógica del conflicto armado, por momentos sí hay una profunda interrelación entre todas ellas.

La guerra de guerrillas y la contrainsurgencia, aparte de la violencia directa, también requieren todo tipo de logística urbana, la mayoría relacionada con actividades criminales y transgresiones de la ley. Éstas son necesarias para mantener el flujo de suministros, equipos y armas para los campamentos rebeldes y contrainsurgentes en las montañas. De hecho, el asalto a bancos y a camiones de carga y el robo de vehículos equipados para áreas rurales fueron los crímenes que más aumentaron desde fines de 1991 (Safford y Palacios, 2002, p. 361). En este período, las FARC, el grupo guerrillero más grande, y el ELN, uno más pequeño, arreciaron sus operaciones luego de que la Asamblea Constituyente promoviera la nueva Constitución en 1991 sin su participación (Echandía, 1999). Igual sucedió con los paramilitares, quienes iniciaron un proceso de centralización política y militar después de 1993 para enfrentar a los grupos guerrilleros aún en armas.

El fracaso de las reformas de Lleras Restrepo a finales de los años sesenta vino acompañado de un incremento en la violencia, mientras que la combinación de negociaciones de paz con las FARC de 1982 en adelante, la elección de alcaldes con nuevos competidores por el poder local a partir de 1988 y el fracaso en los tratos con los otros grupos guerrilleros se reflejó en una ola de violencia sin precedentes, como se ve en la Figura 3. El proceso político desatado después de 1991, sin embargo, es más complejo que el de las tres décadas pasadas y requiere una explicación que relacione campos de actividad aparentemente independientes. Esa dinámica política está estrechamente ligada a la expansión de cultivos ilícitos y al fracaso de las negociaciones de paz con las FARC y el ELN, y a la apertura de negociaciones entre la guerrilla y el gobierno desde 1998, al tiempo que se consolidaba un proceso de organización de coaliciones regionales contrainsurgentes. En efecto, a mediados de esta década, los paramilitares y las autodefensas del noroeste de Colombia se empeñaron en centralizar los diferentes empresarios de la coerción opuestos a la guerrilla diseminados por el país, y crearon primero las ACCU en 1994 y luego las AUC en 1997.

La capacidad militar tanto de los grupos guerrilleros como de la contrainsurgencia mejoró como resultado de los recursos provenientes del control que cada bando ejercía sobre cultivos ilegales y tráfico de estupefacientes. La competencia electoral para la Presidencia entre los partidos Liberal y Conservador, los dos partidos mayoritarios, incluyó tratos políticos entre ellos y los actores armados ilegales, tanto en el ámbito nacional como en el local. Finalmente, la mayoría de los actores políticos legales o ilegales se vieron involucrados en el tráfico de drogas. El Proceso 8.000 en contra de la campaña presidencial del candidato liberal Ernesto Samper en 1994 fue una muestra de esa interpenetración. Así, una compleja interacción entre política legal, insurgencia y contrainsurgencia, y la expansión de los cultivos ilícitos y el tráfico de drogas se desarrolló durante la década de los noventa. La línea divisoria entre la legalidad y la ilegalidad se desvaneció en esta década. Al mismo tiempo, la tasa de homicidios se estabilizó en cerca de 60 por cada 100.000 habitantes, o aproximadamente 25.000 asesinatos en promedio cada año después de 1995, luego de haber alcanzado índices sostenidos de 77 muertes intencionales por cada 100.000 habitantes a finales de los años ochenta (Deas y Gaitán, 1995). En el cambio de siglo, esa tasa de 60 ha tendido a incrementarse debido a las campañas de las

AUC en el Sur de Bolívar y Magdalena Medio, Norte de Santander, montes de María en el departamento de Sucre y otras regiones.

Las explicaciones que identifican sólo al tráfico de drogas como el principal factor del incremento de la violencia en Colombia no tienen en cuenta conexiones importantes entre el conflicto armado y el cultivo y tráfico de drogas; el conflicto armado y el crimen organizado; el tráfico de drogas y la política legal, y entre «política acotada y política transgresora». Propuestas recientes que buscan renovar la investigación sobre cambio político, conflicto armado y democratización ponen en entredicho la distinción entre política convencional y no convencional, y proponen analizar los paralelos y las interacciones entre las dos (McAdam, Tarrow y Tilly, 2001, pp. 6-7). Además, el énfasis en el tráfico de drogas tiende a pasar por alto el proceso político alrededor de las negociaciones de paz, la polarización y reacción que éstas crearon y la violencia política que las negociaciones contribuyeron a desatar al amenazar los equilibrios de poder regional.

NARCOTRAFICANTES CODICIOSOS, ¿CONTRAINSURGENTES O ALTRUISTAS?

Intelectuales, legisladores, organizaciones de derechos humanos y simpatizantes de izquierda propusieron otras interpretaciones en las primeras publicaciones sobre el tema durante la década de los ochenta y principios de los noventa. Estos enfoques se ubicaron en un terreno intermedio con respecto a las conexiones esbozadas anteriormente. Las fuerzas paramilitares y los grupos de autodefensa fueron asociados con los barones de la droga y sus técnicas de resolución de conflictos, o con formas parainstitucionales de controlar las protestas sociales por parte de capitalistas «mafiosos» (Palacio y Rojas, 1990). Estos empresarios de la coerción también fueron ligados con las estrategias contrainsurgentes de las Fuerzas Armadas y las tácticas de «guerra sucia» contra la guerrilla revolucionaria (Medina, 1990; Uprimny y Vargas, 1990). Finalmente, los paramilitares fueron acusados de desalojar campesinos de la tierra para favorecer a grandes terratenientes y propiciar el crecimiento de las extensas fincas ganaderas o latifundios (Reyes, 1994). Estas perspectivas iniciales se basaron, entre otras fuentes, en reportes oficiales de la Procuraduría General de la Nación y del DAS, en los cuales miembros de las Fuerzas Armadas fueron relacionados con estos «grupos de justicia privada[11].

Sin negar las interpretaciones anteriores, este texto pone en el centro del análisis de la violencia política contemporánea en Colombia la feroz competencia por el poder desencadenada por las conversaciones de paz. Paradójicamente, los acuerdos iniciales entre la insurgencia y el gobierno en 1984 aceleraron el enfrentamiento. Las AUC se constituyeron en un actor militar y político en medio de esa contienda a mediados de los años noventa, oponiéndose a cualquier negociación entre el gobierno y la guerrilla, y frenando cualquier proyecto reformista que afectara el statu quo, en particular en el sector rural. Ninguno de los puntos de vista bosquejados anteriormente toma en cuenta el proceso político que se desencadenó a principios de los años ochenta alrededor de las negociaciones de paz y la apertura política. Además, estas perspectivas no dan ningún peso analítico a las reformas descentralizadoras que abrieron la competencia política local y regional en medio del enfrentamiento armado a mediados de los años ochenta.

Por otro lado, los enfoques que no tienen en cuenta el proceso político y las conexiones esbozadas tienden a imputar comportamientos, identidades e intereses específicos a los distintos actores según su posición en la estructura social, sin tener en cuenta los contextos relacionales en los que interactúan. Por consiguiente, los trabajadores y los campesinos serían «naturalmente» progresistas o democráticos, y los terratenientes y los miembros de las Fuerzas Armadas, violentos y codiciosos. De acuerdo con estos puntos de vista, estos actores constituidos no tienen capacidad estratégica y no son afectados por el entorno cambiante. En estas interpretaciones la monopolización de la tierra sería la razón principal para la violencia, y los narcotraficantes convertidos en terratenientes serían sus principales agentes. Esta forma de representar el conflicto no ofrece explicaciones convincentes para la variedad de configuraciones políticas regionales en la Colombia de hoy. Estas variaciones incluyen alianzas, acuerdos o coincidencias contraintuitivas, como la de los trabajadores bananeros, ex guerrilleros, propietarios de plantaciones exportadoras de banano y grupos paramilitares en la zona de Urabá, noroccidente colombiano, situación que se analizará en los capítulos 4 y 5.

Junto con estos enfoques sobre los paramilitares, otro relacionado con la falta de seguridad para ganaderos, comerciantes, propietarios e inversionistas rurales cobró notoriedad durante la segunda mitad de la década de los noventa; esta perspectiva ya tenía seguidores en el gabinete ministerial en 1987[12]. Estos sectores y sus aliados políticos denominaron a los paramilitares *grupos de autodefensa*, buscando legitimidad para lo que ellos consideraban el derecho de las élites a defenderse de los ataques de la guerrilla. Fernando Botero, el primer ministro de Defensa durante el gobierno liberal de Ernesto Samper (1994-1998) lo dio a entender así en el congreso anual de ganaderos en octubre de 1994[13]. Esta perspectiva fue el sustento de la propuesta del año siguiente para crear las Convivir, cooperativas de seguridad privadas y con personal armado organizadas con el propósito de incrementar la seguridad rural. Para esto recolectarían información y harían inteligencia sobre actividades delictivas y otras conductas sociales consideradas incorrectas. Las Convivir se diseñaron para promover la cooperación entre propietarios y las Fuerzas Armadas con el fin de mantener el orden público.

El énfasis en la seguridad vino acompañado de un debate sobre cómo denominar a estos empresarios de la coerción. Las élites ganaderas e inversionistas rurales los definen como organizaciones de *autodefensa*, mientras que activistas de derechos humanos consideraron el término *paramilitar* más adecuado, ya que sugiere los vínculos observados con algunos sectores de las Fuerzas Militares. Acordar una forma de nombrar a estos grupos se convirtió en un terreno de debate y disputa estratégica. Esa distinción entre organizaciones de autodefensa y grupos paramilitares había sido útil para separar los orígenes de estos «grupos de justicia privada» a principios de los años ochenta: los primeros, organizados por propietarios rurales para defenderse de la guerrilla y con el apoyo del Ejército; y los segundos, integrados por mercenarios y asesinos a sueldo pagados por terratenientes o narcotraficantes. La diferencia perdió su poder descriptivo a mediados de los años noventa, cuando los distintos grupos coincidieron, ya fuera en la teoría o en la práctica, con sectores de las fuerzas de seguridad en que el conflicto armado se resolvería a través de sus fuerzas militares combinadas. Las ACCU fueron oficialmente creadas en este contexto a finales de 1994, y las AUC, tres años después.

Mientras que esta perspectiva claramente entiende las posibilidades de redistribución de poder que suponen las dinámicas políticas puestas en movimiento desde 1982, el énfasis en la seguridad redujo la transformación del régimen bipartidista a un juego de suma cero entre la insurgencia y la contrainsurgencia, confundiendo las nociones de oposición y subversión. La división del mundo en blanco y negro recreó las cómodas certezas del mundo bipolar, las cuales también resuenan en el establecimiento militar colombiano, al igual que en las FARC. El escenario de la Guerra Fría ha mantenido a las Fuerzas Armadas colombianas en la misma inercia política desde la década de los cincuenta, ahora reforzada por la lucha internacional contra el terrorismo y la ayuda militar estadounidense. Las fuerzas de seguridad han continuado ligadas a las doctrinas de la Guerra Fría, sin modernizar sus marcos conceptuales para ir más allá del dogma del «enemigo interno», propio de las guerras de contrainsurgencia.

Una renovación doctrinal necesaria reubicaría al estamento militar en el nuevo contexto global de democratización y respeto a los derechos humanos, facilitando así una solución negociada al conflicto armado. El uso del principio de guerra interna hecho por instituciones estatales y la asimilación de ese punto de vista hecha por grupos privados armados creó un campo de acción en el que confluyeron los diferentes sectores que se oponían a las negociaciones de paz. En dicho espacio se definieron como objetivos militares a políticos opositores, intelectuales, activistas sociales y de derechos humanos, junto con los «guerrilleros de civil» o «parasubversivos», como el jefe de las AUC, Carlos Castaño, califica a las redes de apoyo de la guerrilla. Todo aquel que no está de acuerdo con su proyecto de restauración y orden corre el riesgo de ser incluido en la lista negra de las AUC.

El líder de las fuerzas paramilitares, Carlos Castaño, ha logrado, hasta cierto punto, crear una imagen de sí mismo y sus asociados como defensores de respetables propietarios y hombres de negocios rurales y de simples ciudadanos víctimas de las agresiones de la guerrilla (Aranguren, 2001). Castaño acusa al Estado central de no proteger a las élites regionales y de promover a la guerrilla al negociar con ellas. En su perspectiva, el jefe paramilitar considera que las AUC son una respuesta legítima a las FARC, «la más grande multinacional del crimen, cuyos ingresos provienen de la extorsión, el secuestro y el narcotráfico» (Aranguren, 2001). Igualmente, Castaño ha insistido con vehemencia a través de los medios de comunicación en que las AUC no son los agresores, sino las víctimas de la guerrilla, describiéndose a sí mismo como un vengador ante el público urbano.

Usando la misma lógica de la insurgencia armada, la cual justifica su rebeldía como respuesta a la agresión del Estado, las AUC claman por el apoyo de la opinión pública, afirmando que su lucha contra la crueldad de la guerrilla merece el reconocimiento y la indulgencia del público, a pesar del amplio uso de la violencia en contra de civiles. El llamado de Castaño a quebrantar la ley para defender el orden, la libertad y la propiedad, y el eco de esta convocatoria en una variedad de sectores sociales, han ahondado la crisis del Estado y han frustrado los intentos para negociar la paz. Una cosa es una respuesta individual frente a una agresión donde se justificaría la autodefensa; otra es una estrategia agresiva, privada y colectiva, además con fuertes nexos institucionales, para resolver el enfrentamiento político y armado. Esta vía ha creado una crisis humanitaria y una situación que ha puesto en el camino del colapso al Estado colombiano.

Aunque el término usado para la denominación de las AUC y grupos afines ha sido un tema de debate[14], en este estudio se han considerado *paramilitares* a los grupos armados organizados para realizar operaciones de limpieza política y consolidación militar, previas al dominio territorial de un área, mientras *autodefensas* se refiere a las agrupaciones organizadas para defenderse de un agresor y mantener el control de un territorio, sin pretensiones de expansión. Es decir, la diferencia está en el carácter agresivo o defensivo del grupo. Si bien ese elemento analítico tuvo razón de ser para ayudar a diferenciar el origen de algunos grupos de autodefensas que reaccionaron frente a la extracción de recursos y el autoritarismo de la guerrilla a principios de los años ochenta, puede ser engañoso para apreciar la evolución del conflicto armado desde las reformas de descentralización política en 1988. La fluidez y polarización del enfrentamiento ha tendido a diluir esas diferencias iniciales entre autodefensas y paramilitares.

El enfoque de la seguridad no hace una clara distinción entre combatientes y no combatientes, y ha sido usado para camuflar un mecanismo expedito y efectivo para combatir no sólo a la subversión, sino también los intentos de democratización y las demandas por reformas. Ver a los paramilitares y a las autodefensas solamente dentro del contexto del derecho de las élites regionales a autodefenderse ha tendido a reducir el fenómeno a un problema de oferta y demanda por seguridad, ocultando los devastadores efectos de estos grupos en la modernización política iniciada por el presidente Belisario Betancur en 1982.

Más de dos tercios de las muertes relacionadas con el conflicto político entre 1975 y 1995 han sido civiles muertos fuera de combate (Safford y Palacios, 2002). La mayoría de los muertos eran simpatizantes rasos de movimientos sociales y políticos reformistas o radicales, sus activistas y líderes, o gente del común que vivía en áreas en las que estos movimientos tenían influencia (Echandía, 1999). Justificar su muerte por las acusaciones o sospechas de que eran auxiliadores civiles de la guerrilla es precisamente reconocer la necesidad de un proceso político para disolver esos lazos entre población e insurgencia, o para integrar a la guerrilla al sistema político. Es decir, haber aceptado esa relación en tan elevado y variado número de individuos es precisamente darles la razón a los que proponen una salida negociada al conflicto armado y con esto restablecer los canales legales de la política y erradicar la violencia. Parafraseando el final de la novela *El coronel no tiene quien le escriba*, del novelista Gabriel García Márquez, Rodrigo García Caicedo, dirigente de la Asociación de Ganaderos de Córdoba y defensor público de la autodefensa explica: «Sólo estamos luchando por el poder» (Aranguren, 2001).

PERIODIZACIÓN Y CAPÍTULOS

El trabajo considera la recomposición y transformación del régimen político como una parte clave en las dinámicas de cambio iniciadas desde 1982. Esas transformaciones ofrecieron oportunidades para unos sectores sociales y políticos, y amenazas para otros, en la afirmación de intereses, identidades e ideologías (McAdam, 1982; Tarrow; 1994; McAdam, Tarrow y Tilly, 2001)[15]. Hay cuatro coyunturas entre 1982 y 2002 que propiciaron un cambio en la evaluación de los principales actores sobre el desarrollo del conflicto político y armado. El primer momento es 1982, cuando el presidente conservador Belisario Betancur (1982-1986) inició las primeras negociaciones de paz con los grupos guerrilleros. Los tres mecanismos políticos mencionados —la polarización entre las élites regionales y el gobierno central, y entre aquéllas y movimientos sociales locales; la competencia entre la guerrilla y los narcotraficantes convertidos en terratenientes, y la fragmentación del Estado— están relacionados con este marco político, con los problemas de seguridad creados y con las reacciones para minimizar los efectos de una posible inclusión de la guerrilla en la política legal.

La segunda coyuntura es 1988 y la primera elección popular de alcaldes. Una mayor competencia electoral en un marco de insurgencia y contrainsurgencia armadas, y el riesgo de cambios en los equilibrios de poder local y regional llevaron a un aumento de la violencia, todo lo contrario a las expectativas de los que apoyaron la reforma política. La violencia o la amenaza de violencia se volvió parte de la rutina política, resultado de la competencia, incluso electoral, de los actores armados en las diferentes regiones. El período 1988-1995 ha sido el más sangriento de la historia reciente del país, precisamente cuando se llevaron a cabo las primeras cuatro elecciones de alcaldes, como se analizará en el Capítulo 2.

La tercera coyuntura concuerda con el relativo desencanto que siguió a la promulgación de la nueva Constitución en 1991 y el recrudecimiento del conflicto armado. La Constitución buscó proteger los derechos del ciudadano y de minorías indígenas y políticas frente a abusos del Estado. A la Asamblea Constituyente se llegó luego de la desmovilización de cinco grupos guerrilleros y el acuerdo de reformas políticas con el Partido Liberal, el partido mayoritario. Como las FARC y el ELN continuaron alzados en armas y no participaron en la Constituyente, las expectativas surgidas por las reformas cedieron el paso a más enfrentamiento y violencia. Las

ACCU fueron creadas en 1994, las AUC se oficializaron en el 1997 y la competencia electoral regional entre la guerrilla y los paramilitares evolucionó hacia luchas por territorios y homogeneización política, lo que originó cientos de miles de desplazados y miles de muertos. En esta disputa por territorios, el control de áreas con cultivos ilícitos pasó a ser un objetivo estratégico como fuente de ingresos para financiar el creciente enfrentamiento armado.

La cuarta coyuntura es 1998, cuando otra vez un presidente conservador, esta vez Andrés Pastrana (1998-2002), reinició las conversaciones de paz con las FARC, el grupo guerrillero más numeroso y mejor organizado y dotado, luego de seis años de interrupción y más de 10 años de diálogo frío y esporádico bajo gobiernos liberales. La elección presidencial de 1998 mostró una clara interacción política entre el Partido Liberal y el ELN, por un lado, y el Partido Conservador y las FARC, por el otro. La victoria del candidato conservador y el acercamiento con las FARC, y luego la concesión de una zona de distensión o desmilitarizada a este grupo guerrillero, disparó en distintas regiones los tres mecanismos políticos mencionados: polarización, competencia y fragmentación. En este contexto, las AUC crecieron en número de combatientes, extendieron su alcance geográfico y ampliaron su influencia política.

El libro está organizado en introducción, seis capítulos y conclusiones. En la primera se discute el marco analítico y se describe a grandes rasgos el surgimiento y consolidación de una organización armada no estatal, en un Estado que no ha colapsado y cuyo gobierno es civil y elegido por voto. El argumento central del trabajo señala que la apertura de negociaciones con la guerrilla, la apertura política y la descentralización desataron una serie de mecanismos políticos que facilitaron el surgimiento y consolidación de los grupos paramilitares y de autodefensas, como una reacción frente a la redefinición de los equilibrios de poder regional y los potenciales cambios a favor de las guerrillas, sus aliados y simpatizantes.

El Capítulo 1 hace una corta revisión bibliográfica sobre la transformación de la guerra hasta llegar a los conflictos armados contemporáneos. Esta sección también discute las trayectorias de consolidación estatal, es decir, de acumulación de los medios de violencia organizada en el Estado central y el tipo de alianzas que los dirigentes estatales pueden promover en busca de esa consolidación, así como la posición del narcotráfico en cada una de esas alternativas.

El Capítulo 2 presenta una caracterización del conflicto colombiano, una evolución histórica de las formas de coerción y su descentralización, y analiza cómo la agudización de la pérdida del monopolio de la violencia organizada por el Estado fue paralela al crecimiento de los cultivos ilegales durante los años noventa. El Capítulo 3 es un análisis histórico del surgimiento de las ACCU, el grupo más fuerte dentro de las AUC. La polarización entre las élites regionales en el departamento de Córdoba y el Estado central en los temas de paz y seguridad se examinan en este capítulo.

El Capítulo 4 hace un recuento del proceso político que culminó con un acuerdo o confluencia inesperada entre trabajadores bananeros, ex guerrilleros y propietarios de las plantaciones en Urabá, al noroccidente de Colombia, en el marco de la rivalidad política y militar entre las FARC y el EPL, y de la llegada de las ACCU a la región. El Capítulo 5 aborda más en detalle la llegada de los paramilitares a Urabá, el contexto de militarización en el que ocurrió y la competencia de fuerzas entre las ACCU y las FARC que siguió a ese arribo. También analiza las nuevas propuestas electorales que surgieron en medio de ese conflicto militar, el inicio de la conformación de nuevas mayorías electorales, incluida la UP, como resultado de las negociaciones de paz, y la reacción a esas nuevas realidades políticas electorales.

El Capítulo 6 discute las tensiones, crisis y transformaciones de las Fuerzas Militares y del sector de seguridad en relación con los acercamientos entre gobierno y guerrilla desde 1982, y los resultados de esos intentos por redefinir la comunidad política en las alianzas, coaliciones o concurrencias para la defensa de intereses, motivaciones o visiones en el ámbito subnacional. Las tensiones, y veces fragmentación, entre las Fuerzas Armadas y el gobierno central cada vez que el presidente inicia conversaciones de paz con la guerrilla son el tema de este capítulo. Finalmente, se presentan las conclusiones del estudio.

1. Véase Goldstone (2001) y Goodwin (2001), para dos trabajos recientes con una perspectiva global y teóricamente bien fundados.

2. *Consociacionalismo* es un patrón de comportamiento político en sociedades divididas y heterogéneas marcadas por un conflicto violento real o potencial entre sus segmentos más importantes. Este conflicto se evita a través de una amplia cooperación entre las élites de esos segmentos, en un régimen político abierto que resalte coaliciones, acuerdos e instrumentos constitucionales entre las partes opuestas para obtener estabilidad política (Lijphart, 1977). Aunque Colombia no encaja exactamente en la definición original, ha sido analizada como un ejemplo relativamente exitoso en el Tercer Mundo (Dix, 1980; Hartlyn, 1988). El pacto de 1958, llamado el Frente Nacional (1958-1974), supuso un acuerdo constitucional para la alternación presidencial entre los partidos Liberal y Conservador durante 16 años, y un reparto equilibrado del gabinete, la burocracia estatal, incluyendo el poder judicial, el cual duró cuatro años más. La participación política estuvo limitada a los dos partidos durante los primeros 12 años del acuerdo, lo cual creó una inercia institucional contra otros partidos e ideologías que permaneció hondamente arraigada en el Estado hasta principios de los años noventa.

3. En la bibliografía especializada se diferencia entre fuerza, violencia y coerción. La primera es definida como la capacidad para hacer daño en vidas humanas y bienes materiales. La segunda es el uso efectivo de esa capacidad o su aplicación. Y la tercera, la coerción, es la amenaza, potencialidad o memoria de que la violencia es una posibilidad real (Volkov, 2000). Si bien en inglés el término usado para referirse a los especialistas en el uso de la violencia es el de «*violent entrepreneurs*», su traducción literal al castellano como empresarios de la violencia es ambigua, y por eso se prefirió la de *empresarios de la coerción*.

4. *La República*, 19 de febrero de 1988, p. 4A.

5. *El Tiempo*, 17 de agosto de 1984, p. 5B.

6. *Ibid.*

7. *Ibid.*

8. *La República*, 19 de febrero de 1988, p. 4A.

9. Véase el informe del procurador Carlos Jiménez Gómez de febrero de 1983, sobre vinculación de miembros de las Fuerzas Armadas con «escuadrones de la muerte», expresión que se usaba en ese entonces para referirse a lo que hoy se conoce como grupos paramilitares y de autodefensa.

10. Nombre dado al período entre 1946 y 1965, en el que aproximadamente 200.000 colombianos murieron en enfrentamientos locales irregulares entre liberales y conservadores, lo que llevó a «un colapso parcial del Estado» en algunas regiones rurales de la zona central andina del país. Este período incluyó el gobierno cívico-militar del general Gustavo Rojas Pinilla (1953-1957), quien desarmó y controló parte de la insurgencia campesina que surgió del enfrentamiento bipartidista. Durante este gobierno las élites civiles liberales y conservadoras sentaron las bases para su reconciliación y establecieron un régimen consociacionalista llamado Frente Nacional que comenzó en 1958 y duró formalmente 16 años (Hartlyn, 1988; Oquist, 1980).

11. Véase el reporte del procurador general Carlos Jiménez Gómez, 19 de febrero de 1983, y el reporte del fenómeno paramilitar preparado por el DAS —oficina presidencial encargada de la seguridad— bajo la dirección del general de la Policía Miguel Maza Márquez. Parte de este reporte fue publicado bajo el título «El 'dossier' paramilitar» por la revista *Semana*, en su edición del 11-17 de abril de 1989.

12. Véase el debate parlamentario del 27 de agosto de 1987 (*El Tiempo*, 28 de agosto de 1987), en el cual el ministro de Defensa, general Rafael Samudio, y el ministro de Justicia, Juan Manuel Arias, justificaron y apoyaron los grupos campesinos de autodefensa. También debe recordarse que el término *autodefensa* fue el usado por el entonces ministro de Gobierno, el liberal César Gaviria, en su reporte sobre los grupos de justicia privada en 1987.

13. Véase el discurso de Fernando Botero ante el congreso de ganaderos en octubre de 1994.

14. El Ejército considera que en sentido estricto los paramilitares son las guerrillas, porque quieren parecerse a un ejército, mientras que las guerrillas denominan paramilitares a las fuerzas de contrainsurgencia y encubiertas del Ejército. A su vez, los grupos que los medios de comunicación y los académicos consideran como paramilitares, rechazan este apelativo y se llaman a sí mismos «autodefensas», reservan la palabra *paramilitar* para las fuerzas de seguridad del Ejército.

15. Las principales variables consideradas en la estructura de oportunidad o amenaza política son: el grado de cierre/apertura del sistema político; la estabilidad/inestabilidad de los alineamientos políticos; la presencia/ausencia de aliados y grupos de apoyo; las divisiones dentro de la élite, su tolerancia hacia la protesta y la disposición a usar la fuerza, y los aliados disponibles en el contexto internacional.

CAPÍTULO 1

MONOPOLIO DE LA FUERZA, CONSOLIDACIÓN ESTATAL Y TRAYECTORIAS

El enfoque de este libro se nutre de la bibliografía sobre formación y consolidación estatal, aunque con algunas reservas y considerando el proceso inverso en el que un Estado se deteriora y colapsa, trayectoria que ciertamente el Estado puede recorrer en Colombia. En el caso de Europa occidental, la perspectiva sobre la formación del Estado asocia modernización política, prolongadas disputas por el poder y violencia, con el ascenso de sistemas policivos y de vigilancia modernos, centralización estatal del poder y control de los medios de violencia (Bayley, 1975). Los gobernantes europeos dirigieron las acciones bélicas hacia las fronteras para resolver los conflictos entre Estados, y el manejo del orden interno requirió una clara separación entre actividades policiales y militares.

Estos cambios estructurales vinieron acompañados de una mayor cobertura de la ley, una expectativa de regularidad en su aplicación, y derechos y protección bajo el Estado. La extracción de recursos para la guerra interestatal llevó a la realización de acuerdos entre gobernantes y los diferentes sectores de la población bajo su jurisdicción, fortaleciendo esos deberes y derechos. El crecimiento del aparato militar vino acompañado de una mayor supervisión de ese gasto por los civiles, lo mismo que una menor injerencia militar en la política interna. La ciudadanía y la participación se obtuvieron

luego de una prolongada lucha y negociación entre los administradores del Estado y los diferentes grupos de la población (Chevigny,
1995; Tilly, 1992).

FORMACIÓN DEL ESTADO EN EL MUNDO EMERGENTE

Sin embargo, los países pertenecientes a lo que antes se llamaba
el Tercer Mundo y ahora regiones emergentes no siguieron el mismo camino que Europa occidental en lo referente a la organización
de Estados nacionales y la construcción de capacidad militar y orden
interno (Chevigny, 1995; Tilly, 1992). Como la conflictiva formación
nacional de estos países fue atravesada en el pasado por un sistema
imperialista de Estados y todavía se encuentra expuesta a un sistema internacional que no favorece una consolidación nacional clásica —cuestionada aún más por los efectos dispares de la globalización—,
el tema de la seguridad interna es un asunto prioritario para los
gobiernos del Tercer Mundo y sus regímenes. El mantenimiento
del orden y la defensa nacional, dos funciones diferentes en los Estados de Europa occidental, están superpuestos en los casos de configuración nacional aún no consolidada.

La prioridad de los Estados de esta región en términos de seguridad es la adquisición de capacidades para cumplir planes y alcanzar
metas de bienestar, reconocimiento de su legitimidad para gobernar por los diferentes grupos de la población a la que le pide obediencia, y obtención de una integración de los diferentes grupos
sociales que habitan en su territorio. Algunos enfoques consideran
que un período de formación suficientemente prolongado resulta-
rá en una cohesión interna relativa, con estructuras burocráticas
racionales y poder «infraestructural» responsable y receptivo a las
demandas de los diferentes grupos sociales. Si esto no sucediera, la
organización militar podría cumplir un papel importante en esos
objetivos (Ayoob, 1991 y 1995). Esta interpretación implica que el
ascenso del poder militar en el Tercer Mundo fue una fase necesaria de la formación del Estado, y que la pacificación de las Fuerzas
Militares llegó —o llegará— luego del tiempo necesario para estabilizar los desequilibrios que precipitaron su intervención.

Las perspectivas que tienen en cuenta el sistema internacional
de Estados y su constitución mutua con los ámbitos internos sugie-

ren algo muy diferente. En éstas la competencia entre los grandes poderes y la intervención en el Tercer Mundo han influido en la posibilidad de control del estamento militar por el poder civil. Es decir, el sistema de Estados ha promovido un aparato militar fuerte en esta región sin las barreras y equilibrios propios de la experiencia europea (Tilly, 1992 y 1995b). El fortalecimiento de las fuerzas militares en lo que se conoció como el Tercer Mundo, resultado de la competencia dentro del sistema de Estados durante el período de la Guerra Fría es un buen ejemplo de este proceso. En el caso de América Latina hay debate sobre el grado de influencia de la asistencia, entrenamiento y equipamiento militar estadounidense en los gobiernos autoritarios, golpes o rebeliones militares, ya que un excesivo énfasis en ese influjo externo tiende a exonerar de responsabilidad a las élites civiles y militares locales.

Por el contrario, hay pocas dudas sobre el impacto que ha tenido la ayuda militar estadounidense en el fortalecimiento de las Fuerzas Armadas. El cíclico deterioro y reconstrucción de las instituciones políticas frente a la relativa cohesión y estabilidad de la organización militar es considerado como una de las causas más importantes para la intervención militar en política (Fitch, 1986). Sin embargo, aún hoy, en la era posterior a la Guerra Fría y cuando la democracia y los derechos humanos son un valor reconocido de la comunidad de naciones, el fortalecimiento militar es todavía considerado como la forma más común para vigorizar el Estado. Un ejemplo es el Plan Colombia, financiado por los Estados Unidos, con el cual se espera erradicar los cultivos de coca y amapola en este país andino, y eventualmente derrotar a la insurgencia guerrillera a través de medios militares. El principal objetivo del Plan es el fortalecimiento de la capacidad del Ejército, la Fuerza Aérea y la Policía, rechazando otras alternativas que mejorarían el entendimiento e integración de los diferentes sectores sociales de su población, la legitimidad del Estado para gobernar y la capacidad de sus agencias civiles para mejorar el nivel de vida de los colombianos. Estos tres escenarios —la capacidad estatal, la ampliación de la comunidad política y la integración de los diversos grupos sociales— constituyen la agenda de seguridad del Tercer Mundo, espacios que evocan a lo que también se conoce como

«construcción de la nación» en la formación de los Estados nacionales europeos. Ésta no se redujo al desarrollo militar y a la capacidad
de vigilancia y control interno, es decir, al ejercicio de la autoridad por los sectores gobernantes, sino que se amplió a la inclusión
social a través de la ciudadanía, combinada con un amplio espectro
ideológico en el sistema y en la comunidad política.

La perspectiva institucional ha sido el método más común para
analizar la intervención militar en la política latinoamericana. Ésta
enfatiza los efectos de la profesionalización de los oficiales y las políticas civiles para mantener la subordinación de la corporación armada. Dicha perspectiva subraya el estudio de los factores que afectan
la cohesión interna de la institución militar, asumiendo que cuanto
más profesionales sean sus miembros, menos intervencionista en
política será su comportamiento (Huntington, 1957). El análisis de
la experiencia latinoamericana desde la década de los sesenta demostró que el «nuevo profesionalismo», ligado a la doctrina de seguridad nacional, no apoyó esa correlación (Stepan, 1973).

Además, la visión institucional tiende a ver a las Fuerzas Armadas con demasiada autonomía de los conflictos en la sociedad, o
atribuye identificaciones de clase a sus miembros sin analizar los
contextos relacionales en los actúan, cuando, de hecho, la organización militar ha obtenido el poder o ampliado sus prerrogativas a
través de complejas interacciones, cálculos y coaliciones con civiles
(Lowenthal, 1986). Por lo tanto, en este trabajo se ha puesto particular atención a las interacciones entre las Fuerzas Armadas y la
dinámica política en el ámbito subnacional, siguiendo sugerencias
para analizar patrones de dominio y oposición, «fragmentando los
Estados y las sociedades, y observando las articulaciones entre ellos»
(Midgal, 1994, p. 9).

Por otro lado, la bibliografía sobre formación del Estado en Europa occidental, el Tercer Mundo o regiones emergentes y la intervención de las Fuerzas Armadas en política, tienen en común que
no consideran en sus análisis el proceso inverso en el que un Estado
se deteriora o colapsa, perdiendo el control de los medios de violencia organizada (Volkov, 2000). Es decir, hay que reconocer que
la autoridad y el control de los medios de coerción no es un atribu-

to natural, permanente ni dado de los Estados. Ese monopolio sobre el ejercicio de la violencia es socialmente constituido y reproducido, no sólo a través de las prácticas de los agentes estatales, sino también por la legitimidad y efectividad de esos agentes para hacer cumplir el orden normativo que apoyan, en el territorio que reclaman. Así, esa exclusividad o monopolio es más bien el resultado de un conflicto y negociación permanentes. En este sentido, la soberanía como última autoridad en un territorio no es un atributo inherente del Estado, sino resultado de un proceso histórico; además, también es acreditada por otros Estados o entes similares en la arena internacional (Thompson, 1994). En suma, la soberanía es una práctica relacional y no un atributo categórico y natural del Estado (Somers y Gibson, 1994; Somers, 1993)[1].

Esta aproximación significa que el límite entre la esfera estatal y la no estatal de la autoridad sobre la fuerza organizada está sujeto a disputas y reacciones, y es producido, reproducido y legitimado por prácticas institucionales y narrativas oficiales que enfatizan el monopolio del Estado y su legitimidad sobre los medios de violencia organizada[2]. Al considerar la autoridad sobre la fuerza como un proceso, este trabajo hace hincapié en una dimensión poco reconocida, que es la del Estado como experiencia y práctica social, es decir, resalta la faceta relacional de la formación, transformación o deterioro del Estado, la cual también tiene en cuenta las reacciones de acato o resistencia de los sujetos sobre los cuales ese Estado reclama obediencia (Joseph y Nugent, 1994).

GUERRA LIMITADA Y GUERRA TOTAL

Los procesos de disolución del Estado que llevan a guerras civiles, asesinatos masivos y violencia tendieron hasta hace muy poco a ser vistos como reflejos de las hostilidades de la Guerra Fría (Warren, 1993). Los investigadores se centraron en las dinámicas sistémicas o interestatales, y no prestaron atención a los conflictos internos, a los empresarios no estatales de la coerción ni a las implicaciones de la rivalidad estatal internacional en las trayectorias de cambio político y de transformación del Estado en las sociedades del llamado Tercer Mundo. De hecho, después de 1945 los conflictos violentos o las guerras no fueron enfrentamientos entre superpotencias, sino entre Estados relativamente nuevos o débiles.

Casi el 77% de las 164 guerras ocurridas entre 1945 y 1995 fueron internas, en las que el combate armado no era contra otro Estado, sino contra las autoridades del Estado o entre comunidades armadas dentro de un mismo territorio (Holsti, 1996). De los 27 conflictos más importantes ocurridos en 1999, todos menos dos ocurrieron dentro de las fronteras nacionales (Collier, 2000). El punto de disputa más importante en estos enfrentamientos fue la composición de la comunidad política y las formas institucionales para reflejar esa composición, o sea la forma en que ese reconocimiento de pertenencia a esa comunidad era ratificado en la práctica de las diferentes agencias estatales[3].

Dado que los conflictos contemporáneos tienen que ver más con la conformación interna de los Estados que con rivalidades interestatales, y debido a que la mayoría ocurre en lo que antes se conocía como el Tercer Mundo, podría esperarse que las normas y estilos de guerra europeos no se hayan duplicado en estos territorios. Las guerras europeas de los siglos XVIII y XIX tenían etiqueta, reglas y secuencias formales. Por el contrario, las guerras en las que la conformación interna de los Estados está en juego tienen características diferentes. Éstas son desinstitucionalizadas, y las «reglas del juego» dispuestas para mantener el enfrentamiento armado como una actividad acotada, autocontenida y separada de la vida civil se desdibujan (Holsti, 1996). Paradójicamente, al tiempo que la guerra pasó de ser interestatal a ser una lucha interna, las partes externas, es decir, otros Estados, organizaciones y redes internacionales se involucraban más, ya sea como proveedores de medios militares, apoyo político, donadores de ayuda y mediadores, pero también como especuladores (Tilly, 2001).

Debido a que los patrones de violencia y de guerra han cambiado drásticamente desde 1945, surgieron esfuerzos para reconceptualizarlos. Los intentos varían desde simplemente diferenciar entre las antiguas y las nuevas formas de guerra (Kaldor, 1999), hasta identificar distintas formas de violencia organizada desde 1948. En la segunda visión, la guerra ha cambiado de ser institucionalizada o limitada, a ser una guerra total, y finalmente una guerra popular o «guerra del tercer tipo» (Holsti, 1996; Rice, 1988). Los criterios para distinguir estas formas son los propósitos, el papel de los civiles y las instituciones de la guerra. Esta clasificación es útil, aunque en este trabajo se diferencia entre guerra popular y guerras del tercer tipo.

Las guerras limitadas europeas no deben idealizarse. Las luchas entre las dinastías eran brutales. La disciplina dentro de las tropas era cruel y los desertores eran castigados con la muerte. La violencia y el saqueo contra los civiles era frecuente (Holsti, 1996). Además, la represión de los gobernantes contra las rebeliones y sublevaciones dentro de sus territorios era despiadada, sin importar si eran republicanos o aristócratas. La rebelión de la Vendée en contra del nuevo gobierno revolucionario de París en 1793 puede considerarse como una campaña de contrainsurgencia clásica (Rice, 1988). Las autoridades centrales ordenaron el desplazamiento de mujeres y niños, el asesinato de jóvenes varones, el incendio de pueblos, la destrucción de cultivos y la confiscación de ganado. Estas reacciones oficiales han sido comunes a lo largo del tiempo y el espacio.

La crueldad de los conflictos modernos captada por la cámara del fotógrafo brasileño Sebastiaõ Salgado a finales del siglo XX ya era conocida a finales del siglo XVIII. Ésta era parte de la respuesta oficial contra la insurrección, como lo recuerdan los informes de la supresión de la rebelión de la Vendée. Igualmente, las leyes y convenciones de la guerra no aplicaban cuando los ejércitos europeos operaban fuera del continente. Por ende, la descripción estilizada del despliegue de fuerza por parte de las potencias nunca ha encajado exactamente el desarrollo real de la guerra moderna (Kaldor, 1999).

Sin embargo, puede decirse que los movimientos en el campo de batalla en el continente reflejaban el *ethos* de la razón, la moderación y el cálculo dinásticos (y más tarde, los de la Ilustración). El propósito de la batalla era forzar la rendición del enemigo; la violencia era una actividad autocontenida separada de la vida civil, y las tropas debían usar las identificaciones debidas y cargar sus armas a la vista. La nacionalidad era irrelevante para unir a los miembros de la dinastía y a sus líderes militares, pero la lealtad personal y el interés económico común eran importantes. Y el propósito principal de la guerra era promover o proteger los intereses del Estado. La guerra era una forma de violencia organizada relativamente nueva como instrumento de la política estatal (Hoslti, 1996). Esta forma de guerra fue resumida en la famosa definición clasusewitziana de «la política es la continuación de la guerra por otros medios».

El descenso a la guerra total vino con Napoleón, quien superó las limitaciones financieras y humanas de las guerras dinásticas. Los regímenes fiscales nacionales, el reclutamiento obligatorio y las Fuerzas Armadas motivadas por fervores patrióticos y sentimientos de igualdad revolucionaria hicieron irrelevantes las coacciones del pasado. Estados nacionales y no dinastías eran los nuevos actores de la guerra. Una nación en armas reemplazó a los mercenarios o profesionales. El propósito era aniquilar al enemigo, no forzarlo a rendirse, y reorganizar las sociedades cambiando el sistema de Estados dinástico con un imperio centrado en Francia (Holsti, 1996). Sin embargo, una vez vencidos los ejércitos revolucionarios de Napoleón, los vencedores restablecieron la diferenciación social y profesional de las Fuerzas Armadas como instrumento del Estado. Las negociaciones internacionales reemplazaron las reglas del juego no oficiales desarrolladas a fines del siglo XVIII, por una codificación en la que se insistía en el monopolio estatal de la fuerza organizada, una clara distinción entre guerra y paz, soldado y civil, beligerante y neutral, enemigo y criminal (Schmitt, 1996).

No obstante, la tecnología combinada con el nacionalismo amenazó cada vez más estas diferencias, y la guerra institucionalizada comenzó a desmoronarse. La primera guerra mundial fue un ejemplo dramático. Reapareció el modelo napoleónico de movilización total. Se abrieron dos nuevos espacios para la guerra: bajo el mar y en el aire. Ambos trajeron consigo víctimas civiles. Los objetivos estratégicos pasaron de la obtención de victorias decisivas en el campo de batalla, a diezmar la capacidad del contrario para hacer una guerra mecanizada. Esto significó atacar objetivos no militares. Si había una «nación» que iba a la guerra, entonces una «nación» debía soportar la carga (Holsti, 1996).

En las campañas militares donde la artillería de largo alcance fue utilizada, los civiles fueron la mayoría de las víctimas. El terror y la propaganda se volvieron componentes del pensamiento estratégico de la segunda guerra mundial, haciendo de la población un blanco de guerra deliberado. Para ganar una guerra había que destruir la moral civil. No era suficiente vencer a las Fuerzas Armadas enemigas. Lo contrario también era cierto. La guerra no la ganaban sólo los ejércitos, era necesario el apoyo civil. Además, la guerra era total, no sólo en su capacidad destructiva, convirtiendo deliberadamente a los civiles en blancos, sino también en sus propósitos. Los victoriosos Aliados de la segunda guerra mundial reconstruyeron a los vencidos a su imagen y semejanza, y la coalición ganadora en la guerra contra Iraq y el régimen de Saddam Hussein en el 2003 pretende sentar las bases para una estructura política similar a la de una democracia occidental.

GUERRAS DE NUEVO TIPO O LA NUEVA BELICOSIDAD

Después de 1945, los conflictos dentro de fronteras nacionales reemplazaron a las guerras interestatales como la principal causa de enfrentamiento armado. La ocupación colonial generó resistencia, y movimientos de liberación nacional organizaron guerras populares contra los poderes coloniales. Una característica de la lucha de estos movimientos es que una parte importante de sus combatientes permanecía clandestina o sin diferenciarse del resto de la población. Los enfrentamientos militares eran esporádicos, y la mayoría del tiempo sus autores no eran vistos y no podían ser identificados. Una resistencia exitosa dependía de la población civil simpatizante para la obtención de alimentos, comunicaciones, información sobre el enemigo, servicios médicos, escondites, entre otros auxilios.

Estas guerras eran también campañas para politizar a las masas, cuya lealtad y entusiasmo debían sostener los regímenes de la posguerra. No obstante, la guerra revolucionaria era nueve de diez partes oculta e irregular; y una de diez partes era una guerra abierta, de acuerdo con la propia experiencia de Mao Tse-Tung (Schmitt, 1966). Este tipo de enfrentamiento establece un nexo distinto entre los combatientes y los civiles, desvaneciendo la distinción entre ellos. Además, los civiles no sólo se convirtieron en los principales blancos de las operaciones militares, sino que su transformación en un nuevo tipo de individuos se convirtió en un propósito clave de la guerra (Holsti, 1996).

La mayoría de los regímenes poscoloniales enfrentó retos relativos al Estado y a la relación entre éste y las naciones, las comunidades y los distintos grupos de población dentro de su jurisdicción territorial. Tras la desintegración de la Unión Soviética y los regímenes comunistas europeos, los movimientos nacionalistas en busca de Estado en esa región ampliaron el área de agitación, real o potencial, y de conflicto violento. Es en este contexto de Estados con problemas de integración donde se han desarrollado las guerras del tercer tipo. Aunque esta expresión se utilizó para nombrar a las insurrecciones, rebeliones y guerras civiles en los «países subdesarrollados» después de 1945 (Rice, 1988), recientemente se ha asociado con los nuevos tipos de violencia organizada de finales del siglo XX y principios del XXI (Holsti, 1996). Sin embargo, existen diferencias notables entre las guerras de liberación nacional y los conflictos armados contemporáneos, a pesar de tener en común el desvanecimiento de las fronteras entre civiles y combatientes.

El contexto de la Guerra Fría y la intensificación actual de la globalización son dos procesos distintos que afectaron los espacios nacionales de manera diferente. El primero tendía a fortalecer el aparato militar, y algunas veces el Estado, mientras que el segundo ha desafiado la autonomía del Estado, y en casos extremos ha contribuido a su desintegración (Kaldor, 1999). Esto significa el deterioro del monopolio estatal de la violencia organizada, contexto en el cual las nuevas guerras han surgido. Los movimientos de liberación nacional tuvieron que ver con divisiones geopolíticas o ideológicas relacionadas con proyectos utópicos de sociedad, en contraste con la mayoría de los actuales pretendientes a un poder estatal, los cuales sustentan su propósito en rótulos e ideas relacionadas con representaciones idealizadas y nostálgicas del pasado de una comunidad específica, casi siempre definida sobre la base de una homogeneidad étnica. Estos proyectos políticos han surgido en el vacío creado por la crisis de utopías socialistas o alternativas, de acuerdo con Kaldor.

Otro contraste entre las guerras insurgentes y las nuevas formas de la guerra es la diferencia en el control del territorio. La guerrilla lo logró a través de influencia política sobre la población y no tanto por medio del avance militar, como ocurre en una guerra convencional. Al menos en teoría, la guerrilla buscaba conquistar «las mentes y los corazones», mientras que los conflictos armados actuales han asimilado de la contrainsurgencia las técnicas de desestabilización dirigidas a sembrar «miedo y odio». El propósito es controlar a la población deshaciéndose de todo aquel que tenga una identidad y una opinión diferentes, y el propósito estratégico es el desplazamiento de población (Kaldor, 1999).

La financiación es también diferente. En el mundo bipolar de la Guerra Fría asociarse con cualquiera de las superpotencias aseguraba un flujo de recursos, mientras que en el contexto internacional actual la ausencia de una competencia abierta entre superpoderes no garantiza apoyo internacional directo a las rebeliones locales. Las unidades de combate o los frentes de esas organizaciones tienden a ser descentralizadas y responsables de sus propios recursos. El comercio ilegal de drogas o de productos como petróleo o diamantes, los impuestos forzados a actividades económicas legales y el simple saqueo a grupos pudientes son la principal fuente de ingresos. Los conflictos armados actuales son una mezcla de guerra, delincuencia y violaciones a los derechos humanos (Kaldor, 1999).

LAS AUC Y LA BELICOSIDAD CONTEMPORÁNEA

¿Encajan las AUC en esta descripción de los nuevos conflictos armados? Sus ingresos provienen del tráfico de drogas y otras actividades ilegales, de la extracción de recursos a diferentes grupos en las regiones en las que tienen control, de las contribuciones de élites rurales y urbanas a cambio de protección y de la explotación de los presupuestos regionales y locales del Estado (Ministerio de Defensa, 2000). La diáspora de colombianos acaudalados en el suroriente de los Estados Unidos, algunos de ellos ligados al tráfico de drogas, ha operado con éxito y canalizado recursos frescos para la expansión de las AUC[4]. El terror ha sido ampliamente utilizado por esta organización, es responsable de la mayoría del desplazamiento forzado de más de dos millones de colombianos en los ocho años anteriores, lo mismo que de aproximadamente dos terceras partes de las ejecuciones y asesinatos con autor identificado (Codhes, 2001; CCJ, 1997). En las zonas controladas por las AUC en el nororiente colombiano y el valle del Magdalena Medio, los radicales y reformistas fueron asesinados o desterrados, y la composición política de estos territorios tiende a ser homogénea o su agenda de discusión pública limitada (Romero, 2000).

Sin embargo, el supuesto proyecto tradicionalista de las AUC basado en identidades étnicas o religiosas, rasgo predominante de los conflictos actuales, no es claro. Mientras que ganaderos y otros partidarios públicos de las AUC se quejan del crimen, de la guerrilla y del abandono del Estado central, también anhelan antiguos años idealizados de paz y tranquilidad en los que no había negociaciones con la guerrilla o descontento entre los campesinos, aunque sí mucha arbitrariedad patronal, como el análisis de la región bananera de Urabá lo muestra el Capítulo 4. Si bien las AUC quieren preservar el statu quo amenazado por las políticas de paz y la movilización social, sus patrocinadores también buscan aprovechar las oportunidades del mercado global para exportar carne, frutas, aceite de palma africana y otros productos agroindustriales (Aranguren, 2001).

Los paramilitares y las autodefensas admiran a los «luchadores de la libertad» de Ronald Reagan o la Contra nicaragüense de los años ochenta, y apoyan las políticas económicas neoliberales de la antigua primera ministra británica Margaret Thatcher[5], precisamente las que denuncia la guerrilla. En este sentido, las AUC son más globales que locales, y revelan la orientación a los negocios de varios de sus principales protectores y auspiciadores, quienes se benefician de la estabilidad económica que les ofrecen estos empresarios de la coerción. Por el contrario, las FARC afirman representar al campesino pobre y al trabajador agrícola, grupos sociales afectados por la liberalización comercial del sector agrario a principios de los años noventa y por la concentración de tierra a favor de las grandes haciendas ganaderas desde inicios de la década de los ochenta.

Por esta razón, la división guerrilla-paramilitares no encaja muy bien dentro de la polaridad cosmopolitismo-particularismo que estaría reemplazando las antiguas divisiones territoriales o ideológicas, de acuerdo con Kaldor. Las AUC ven con sospecha la diversidad o la existencia de formas locales y diferentes de ser y existir, y no manifiestan ningún compromiso con la equidad social y la dignidad de los seres humanos, características del cosmopolitismo. No es que las FARC cumplan con esas características, aunque sí manifiestan estar más cercanas a la equidad social. Más bien, tanto las AUC como las FARC en su estado actual tienden a ser dos formas enfrentadas de particularismo, entendido como la incapacidad para plantear un proyecto de futuro con una base cívica humanista (Kaldor, 1999).

Sin embargo, hay que reconocer que el enfrentamiento también revela el conflicto de dos perspectivas distintas sobre la economía política y cómo se integrarían al mercado mundial y al sistema de Estados. Ambas partes tienen enfoques tradicionales y modernizantes al mismo tiempo, aunque los agentes o fuerzas sociales de cada perspectiva son distintos en cada caso, lo mismo que los efectos en la política local de cada una de ellas. En concreto, en las áreas de influencia paramilitar los actores sociales tienden a ser los gremios económicos con los ganaderos a la cabeza y las administraciones municipales bajo control de esos gremios. La movilización de protesta es restringida; la agenda de discusión pública, limitada, y hay una tendencia a la homogeneidad política o a la limitación de la esfera pública y a las actividades de asociación, en especial las que tienen que ver con la afirmación o defensa de derechos.

EMPRESARIOS DE LA COERCIÓN Y ACUMULACIÓN DE PODER

El término *empresario militar* o *de la coerción* se refiere a una categoría de hombres para quienes empuñar las armas y ejercer la violencia o la amenaza de violencia es el valor de uso de la destreza que poseen (Gallant, 1999; Volkov, 2000). En este caso, *militar* no tiene la connotación contemporánea de un ejército nacional, sino evoca la técnica en el uso de la violencia organizada y la capacidad en su despliegue. Estos hombres son empresarios en el sentido en que proveen de un producto —la violencia o la amenaza de violencia— y pueden actuar como agentes de otros o a título propio. Ellos intimidan, protegen, recolectan información, saldan disputas, dan garantías, hacen cumplir contratos y cobran impuestos, entre otras actividades. Y a pesar de las diferencias de origen y estatus moral y legal, algunos autores sugieren tratar a este género de individuos como un solo grupo, derivando su semejanza del manejo de un mismo recurso: la violencia organizada (Volkov, 2000). Cuando el rótulo *bandolero* se aplica a estos depredadores armados, las investigaciones tienden a restringirse a sus actividades ilegales, sólo una faceta de un proceso mucho más complejo. Este texto sobre los paramilitares colombianos investiga este proceso y sus complejidades.

La importancia histórica de estos empresarios de la coerción es mayor cuando operan en el «intersticio entre legalidad e ilegalidad» (Gallant, 1999). El término *empresario militar* capta la ambigüedad de su relación con la ley, ya que los mismos hombres que en algún punto de sus vidas actuaron fuera de la ley, también algunas veces operaron dentro de ella. Esta circunstancia usualmente se entrelaza con situaciones en las que esas prácticas ilegales hacen parte de una legitimidad acordada por segmentos de la sociedad, como los traficantes de droga y los pobladores de los barrios pobres de Río de Janeiro (Heyman y Smart, 1999), la mafia rusa y sus nexos con grupos poderosos dentro del antiguo Estado soviético (Volkov, 2000), o los paramilitares colombianos y las élites rurales (Romero, 2000). Este terreno ambiguo está relacionado con la pérdida del control sobre los medios de violencia por el Estado central, un declive en su capacidad y la acumulación de poder por parte de otras organizaciones.

La bibliografía sobre la formación del Estado señala la interdependencia entre la guerra y el surgimiento de los Estados en Europa occidental, y la analogía entre estos dos procesos y el crimen organizado. Al reconocer que «el bandolerismo, la piratería, las organizaciones criminales y su rivalidad, la vigilancia policial y la guerra hacen parte de un mismo continuo» (Tilly, 1985), al compartir todos el manejo de un mismo recurso —la violencia—, esta perspectiva considera que este tipo de empresarios y delincuentes han desempeñado un papel importante en la formación de los Estados nacionales, en la consolidación del poder estatal y en el desarrollo de mercados, funciones que aún están cumpliendo en los conflictos contemporáneos. Esto significa que estos empresarios de la coerción, más que antitéticos al mundo de los Estados y los mercados son parte integral de éstos, y lo han sido desde el siglo XVI (Gallant, 1999).

Desde una perspectiva más antropológica también se puede argumentar algo similar. La violencia y la amenaza de violencia son formas comúnmente vistas como algo externo, y por ende amenazador de las formas del orden social y de la comunidad. Sin embargo, hay quienes replantean esta división tradicional entre violencia y orden social, y consideran la violencia como una forma de poder, la cual no es simplemente una fuerza destructiva o «antisocial», sino productora de subjetividades, verdades, historias e identidades; productora, en suma, del mismo orden social (Poole, 1994). Examinando atentamente cómo la violencia, el poder y la comunidad son experimentados y entendidos por individuos, grupos y comunidades, estos enfoques afirman que las prácticas y discursos violentos no sólo reproducen los órdenes sociales, sino que los producen. Estos órdenes son históricamente concretos y a pesar de la violencia, resistidos y desafiados activamente. La fuerza y su uso y las formas de poder y comunidad que generan son efectuados por individuos y grupos específicos y en beneficio de ellos, y como tales, no son atributos naturales ni inevitables de una formación social, sino resultado de procesos históricos (Poole, 1994).

Al ubicarse en áreas remotas y aisladas de los caminos y centros económicos, los empresarios de la coerción facilitan la penetración de las relaciones de mercado en estas regiones. Adquieren suministros de los pobladores y comerciantes locales, y desarrollan conexiones regulares con los mercados regionales. Su presencia armada llama la atención de las autoridades centrales, y la incursión de la policía y de las Fuerzas Militares une las zonas aisladas con el centro político. Dependiendo del carácter de ese contacto con la autoridad central y de la regularidad de esa relación, en esos territorios pueden surgir identidades de resistencia al poder del centro o, por el contrario, desarrollarse polos económicos que impulsen la configuración de nuevas regiones.

Los estudios sobre bandolerismo revelan que este fenómeno emerge en Estados que tienen un control centralizado débil (Joseph, 1990). En ausencia del monopolio estatal de la fuerza organizada y la inhabilidad de dicho Estado para imponer orden en la jurisdicción que reclama, los poderosos locales y los Estados recurren a empresarios militares, los cuales surgen en este vacío de control.

En estos períodos esos empresarios ayudan a establecer el orden social y, paradójicamente, mantienen los medios de violencia bajo el control del Estado. Tanto las fuerzas de seguridad como estos empresarios de la coerción son extraídos del mismo grupo de hombres. «Estos empresarios militares —incluyendo a los piratas— han jugado recurrentemente papeles importantes en la formación y consolidación de Estados alrededor del mundo durante los últimos 300 años, y continúan reapareciendo» (Gallant, 1999). Sin embargo, las actividades de estos defensores del statu quo son polivalentes, ambiguas y volátiles. Ya que la consolidación del Estado tiene en su esencia la lucha por el control de los medios de violencia organizada, estos hombres se verán inevitablemente empujados hacia la arena política y expuestos a ser sometidos por el Estado, dependiendo de los cambios en el contexto político.

De acuerdo con la perspectiva planteada existen dos tipos de situaciones ideales en las que esta clase de empresarios contribuye a la formación estatal. La primera es cuando esa capacidad para ejercer fuerza se politiza en el contexto de insurrecciones que pueden convertirse en rebeliones campesinas o en revoluciones. La segunda se refiere a situaciones en las que intermediarios políticos poderosos, nobles, élites locales o grandes terratenientes utilizan a estos empresarios de la violencia en sus luchas por el poder dentro de un marco estatal débil. En la primera situación, cuando los guerreros están del lado victorioso, ganan legitimidad y pasan a ser tropas regulares o irregulares de un nuevo Estado. Si, por el contrario, están del lado de los vencidos, pueden ser acomodados de forma selectiva o eliminados tras haber sido estigmatizados públicamente como una amenaza para el nuevo Estado. En la segunda situación, el problema no es tanto la formación de una estructura estatal nueva o el liderazgo de una insurrección popular, sino el control de una jurisdicción territorial existente. Esta situación también se conoce como caudillismo armado, en el cual estos empresarios militares son cultivados por élites locales, intermediarios políticos o grandes terratenientes en ausencia del monopolio de la fuerza por parte del Estado.

En ambos casos el estar dentro o fuera de la ley es determinado por la naturaleza de la relación del grupo en cuestión con el Estado, en un momento específico (Gallant, 1999). Esto ha sido claro en las negociaciones de paz entre el gobierno colombiano y las guerrillas desde 1982. Cuando están en proceso de negociaciones, el gobierno otorga facilidades de movilización y beneficios judiciales a los líderes de la guerrilla para hacer posibles los diálogos, además de negociar con ellos como si fueran actores políticos legales. Cuando las conversaciones se rompen, los gobernantes los tildan de «criminales» y «terroristas», y suspenden cualquier trato que los reconozca como potenciales miembros de la comunidad política.

En el caso de las AUC, la distinción anterior tiende, de hecho, a diluirse en la realidad local y regional. Existe una clara ambigüedad entre estar a un lado u otro de la ley. Los propietarios rurales, los traficantes de estupefacientes ahora convertidos en terratenientes y las fuerzas de seguridad reaccionaron contra la incapacidad del Estado central para ofrecer protección, pero también para limitar los riesgos de cambios en los equilibrios de poder que trajeron consigo las negociaciones de paz, la apertura política y la movilización social. Esa confluencia para oponerse al nuevo escenario político en formación originó una zona gris donde la línea entre lo legal y lo ilegal se diluyó.

Lo que no está claro en la bibliografía reseñada son las circunstancias y el proceso político que dieron origen a esos empresarios de la coerción —además de la debilidad estatal— y la asociación casi automática entre los grupos privados armados y la consolidación estatal, entendida como el monopolio de los medios de violencia organizada por parte del Estado. Antes de que esto suceda puede presentarse un período de luchas políticas, violencia y enfrentamientos armados, los cuales corren el riesgo de volverse endémicos. El período iniciado en 1982 en Colombia es un buen ejemplo, y la situación amenaza con continuar en la primera parte del nuevo siglo, a menos que se abandonen las negociaciones de paz con las guerrillas, se desmovilicen y reintegren a los grupos de autodefensa y paramilitares, y tenga éxito una estrategia para derrotarlas militarmente, como parece que el gobierno liberal de Álvaro Uribe Vélez (2002-2006) intenta hacer. O por el contrario, si se insiste en la consolidación de una estrategia de inclusión de las FARC y el ELN en la comunidad política, con certeza supondría algún tipo de neutralización de los grupos paramilitares, o un cambio en su propósito contrainsurgente.

CONSOLIDACIÓN ESTATAL Y TRAYECTORIAS

Las anteriores alternativas pueden ser los extremos de un continuo donde diversas combinaciones intermedias pueden suceder, al menos hipotéticamente. Esto nos pone en el terreno de las diferentes trayectorias de consolidación estatal. El énfasis de la bibliografía anterior sobre el orden social y la concentración de los medios de violencia en el Estado tienden a oscurecer la influencia de la «gente del común» en la formación de nuevas instituciones y en las diferentes trayectorias que puede tomar la consolidación del Estado. Estudios comparativos recientes sobre el aporte de la acción política popular en las distintas trayectorias de formación y consolidación de los Estados europeos destacan la interacción entre gobierno central, élites regionales y actores sociales y políticos constituidos en el ámbito local (Te Brake, 1998). Este análisis de dos ámbitos —el nacional y el local— permite trazar una relación analítica entre movilización popular regional y variables estructurales o institucionales, como la estructura social, modelos institucionales y formas de intervención estatal, lo mismo que incorporar al análisis la cooperación, asistencia o ayuda de gobiernos externos, diversas ONG o agencias internacionales, las cuales tienen efectos regionales concretos, sin pasar por el Estado central.

La interacción entre los conflictos originados en una estructura social y en un modelo institucional, y las diversas formas de intervención estatal crean las oportunidades, o las barreras, para el desarrollo de modalidades de movilización e identidades específicas (Barkey, 1991). Al combinar estos dos ámbitos de análisis, el texto busca ofrecer una explicación que conecte claramente las dinámicas locales con las nacionales e internacionales, y de esta forma considerar las oportunidades y los obstáculos en el surgimiento y consolidación de estos empresarios militares, y las variaciones regionales de ese fenómeno. La relación de resistencia o cooperación en el ámbito subnacional entre los sujetos colectivos populares y las políticas de los mandatarios nacionales, y la reacción de las élites regionales a los cambios en dicha relación, es uno de los puntos que está en el centro del enfrentamiento armado en Colombia. La trayectoria de la posible consolidación estatal dependerá, en gran medida, de cómo se resuelva esa interacción conflictiva entre mandatarios nacionales reformistas y grupos de poder regional opuestos a esos cambios.

Las figuras 1.1, 1.2 y 1.3 muestran tres situaciones ideales de trayectorias de consolidación estatal en las que están presentes como mínimo los tres protagonistas principales: Estado central, élites regionales y actores colectivos populares y sujetos no organizados[6]. Estas situaciones son estilizaciones de la realidad, ya que en ésta ninguno de los tres actores mencionados es homogéneo y ocurren alineamientos entre las facciones de cada uno ellos. Es decir, en la realidad ocurren combinaciones de los tres casos. Sin embargo, la presentación de las situaciones aisladas ayuda a clarificar el argumento del trabajo. De igual manera, las figuras están pensadas para referirse al proceso político de los últimos 20 años en Colombia.

En la Figura 1.1 se describe la forma de organización estatal hasta 1982, en la que no había elecciones locales ni departamentales, y existía una significativa movilización de protesta rural, urbana y regional, además de diferentes focos de resistencia guerrillera en diversos puntos del territorio. Lo característico fue el alineamiento entre élites regionales y locales con el gobierno nacional, y un control de la población y de la oposición comunista, socialista y de los reformismos radicales, con amplio uso de recursos extraordinarios, como el estado de sitio. En la Figura 1.2 se observa la dinámica iniciada con las conversaciones de paz entre el gobierno y las guerrillas en 1982, y luego con la descentralización y la elección de alcaldes en 1988, la Asamblea Nacional Constituyente de 1991 y la elección de gobernadores desde entonces.

Esos intentos por redefinir la comunidad política y propiciar el tránsito a la vida civil de los alzados en armas fueron parte de un proyecto más amplio por democratizar la vida política del país, hecho que amenazó con un deterioro en la posición de privilegio de las élites regionales y locales, principalmente liberales, partido mayoritario. Esos intentos dieron origen a los tres mecanismos mencionados al comienzo: polarización entre esas élites amenazadas y

FIGURA 1.1 CONSOLIDACIÓN ELITISTA DEL ESTADO
ANTES DE LAS NEGOCIACIONES DE PAZ EN 1982

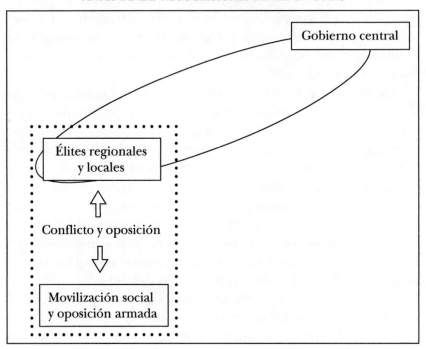

el gobierno central, y entre aquéllas y grupos movilizados en apoyo de las negociaciones locales de paz; competencia entre el poder regional emergente de narcotraficantes y el de la guerrilla, y tensión —a veces fragmentación— dentro del Estado entre el gobierno nacional y las Fuerzas Armadas, quienes buscaron apoyo en las regiones en su oposición a las políticas de paz.

En teoría, esta trayectoria de consolidación extendería la soberanía del Estado central, ampliaría la comunidad política a nuevos sectores y agendas públicas, y con esto fortalecería la defensa de derechos de la población frente a los poderosos y gamonales locales. Éstos, en la mayoría de las regiones con conflicto armado, tienen estrechos nexos con el narcotráfico, y su debilitamiento, además, haría más efectivas las políticas de erradicación de cultivos ilícitos y del tráfico de estupefacientes. La existencia de este sector emergente fue una de las razones para que esta trayectoria de consolidación

FIGURA 1.2 CONSOLIDACIÓN TERRITORIAL DEL ESTADO
Y NEGOCIACIONES DE PAZ

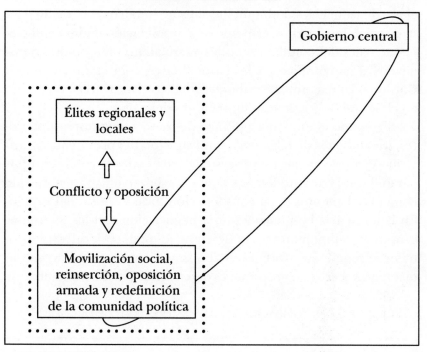

despertara resistencia armada, de la cual los grupos paramilitares son una de sus expresiones.

La Figura 1.3 presenta un tipo de consolidación donde la soberanía local se refuerza frente a la intervención del Estado central y la extensión y regularidad en la aplicación de la ley, la cual se ve limitada por esos órdenes particulares que desconocen la universalidad de las normas del Estado nacional. Esta alianza entre élites locales y actores colectivos populares es una barrera en contra de políticas o iniciativas que afecten los intereses de esta coalición. La entrada a esta coalición es generalmente selectiva o incluye a sectores limitados de esos actores populares, quienes entran a formar parte de un pacto corporativo, antes que a consolidar un Estado de derecho. Este tipo de consolidación tiene tendencias autoritarias y en el caso colombiano esas alianzas están cruzadas con arreglos o coincidencias con grupos paramilitares, como se verá en el caso de la zona bananera de Urabá y en Córdoba. En estas regiones la población enfrenta una organización estatal y paraestatal eficiente en el uso de la fuerza, sin ningún mecanismo público reconocido para su control. Igualmente, este tipo de consolidación en las condiciones actuales del conflicto significaría un afianzamiento de grupos ligados al narcotráfico y a los paramilitares, como ha sucedido en Córdoba, Urabá, noreste antioqueño, Bajo Cauca y recientemente en el Sur de Bolívar y otras en regiones del país.

Siguiendo el esquema analítico de las tres trayectorias anteriores, los anuncios de la actual administración del presidente Álvaro Uribe Vélez de iniciar un proceso de acercamiento con los grupos paramilitares y de autodefensa, también esbozan una trayectoria que combina elementos de la consolidación local y elitista del Estado. En la tendencia bosquejada por la negociación con los diferentes grupos de paramilitares y autodefensas, los poderes locales tradicionales se redefinen y fortalecen al mismo tiempo, ya que, como lo dicen sus voceros, su propósito es defender el Estado, no cambiar la

FIGURA 1.3 CONSOLIDACIÓN LOCAL Y EMPRESARIOS DE LA COERCIÓN

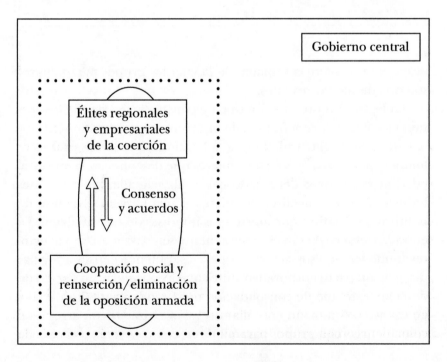

actual organización del poder. La desmovilización de los grupos contrainsurgentes y su legalización como asociaciones políticas en formación o nuevas tendencias dentro de los partidos tradicionales significaría una ratificación indirecta de su agenda pública de seguridad y sus métodos, a través de la negociación con el gobierno central, por oposición a una de ampliación de la comunidad política que incluya a la guerrilla y un conjunto de reformas pactadas con ésta.

Si la desmovilización de estos grupos no concluye con un movimiento de carácter político, dada su inconveniencia, pero sus miembros rasos son incluidos en las redes de cooperantes o en los grupos de soldados campesinos —espacios abiertos por la propuesta de seguridad democrática del gobierno actual—, surge un problema de lealtad de estos grupos y de vigencia de la ley. La duda es si su obediencia será hacia el antiguo jefe paramilitar, ahora legalizado, o hacia los antiguos financiadores de las AUC, ahora potentados regionales, o, por el contrario, si esa lealtad será hacia la autoridad militar y civil regional, supuestamente autónoma de esos poderes de facto. Es posible que esto lleve a crear una zona gris donde esos jefes locales tendrían a disposición fuerzas armadas privadas, pagadas con dineros públicos. En este caso, ¿cuál será la vigencia de la ley en un ambiente de poderes privados a los cuales se subordina el aparato estatal? ¿Tendrá la autoridad policial, militar o de la Fiscalía la suficiente autonomía y el respaldo necesario en las regiones para actuar de acuerdo con la ley frente a esos poderes locales? Éstas son preguntas gruesas que merecen discusión.

Además, es muy probable que estas nuevas coaliciones de poder local vayan a establecer límites formales o informales a la movilización social, ciudadana y al funcionamiento de las esferas públicas locales, como ha sucedido hasta ahora en las regiones donde las AUC tienen influencia. ¿Qué sucederá con la necesaria discusión y el debate público que se requieren para cumplir los objetivos de la descentralización y la movilización en contra de la corrupción? El interés de estas nuevas coaliciones se aproxima bastante a la conservación de esos statu quo regionales amenazados no sólo por las negociaciones de paz, sino por las oportunidades para que grupos de ciudadanos organizados fiscalicen los dineros públicos y amplíen la

FIGURA 1.4 TENDENCIA DE CONSOLIDACIÓN ESTATAL
NEGOCIACIÓN CON PARAMILITARES Y AUTODEFENSAS

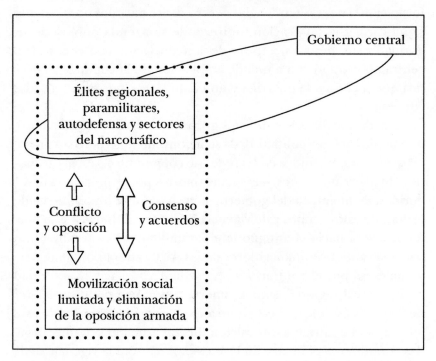

democracia, posibilidades reales ofrecidas por la descentralización. La consolidación de esas coaliciones con seguridad entorpecerá la ampliación y el respeto de derechos y de jurisdicción de la ley, a favor de regulaciones privadas, en algunos casos ligadas con el narcotráfico y otras actividades ilegales.

Todo parece indicar que este proyecto de consolidación estatal reproducirá algunos de los rasgos de control social y político que existían antes de 1982, aunque una novedad puede ser la inclusión o cooptación selectiva de grupos excluidos, resultado de la competencia estratégica regional con la guerrilla, como se analizará en el caso de Urabá en los capítulos 4 y 5. Falta ver si el resultado de esta tendencia del actual gobierno de supresión de competidores armados a través de la cooptación de los paramilitares y eliminación de la guerrilla, va a favorecer un fortalecimiento del Estado y de la ley. O, por el contrario, si este camino puede beneficiar poderes privados locales, profundizando una consolidación elitista del Estado colombiano entorpecida por 20 años de negociaciones de paz y reiniciando un control de las manifestaciones de inconformidad y de lucha ciudadana de diversos sectores con recursos extraordinarios similares a los del estado de sitio, como sucedía antes de 1982.

1. Estos autores explican que la ciudadanía debe ser vista como una práctica social y no como un atributo o un estatus. Una posición similar puede adoptarse en relación con la soberanía o la autoridad sobre la violencia organizada.

2. Sin embargo, dadas ciertas condiciones, la disputa y rivalidad política pueden llevar a situaciones revolucionarias en las que surgen «múltiples soberanías»; cada una representa una constelación de intereses sociales y lucha para lograr el poder estatal y el reconocimiento internacional. La coalición que finalmente prevalece puede asumir un proceso de construcción estatal para tener un control territorial permanente (Tilly, 1986; Wendt y Barnett, 1993).

3. Según el modelo de Charles Tilly sobre «polity», además de los agentes del gobierno están: los miembros constituidos de esa «polity», quienes disfrutan de acceso rutinario a los agentes y recursos gubernamentales; los contendientes o retadores, actores constituidos que carecen de ese acceso rutinario al gobierno y quieren ser considerados como miembros regulares; sujetos, es decir, personas y grupos no organizados como actores colectivos, y los actores políticos externos, incluyendo a otros gobiernos (McAdam, Tarrow y Tilly, 2001). Infortunadamente no existe en español un término equivalente a *polity*, y el de *sistema político* es restringido porque no tiene en cuenta a los que están por fuera y quieren ser admitidos como miembros reconocidos de ese sistema.

4. «El 8.000 de los 'paras' (I)», *El Tiempo*, 20 de octubre de 2001.

5. «La otra coordinadora», revista *Semana*, 28 de febrero- 5 de marzo de 1995.

6. Los diagramas de las diferentes trayectorias de consolidación estatal se modificaron a partir de Wayne Te Brake (1998).

CAPÍTULO 2

CARÁCTER DEL CONFLICTO, VIOLENCIA POLÍTICA Y CAMBIOS EN LAS FORMAS DE COERCIÓN

Si bien se volvió casi un lugar común decir a finales de la década de los noventa que la solución al conflicto armado colombiano era política y no militar, el gobierno del presidente Álvaro Uribe Vélez (2002-2006) dio un giro de 180 grados en esa apreciación, y mostró que otra trayectoria de evolución del conflicto era posible, diferente de una negociación entre gobierno y guerrilla. Este nuevo rumbo no asegura una solución al conflicto armado en el corto plazo, y sí supone nuevas posibilidades de agravamiento, ante el grado de apoyo de los Estados Unidos a esta vía de resolución del enfrentamiento armado. Otro elemento que abre una nueva dimensión al conflicto colombiano son los acercamientos iniciales, sin precedentes en el país, entre el gobierno y grupos paramilitares y de autodefensa para estudiar la viabilidad de un proceso de reinserción de sus miembros, por medio de contactos directos entre delegados presidenciales y jefes de estos grupos.

Los anteriores hechos demuestran la fluida dinámica política del enfrentamiento armado y hacen resaltar la ausencia de un marco de análisis que dé cuenta de esa dinámica. Por el contrario, los razonamientos estructurales para explicar el enfrentamiento y sus cambios tienden a prevalecer. Esa tendencia a lo estructural no es mala ni buena per se, más bien, se refiere a las condiciones en las que el conflicto surgió. Sin embargo, ese acento tiende a mostrar una visión parcial, si no está acompañado de un examen de los procesos y las interacciones de los actores que intervienen en las diferentes coyunturas, y de los cambios y realineamientos que usualmente les siguen.

Además, ese énfasis en lo estructural, muy asociado con perspectivas materialistas o económicas, tiende precisamente a oscurecer las posibles salidas negociadas al conflicto, ya que sustentan demandas por transformaciones radicales que incluyen cambios drásticos en la distribución de la riqueza, en particular de activos representados en propiedad rural. Históricamente esas transformaciones han sido el resultado de acontecimientos extraordinarios, como revoluciones, guerras civiles, rebeliones triunfantes, golpes de Estado —hechos en su mayoría violentos— o de situaciones que incluyen «quiebres en la institucionalidad» o cambios súbitos de régimen, pero no han sido consecuencia de acuerdos en una mesa de negociación. Una «revolución por decreto», como un ex presidente liberal caracterizó hace un tiempo a las negociaciones con las FARC, es muy poco probable que ocurra, entre otros factores, dado el hondo antagonismo entre el partido mayoritario en el Congreso, el Liberal, y el más grande de los grupos subversivos, las FARC.

Este capítulo hace un análisis del proceso político alrededor de las negociaciones de paz entre el gobierno y la guerrilla en los últimos años; introduce en el razonamiento a los paramilitares y su papel en esos intentos de negociación, y examina la dinámica política alrededor de esas tentativas. Esta sección no incluye un estudio del proceso interno de la negociación o «la creación de confianza» entre las partes, ni un análisis detallado de la guerra a la que está ligado. Sin embargo, la perspectiva planteada deja observar aspectos inéditos hasta el momento: las interacciones del campo político legal con el ilegal, o con el propiamente subversivo o contrainsurgente; la competencia y disputa entre facciones del Partido Liberal y del Conservador por usufructuar políticamente el fracaso o el éxito de las negociaciones; o la fragmentación del Estado en diferentes agencias o niveles cuando de negociar la paz con la guerrilla se trata. Igualmente, el enfoque permite analizar la influencia de los diferentes actores internacionales en la dinámica interna, y la contraparte nacional que se ve fortalecida con las distintas formas de intervención de esos agentes externos, sean gobiernos, organizaciones internacionales o multilaterales, ONG o agencias similares.

El capítulo está organizado de la siguiente forma: primero discute el enfoque «coalicionista» y la perspectiva que sugiere un análisis integrado de la legalidad con la ilegalidad. Después llama la atención sobre la interacción entre economía y política, y el énfasis excesivo en la influencia de la primera hacia la segunda, sin observar la causalidad contraria. A continuación se presenta el concepto de *comunidad política* y se relaciona con el de *reconocimiento* y con las negociaciones de paz. Luego, el capítulo discute el trabajo reciente del Banco Mundial sobre las causas económicas de los conflictos armados y llama la atención acerca de la reflexión que se hace allí sobre la relación entre mayor diversidad y menores riesgos de conflicto violento en una sociedad. A continuación se analizan los cambios en las formas de coerción en Colombia y la pérdida por parte del Estado del control de esa coerción a favor de grupos contraestatales y paraestatales.

El texto continúa con un análisis de las coaliciones tácitas entre actores legales e ilegales en las elecciones presidenciales de 1998, y de la competencia entre facciones del Partido Liberal y del Conservador para obtener resultados políticos a través de las negociaciones de paz o del enfrentamiento militar. Esa rivalidad y competencia ofrece oportunidades de incorporación para los actores ilegales o subversivos, las cuales disminuyen, de la misma forma, cuando hay unificación de esas élites políticas. Finalmente, el capítulo hace un análisis preliminar de lo sucedido con la zona de convivencia para el ELN en el Magdalena Medio, como un ejemplo de esa interacción entre la política nacional y regional, y la respuesta de los paramilitares y autodefensas a las políticas de paz.

LEGALIDAD, ILEGALIDAD Y ACUERDOS POLÍTICOS

El capítulo busca mostrar cómo alrededor de las negociaciones de paz y mientras la guerra se ha incrementado, el régimen político también se ha transformado. Para esto, ofrece una perspectiva que hace hincapié en la honda disputa por el poder existente en Colombia desde el inicio de las negociaciones con la guerrilla en 1982, y el carácter del conflicto derivado de ese enfrentamiento por ampliar la comunidad política. En ese forcejeo por dar un rumbo a las negociaciones o a la disputa armada, se han podido entrever interacciones, y a veces acuerdos, entre facciones de los partidos que conforman el sistema político formal y los que no están incluidos en él, hechos que no hacían parte del repertorio político nacional hasta hace pocos años.

En las elecciones presidenciales de 1998 se insinuaron algunas de esas posibles alianzas o al menos acercamientos: el candidato liberal con el ELN, y el candidato conservador con las FARC. Para las elecciones presidenciales de 2002 no se perfilaron asociaciones públicas como las que se dieron en la campaña presidencial de 1998, aunque las afinidades políticas entre algunos de los apoyos regionales que ayudaron a elegir como presidente al candidato Álvaro Uribe y los grupos paramilitares y de autodefensa fueron claras en algunas regiones de Antioquia, Santander, Cesar, Córdoba, Bolívar y otros departamentos. El candidato liberal oficial, Horacio Serpa, insistió en que «los paramilitares están haciendo proselitismo armado a favor de Álvaro Uribe», al referirse al veto de éstos a la publicidad de su campaña en algunas zonas de Santander[1]. Los anuncios de negociaciones con estos grupos apenas pasados 100 días de la nueva administración, pusieron de nuevo en el tapete esa interacción entre la política institucional y la no institucional, que parece ya formar parte del sistema político colombiano, al menos hasta que se resuelva el problema de la acumulación de fuerza organizada en el Estado.

El enfoque de este capítulo utiliza dos herramientas analíticas principales: una mira la relación entre la política legal y la ilegal (McAdam, Tarrow y Tilly, 2001), y otra llamada «coalicionista» (Yashar, 1997). La primera propone unir analíticamente la política electoral y la violencia política como parte de un mismo proceso de competencia y lucha por controlar el acceso al poder institucional. Así, el texto presenta una perspectiva que relaciona la política electoral, las negociaciones de paz y la violencia política, y trata de romper esa segmentación en el estudio del actual proceso político colombiano. La segunda considera que la formación de democracias duraderas depende de la rivalidad y competencia entre los diferentes sectores de las élites tradicionales, y de las oportunidades para crear alianzas multiclasistas en coyunturas definitorias de condiciones y coaliciones más estables. Es decir, cuando hay emulación dentro de las élites políticas es más probable que haya incentivos para buscar el apoyo de otros sectores sociales por parte de esos competidores, y si, además, esos sectores disponibles para alianzas están organizados y movilizados, hay posibilidades de crear coaliciones multiclasistas y al mismo tiempo democratizadoras.

Por el contrario, cuando la mayoría de las élites políticas están unificadas y en un bloque mayoritario —como durante el Frente Nacional y los años posteriores— la ausencia de competencia no facilita la supervisión política y ciudadana, hay mayor polarización, el rango de las posibles coaliciones se reduce y la política tiende a convertirse en una relación de suma cero. Además, existe el riesgo de que esa unificación por arriba tienda a perpetuarse como una coalición ganadora estable, que cierra espacios a las minorías radicales. Así, estas minorías al no ver posibilidades de participar en esas coaliciones en el régimen democrático, pueden acudir a la violencia como una forma de buscar participación en alianzas ganadoras (Collier, 2000). En la perspectiva coalicionista los sectores de élite, medios o populares por sí solos no pueden generar una democracia estable, ya que además de los acuerdos mínimos sobre acatamiento a unos procedimientos de acceso al poder, aquélla es el resultado de alianzas duraderas que incluyen a sectores diversos. Además, este enfoque ofrece la posibilidad de ver los aspectos positivos de los «populismos democráticos» (Palacios, 2001) frente a la fragilidad institucional que con frecuencia inducen, y de analizar comparativamente las relaciones entre la pervivencia de la violencia política en Colombia, la limitada representación de intereses en el sistema electoral y esa relativa estabilidad institucional observada en este país.

La presencia de ese tipo de coaliciones democratizadoras en Colombia —división y competencia entre las élites políticas con presencia de sectores subalternos movilizados— ha sido ambigua en los últimos 40 años. Se han presentado coyunturas que no se han cristalizado en acuerdos duraderos, como la de la ANUC y la del gobierno reformista liberal de Carlos Lleras (1966-1970), cuando se observó el poder democratizador de esas coincidencias, lo mismo que la dimensión de las reacciones en su contra. Otro momento pudo ser el inicio del gobierno del presidente conservador Belisario Betancur (1982-1986), con pocos resultados en el corto plazo, aunque durante su período se abrieron las negociaciones directas entre gobierno y guerrilla, que luego dieron paso a la Constitución de 1991 y sus garantías a los derechos del ciudadano frente al Estado. Otra coyuntura similar pudo haber sido la elección presidencial de 1998 y la alianza tácita entre el candidato conservador y la guerrilla de las FARC, aunque el desarrollo de ese acuerdo electoral terminó en una reunificación de las élites políticas mayoritarias, similar a la del Frente Nacional en algunos aspectos, y con una tendencia a la profundización del enfrentamiento armado.

ESTRUCTURA SOCIOECONÓMICA Y PROCESO POLÍTICO

El enfoque planteado también permite discutir la relación entre monopolio de la tierra y poder político, no para desconocerla, sino para llamar la atención sobre la dirección de la causalidad. El estructuralismo está asociado con los análisis materialistas o económicos, y este campo ha sido propicio para derivar causalidades directas de una variable a otra, como en el caso de la posesión de riqueza y su influencia en el poder político, oscureciendo la relación inversa: los efectos de la política en la concentración o redistribución de riqueza. Esto es relevante para el caso de una eventual reforma agraria asociada con el proceso de paz, la cual sería una típica decisión del ámbito político que afectaría la distribución de la riqueza. Generalmente la estructura de propiedad agraria se toma como un punto de partida, como un dato dado, sin tener presente que también es un resultado, una consecuencia de un proceso político. Así, al tomar esa estructura agraria como un dato, es fácil concluir que para que haya paz, primero hay que hacer una redistribución de la tierra, debido a sus efectos democratizadores en el ámbito del poder.

Por el contrario, si esa estructura se considera como un resultado, es clara la necesidad de construir las coaliciones para facilitar un resultado reformista. En esta forma de ver la causalidad no se atribuyen a los actores comportamientos derivados de la posición económica, naturalizando ciertas disposiciones, sino que esos comportamientos son resultado de los contextos relacionales en los que operan, dejando espacio a la capacidad estratégica de cada uno de ellos. Es decir, los propietarios rurales grandes o medianos no serían esencialmente reaccionarios y propensos al uso de la violencia, ni los campesinos y trabajadores rurales naturalmente progresistas y demócratas. La variedad de alianzas regionales en Colombia muestra un rango de asociaciones que desafían esa naturalización del comportamiento político derivado de la posición en la estructura económica.

Finalmente, en esa perspectiva coalicionista el texto quiere resaltar una forma diferente de analizar el lugar de los paramilitares o la violencia reaccionaria en el proceso político colombiano, distinta de la interpretación derivada del enfoque materialista. En éste, esa violencia buscaría aumentar el latifundio ganadero y la concentración de la tierra, y por esta vía mantener el control político o aumentar su poder. Lo político se reduce así a una relación entre propiedad y poder, y queda por fuera del análisis una multitud de fenómenos no contemplados por esa particular manera de interpretar la formación del interés económico y su relación con el ámbito político. Lo étnico, lo regional, el centralismo, las polarizaciones de la guerra y la dinámica territorial que ésta genera, la competencia entre élites, etc. quedarían subordinados a esa ley de hierro que va desde la propiedad hacia la política. Por el contrario, en el análisis planteado, el efecto de los paramilitares y las autodefensas no se supone que sea únicamente el de mantener o fortalecer el latifundio —aunque ésa haya sido una de sus consecuencias—, sino el de frustrar la formación de esas coaliciones reformistas en los ámbitos local, regional y nacional, e impedir el desarrollo del apoyo político que haga posible el reformismo.

En ese sentido, los grupos paramilitares y de autodefensa han sido unos defensores extremistas del statu quo. Es decir, la agudización de la violencia política desde 1982 tiene que ver, además de los problemas de seguridad surgidos con las negociaciones de paz para las coaliciones en el poder, con las reacciones en contra de las posibilidades de redefinir los equilibrios políticos regionales a favor de una mayor democratización. Esta eventualidad surgió como consecuencia de los nuevos competidores y la oportunidad para una ampliación de la comunidad política, las nuevas agendas públicas y un rango de posibles alianzas más amplio creado por los acuerdos de paz con la guerrilla, la apertura política y la descentralización (Romero, 2000). Éste es el argumento central del capítulo alrededor del cual se ha construido la narrativa.

Además, la derivación de lo político desde lo económico no incluye en el razonamiento sobre la violencia los cambios en la estructura estatal resultado de la descentralización política iniciada en 1988. En efecto, esa devolución de poder a escala subnacional creó un espacio de competencia que no existía antes. Como el conflicto armado continuó, esa reforma que fue pensada como un paso hacia una mayor democratización, y por lo tanto hacia una disminución de la violencia, produjo un efecto contrario. Lo malo no fue la reforma descentralizadora, sino el fracaso de las negociaciones de paz con los dos grupos guerrilleros más numerosos y organizados —las FARC y el ELN— y la emergencia de un actor armado irregular —las AUC—, que además del Estado se opuso a las guerrillas. Al aumentar la competencia política para el acceso institucional tanto regional como localmente, en un contexto de conflicto armado en diversas regiones del país, el resultado fue una intensificación de la violencia política, hecho contrario a lo esperado.

COMUNIDAD POLÍTICA, RECONOCIMIENTO, DIVERSIDAD Y PAZ

El Estado colombiano se encuentra en un umbral donde podría entrar en un proceso de consolidación o prolongar su situación actual sin una concentración clara de su fuerza organizada. Lo primero incluye la recomposición de la comunidad política[2], base del sistema de intermediación de intereses y de representación electoral, lo mismo que la redefinición de las responsabilidades centrales frente a los entes territoriales subnacionales. De ahí la importancia de unas negociaciones de paz exitosas, que son un intento por incluir en la comunidad política a los grupos alzados en armas, y su fracaso puede profundizar el conflicto armado y poner en riesgo la viabilidad inmediata de Colombia como Estado nacional, comprometiendo su soberanía y sus posibilidades en el mundo competitivo de la globalización actual. La finalización del conflicto armado es la base para esa consolidación estatal, representada en la acumulación de la fuerza organizada en el Estado central. Esto también supone recuperar las normas básicas de convivencia social, una confianza mínima entre los ciudadanos, y entre éstos y las instituciones públicas, ya que no habría organizaciones que desafíen la autoridad y soberanía estatal ni que promuevan acciones depredadoras frente a los diferentes grupos de la sociedad.

Sin embargo, esa disputa por la redefinición de la comunidad política tiende a olvidarse, y las políticas de paz o de rehabilitación, a concentrarse en inversiones sociales o en infraestructura, sin considerar el campo específicamente político y la disputa por redefinir ese conjunto de competidores por el poder, conflicto asociado con el reconocimiento. Éste no se refiere sólo a la distribución de incentivos materiales a través de proyectos de inversión pública, sino a la redefinición de representaciones y prácticas de agencias estatales o grupos con poder, los cuales someten, devalúan o desconocen perspectivas de mundo de grupos regionales, políticos o sociales diferentes de los considerados oficiales o aceptados. Ese desconocimiento también supone la exclusión del poder y su ejercicio para esos sectores, lo que les impide tener acceso a los recursos estatales, beneficiar sus apoyos sociales con proyectos de inversión pública y mantener o aumentar sus soportes electorales a través de esa dinámica pública no armada.

Esa ausencia de reconocimiento por parte de las autoridades centrales y élites regionales no se limita sólo a lo político-partidista, sino a otros campos, como el étnico, el cultural, el social y el ambiental. Las visiones distorsionadas o peyorativas desde grupos de poder sobre diferentes sectores o procesos sociales locales han contribuido a crear patrones de interacción que oprimen, reducen o devalúan formas de ser, pensar o actuar, diferentes de las aceptadas como «normales» o «modernas». Como el reconocimiento está íntimamente ligado a la identidad y al entendimiento individual y colectivo de «quiénes somos» y a la dignidad de seres humanos, esos otros desconocidos, negados o distorsionados por grupos con mayores recursos y poder, además de sentir daño y sufrimiento (Taylor, 1994), también pueden resistir y hasta rebelarse. Análisis recientes sobre «identidades de resistencia» (Castells, 1997) se refieren a las reacciones locales frente a macroprocesos que han tenido efectos devastadores en los sectores más pobres de la sociedad, por ejemplo, la globalización y las consecuencias de la liberalización comercial en el sector rural colombiano.

Sobre el aspecto del reconocimiento es ilustrativo discutir el trabajo reciente del Banco Mundial sobre las causas económicas de las guerras civiles contemporáneas (Collier, 2000). El análisis de Collier indica que el conflicto se presenta en todas las sociedades, pero que la guerra civil es algo inusual. Ésta ocurre cuando las organizaciones insurgentes son capaces de controlar fuentes de ingreso permanentes. Sin entrar a discutir el enfoque general del trabajo, hay que mencionar que éste aborda otros temas relevantes para entender el concepto de comunidad política y su pertinencia para analizar el conflicto armado en Colombia. En concreto, esos temas son la diversidad en una sociedad y los riesgos de conflicto violento. Collier señala que hay una relación positiva entre diversidad y seguridad, o si se quiere, una relación negativa entre diversidad y riesgos de conflicto violento: a mayor diversidad, menor el riesgo. Esto es así, según Collier, porque en una sociedad diversa las posibilidades de que un grupo mayoritario imponga una dominación sobre minorías disminuye, y por esto las rebeldías o levantamientos contra esa dominación son menos probables en sociedades diversas.

Si ampliamos el concepto limitado de *diversidad* que utiliza Collier —referido básicamente a lo étnico y, en ocasiones a lo religioso— e introducimos otro tipo de identidad, como la política, el análisis es mucho más alumbrador para la situación colombiana. El trabajo indica que cuando en una sociedad un grupo representa de manera estable a más de la mitad de la población, este grupo tiene el poder o el interés para marginar, explotar o desconocer a una minoría, es decir, hay riesgos de que se conforme un predominio estable, y así, se generen las condiciones para una rebelión. Este riesgo aumenta cuanto mayor sea el predominio. Esto corresponde a lo que en ciencia política se llama una *coalición ganadora estable*. La rebelión surge porque esa minoría, dada la estabilidad de la mayoría dominante, no ve que los grupos excluidos del poder puedan entrar en una coalición ganadora en el marco democrático. Es decir, la democracia no ofrece perspectivas de reivindicación para esas minorías.

La coalición ganadora estable descrita por Collier se parece mucho a la conformada por el Frente Nacional (1958-1974) y por las coaliciones permanentes entre facciones del Partido Liberal y del Conservador que le siguieron, cuando grupos menores y de tendencia comunista, socialista o socialdemócrata radical no pudieron formar parte de esas coaliciones a escala nacional, ni mucho menos en las escalas subnacionales, dada la fuerte centralización política que existió hasta 1988. Si bien esa tendencia a conformar gobiernos de coalición entre esas dos agrupaciones mayoritarias es hoy menor —y cuando ocurre los gobiernos son inestables—, las oportunidades regionales y locales sí se han ampliado, y las posibilidades para formar parte de coaliciones ganadoras son reales. Sin embargo, la existencia de grupos insurgentes por fuera de la comunidad política y las reacciones armadas en su contra hacen muy difícil el funcionamiento de esos sistemas locales. Un proceso de paz con éxito debería ofrecer esa posibilidad de participar en coaliciones ganadoras a las minorías políticas aún en armas, por lo menos en algunas regiones, dado que a escala nacional parece una posibilidad muy lejana.

NEGOCIACIONES DE PAZ Y TRANSFORMACIÓN DEL SISTEMA POLÍTICO

Debido a la crisis de la deuda externa durante la década de los ochenta en Latinoamérica, estos años fueron bautizados como «la década perdida» en términos de desarrollo económico. El impacto de ese fenómeno no demandó en Colombia los ajustes estructurales que sufrió la mayoría de los países de la región. Sin embargo, en términos de desarrollo político y gobernabilidad democrática, a juzgar por la situación al final de los años ochenta, los resultados de casi una década de negociaciones de paz habían sido ambiguos, si no calamitosos. *Al filo del caos* fue el título de un libro publicado por prestigiosos académicos sobre la realidad del país al iniciar los años noventa[3]. Con excepción de la convocatoria a la Asamblea Constituyente en 1991, había poco para sentirse optimistas. Como lo expresó un ensayista luego de la promulgación de la nueva Constitución, a ésta le faltaba sujeto, una voluntad colectiva para ponerla en práctica (Castellanos, 1992).

Antes de las negociaciones de paz iniciadas en 1982, el sistema político colombiano puede describirse como lo muestra la Figura 2.1. Un régimen político con dos partidos con acceso rutinario a los recursos y posiciones del Estado, el Liberal y el Conservador, mientras existían diversos grupos guerrilleros en los márgenes del sistema, conectados de distintas maneras con organizaciones políticas o frentes electorales legales, sin ningún acceso al aparato estatal, aunque sí con conexiones con algunas facciones de los partidos mayoritarios. El sistema internacional era bipolar, y el Estado mantenía relaciones con gobiernos occidentales, principalmente los Estados Unidos, así como con las empresas y bancos de este bloque. Por su lado, los grupos insurgentes recibían algún tipo de solidaridad del sistema socialista, además de la orientación ideológica.

FIGURA 2.1 EL SISTEMA POLÍTICO EN 1982
ANTES DE LAS NEGOCIACIONES DE PAZ

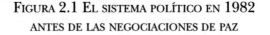

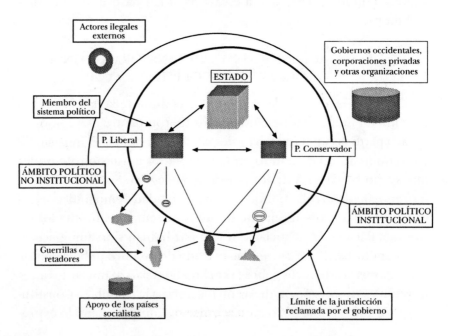

Lo que se observa 20 años después de iniciadas las conversaciones de paz es que la cantidad de grupos guerrilleros ha disminuido, pero al mismo tiempo los que quedan son más fuertes, en particular las FARC. El sistema internacional dejó de ser bipolar, pero la variedad de actores con efectos en el ámbito nacional aumentó notablemente. Además, surgieron otros actores armados, en este caso contrainsurgentes, es decir, los paramilitares y las autodefensas, además de una fuerte conexión, tanto de guerrilleros como de paramilitares, con el cultivo y tráfico de estupefacientes y con el lavado de dinero proveniente de ese comercio. Aquí tampoco hay que olvidar los nexos entre el narcotráfico y el ámbito político institucional.

Los fenómenos indicados se pueden observar en la Figura 2.2, aún sin señalar las relaciones, y en la Figura 2.3, con la indicación de las conexiones. Otros aspectos importantes 20 años después del

FIGURA 2.2 EL SISTEMA POLÍTICO Y SUS ACTORES EN COLOMBIA, COMIENZOS DEL SIGLO XXI

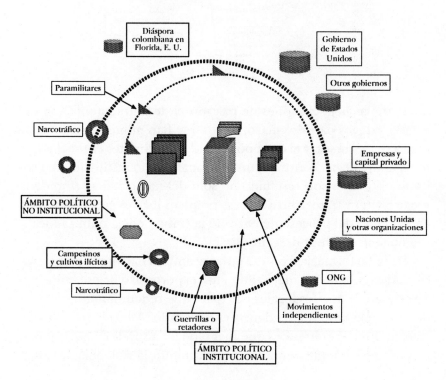

FIGURA 2.3 EL SISTEMA POLÍTICO Y SUS RELACIONES EN COLOMBIA,
COMIENZOS DEL SIGLO XXI

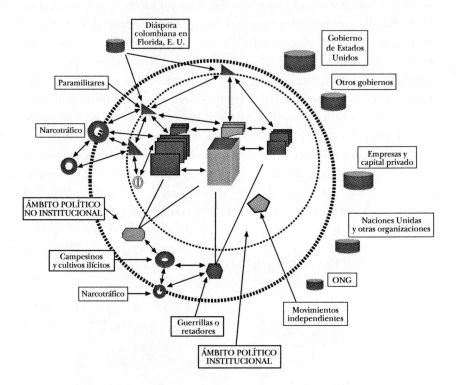

inicio de las negociaciones de paz son el de la fragmentación del Estado y de los partidos mayoritarios que han monopolizado el acceso a sus recursos, y el de la porosidad de los límites entre el ámbito legal y el ilegal, o entre el institucional y el no institucional. Esos límites borrosos son resultado no sólo del narcotráfico, sino de la negociación y tratos entre actores políticos legales con los ilegales, en el marco del proceso de paz y de la competencia política local y regional efecto de la descentralización.

De igual forma, la frontera entre el ámbito nacional y el internacional se replanteó o, mejor, aumentó la porosidad de ese límite y la diversidad de actores legales e ilegales que redefinían las nociones de soberanía e interdependencia entre Estados. Para el propósito del trabajo, lo que interesa es que luego de 20 años de negociaciones de paz, inicialmente pensadas para disminuir la violencia, se observa que además del fortalecimiento de la guerrilla, surgieron otros actores armados opuestos a ella. Entre tanto, los partidos de oposición surgidos de la legalización de las organizaciones armadas siguen brillando por su ausencia, a pesar de la existencia de los diversos grupos llamados independientes y casos como el de Esperanza, Paz y Libertad en Urabá, el cual se analizará más adelante.

En efecto, las garantías para la oposición política de izquierda surgida del proceso de paz desaparecieron por la aniquilación si no silenciamiento de varios de los grupos opositores más importantes, y con esto las posibilidades de consolidación de movimientos políticos más amplios y de mayor envergadura. El desacuerdo con las negociaciones de paz por parte del estamento militar, de buena parte de las élites empresariales, de los propietarios rurales, de la mayoría de la jerarquía de la Iglesia católica, así como la ambigüedad de los dos partidos tradicionales y un contexto internacional de Guerra Fría poco favorable, no permitieron un avance en la reconciliación, aunque sí crearon una mayor desconfianza y distancia entre los sectores enfrentados y polarizaron aún más las identidades.

La consolidación del narcotráfico y la compra de tierras rurales y urbanas en las regiones con enfrentamiento armado, conflicto y movilización social fueron factores decisivos para esa polarización. Las coincidencias entre narcotraficantes y sectores de la organización militar en la necesidad de una «limpieza política» con el fin de pacificar, en lugar de una política para reconciliar, fueron determinantes. Los informes del procurador Carlos Jiménez en 1983 y del director del DAS en 1989 mostraron la punta del iceberg, aunque no el monstruo. Hay que recalcar que esa confluencia entre narcotraficantes y sectores radicalizados de las fuerzas de seguridad fue nefasta en términos del cambio en los repertorios de la coerción estatal y, luego, en la descentralización de esa coerción hacia las autodefensas y paramilitares.

PROCESO DE PAZ, VIOLENCIA POLÍTICA Y CAMBIO EN LAS FORMAS DE COERCIÓN

En la Tabla 2.1 se puede observar cómo evolucionó la coerción estatal durante la década de los setenta. Las detenciones arbitrarias

TABLA 2.1 PRINCIPALES FORMAS DE COERCIÓN ESTATAL
HASTA EL INICIO DEL PROCESO DE PAZ EN 1982

Años	Detenciones arbitrarias	Homicidios políticos y ejecuciones	Desapariciones
1970	615	49	—
1971	3.968	45	—
1972	4.297	37	1
1973	4.271	101	1
1974	7.846	92	1
1975	6.217	71	3
1976	6.940	98	3
1977	7.914	139	9
1978	4.914	96	6
1979	4.098	105	23
1980	6.819	92	4
1981	2.322	269	101
1982	2.400	525	130

Fuente: Comisión Colombiana de Juristas, *Colombia, derechos humanos y Derecho Humanitario: 1996,* Bogotá, 1997.

hechas por las autoridades militares, es decir, sin un proceso judicial que garantizara los derechos a la libertad y a un debido proceso, fueron el mecanismo principal de esa coerción. Esta forma comenzó a decaer desde el inicio de la década siguiente, mientras que los homicidios, las ejecuciones extrajudiciales y las desapariciones ganaron peso. Ese período de incremento de las detenciones arbitrarias corresponde con la movilización campesina provocada por el desmonte de la reforma agraria durante el gobierno del conservador Misael Pastrana (1970-1974), programa redistributivo iniciado a mediados de los años sesenta. Durante esos años también hubo intensas movilizaciones urbanas de protesta por la ausencia y calidad de los servicios públicos, además de una persistente protesta estudiantil en las universidades públicas y privadas a lo largo de la década. Esta protesta estudiantil ocurrió como reacción al recorte presupuestal para la educación superior junto con una reforma educativa que despertó resistencia entre los maestros, lo mismo que en contra de la disminución del gasto e inversión estatal en salud, los efectos en los hospitales universitarios y en los pagos de las prácticas de los estudiantes de medicina en esos hospitales.

Es significativo que entre 1970 y 1971 las retenciones arbitrarias se multiplicaron por más de seis veces, al pasar de 615 a casi 4.000, para luego mantenerse alrededor de 7.000 por año durante el resto de la década, y empezaron a disminuir significativamente desde 1981. Mientras que ese tipo de negación de derechos disminuyó como forma de coerción estatal en los años ochenta, los homicidios políticos y las ejecuciones extrajudiciales comenzaron a ganar peso numérico, lo mismo que las desapariciones, luego del inicio de las conversaciones entre guerrilla y gobierno en 1982. De la misma forma, el surgimiento de los llamados «escuadrones de la muerte» o «grupos de justicia privada» fue otra de las características que acompañaron ese cambio en las formas de coerción en los años ochenta[4]. El uso de la fuerza organizada ya no era exclusivo de la organización estatal, empezó a ejercerse con amplitud por diversas organizaciones paraestatales y contraestatales.

En la Tabla 2.2 se registran más claramente esos cambios en las formas de coerción. En efecto, éstos se inician luego de la formalización de conversaciones de paz entre el gobierno y las guerrillas en 1982, se acentúan con la creación de la UP en 1985 y se consolidan con el inicio de la descentralización política en 1988. En la tabla se observa que el período 1986-1995 ha sido el más violento en la historia reciente del país. Precisamente en este lapso se cometió el mayor número de asesinatos políticos de los últimos 40 años, los cuales coincidieron con las cuatro primeras elecciones de alcaldes, en las que formalmente un competidor político nuevo —la UP— entró a la arena pública como parte de los acuerdos de paz entre el gobierno del presidente Betancur y las FARC en 1985. Sin embargo, la dimensión de la movilización social y política del período y las expectativas que despertó el proceso fueron mucho más amplias que las canalizadas por esa coalición.

En efecto, 19.457 homicidios políticos y ejecuciones extrajudiciales se realizaron en esos diez años, frente a 3.088 en la década inmediatamente anterior. Sólo en 1988, año de la primera elección

TABLA 2.2 PROCESO DE PAZ, PRIMERAS CUATRO ELECCIONES DE ALCALDES
Y VIOLENCIA POLÍTICA, 1982-1998

Año	Detenciones arbitrarias	Homicidios políticos y ejecuciones	Desapariciones	Secuestros
1982	2.400	525	130	—
1983	1.325	594	109	—
1984	1.783	542	122	—
1985	3.409	630	82	—
1986	1.106	1.387	191	—
1987	1.912	1.651	109	227
1988	1.450	2.738	210	640
1989	732	1.978	137	716
1990	1.102	2.007	217	1.191
1991	1.392	1.829	180	1.407
1992	961	2.178	191	1.320
1993	n.d.	2.190	144	1.026
1994	n.d.	1.668	147	1.293
1995	153	1.831	85	1.158
1996	—	—	—	1.608
1997	—	—	—	1.984
1998	—	—	—	2.366

Fuente: Comisión Colombiana de Juristas, *Colombia derechos humanos y Derecho Humanitario: 1996*, Bogotá, 1997.

de alcaldes se presentaron 2.738 de esos casos. En el mismo período ocurrieron 1.611 desapariciones forzadas, frente a 592 en la década anterior (CCJ, 1997). Igualmente, el secuestro empezó a ser registrado en estadísticas con 227 casos en 1987, se consolidó como práctica de financiación forzada o de presión política desde el año siguiente y aumentó su número regularmente hasta llegar a una cifra 10 veces mayor una década después.

Paradójicamente, la reforma política y la descentralización, impulsadas para promover la democracia y la autonomía local, tuvieron efectos contrarios en términos de la violencia política. Como el

FIGURA 2.4 CAMBIO EN LAS FORMAS DE COERCIÓN,
1970-1998

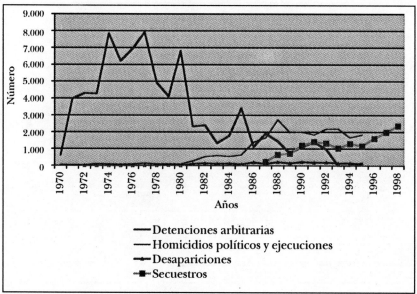

Fuente: Comisión Colombiana de Juristas, *Colombia derechos humanos y Derecho Humanitario: 1996,* Bogotá, 1997.

enfrentamiento armado continuó y al mismo tiempo la competencia política aumentó, el resultado fue una mayor violencia y polarización del conflicto, y los civiles activos en política local quedaron expuestos desde entonces a las amenazas de los paramilitares, las guerrillas o las fuerzas de seguridad. Lo malo no fueron las políticas de descentralización, sino el fracaso en las negociaciones de paz con las FARC y el ELN. La Figura 2.4 muestra un período de 28 años donde se aprecia cómo durante el comienzo de la década de los ochenta se inició ese cambio en las formas de coerción estatal, para dar paso a otras modalidades y a otros agentes, además del Estado.

Si se analizan los asesinatos de dirigentes políticos, de líderes de organizaciones sociales y de civiles según el origen de la autoría, se observa que la responsabilidad de esas muertes está asociada en su mayor parte con organizaciones diferentes a la guerrilla. Estas organizaciones tienen que ver con los grupos paramilitares, de autodefensas o con cuerpos de seguridad de las Fuerzas Armadas (Véase

FIGURA 2.5 ASESINATOS DE DIRIGENTES POLÍTICOS, POPULARES
Y CIVILES POR AUTOR, 1988-1999

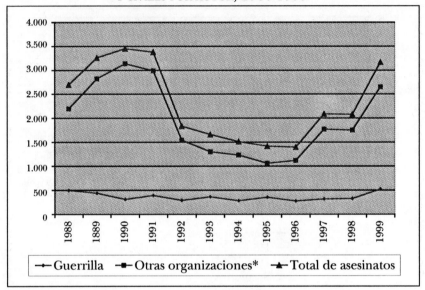

* Grupos de autodefensa, los grupos de justicia privada y las organizaciones al servicio del narcotráfico.

Fuente: Camilo Echandía, *Sala de estrategia nacional,* Presidencia de la República, 2002.

Figura 2.5). El incremento en el número de muertes y los índices más altos corresponden con las primeras elecciones de alcaldes y con el surgimiento de frentes electorales con influencia de las diferentes tendencias de la izquierda, resultado de las negociaciones de paz y de la apertura política. Esto se ve claro en los años ochenta y comienzos de los noventa. La dinámica iniciada en 1996 tiene que ver con la expansión de la influencia de las ACCU y las AUC en el Urabá y el Magdalena Medio, principalmente; el control de cultivos ilícitos en los Llanos Orientales (Vicepresidencia de la República, 2002), y luego con la oposición al proceso de paz del presidente Pastrana y el dominio de los territorios en el Sur de Bolívar pedidos por el ELN como requisito para la realización de la Convención Nacional.

Los cambios en la forma de la violencia política observados en la Figura 2.4 también corresponden a la pérdida del monopolio de

FIGURA 2.6 DESCENTRALIZACIÓN DE LA COERCIÓN,
1993-1996

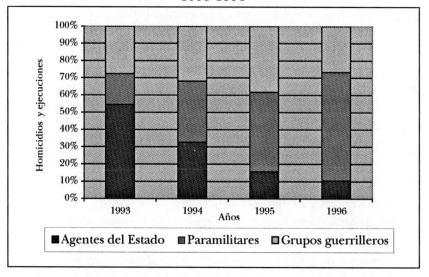

Fuente: Comisión Colombiana de Juristas, *Colombia derechos humanos y Derecho Humanitario: 1996*, Bogotá, 1997.

la fuerza organizada por parte del Estado. Esto se observa en las estadísticas sobre homicidios y ejecuciones con motivaciones políticas discriminadas por autor, recolectadas por organizaciones de derechos humanos como la CCJ. En efecto, al comienzo de la década de los noventa, un poco más de la mitad de estos delitos eran cometidos por individuos con algún tipo de vinculación con las Fuerzas Armadas, mientras que organizaciones irregulares eran responsables de cerca del 45% restante —27% la guerrilla y 18% los grupos paramilitares—. Al finalizar la década esa distribución había tenido cambios significativos, como se observa en la Figura 2.6. La responsabilidad de las Fuerzas Armadas en esos delitos bajó a cerca del 10%, mientras que los grupos paramilitares y de autodefensa contabilizaron el 63%, y la guerrilla, el 27% restante.

El tema de la colaboración entre las Fuerzas Armadas y los grupos paramilitares al tener un enemigo común surgió entonces como uno de los puntos más álgidos de debate público, tanto en los diferentes gobiernos, como dentro del sector judicial y de las Fuerzas Armadas, así como en las organizaciones nacionales e internacionales de derechos humanos y los gobiernos interesados en mediar o influir en la resolución del conflicto colombiano. No en vano este punto ha sido uno de los que más han contribuido a enturbiar, si no el que más, las conversaciones de paz con la guerrilla. Las FARC suspendieron las conversaciones con el gobierno del presidente Pastrana en enero de 1999 y a finales del año 2000, para demandar una actitud decidida del Ejecutivo en contra de esos lazos entre grupos de la institución militar y los diferentes frentes de las AUC (Leal, 2002).

En el caso del ELN, la llamada «zona de convivencia» en el Magdalena Medio acordada entre esta guerrilla y el gobierno del presidente Pastrana fue saboteada por las AUC, en asocio con las administraciones municipales, ganaderos, negociantes de la región y organizaciones del mismo Estado. La concreción de un proceso con el ELN habría podido generar una dinámica favorable a los productores campesinos medios y pequeños —la población rural es la mayoría y la más pobre en esta zona— y, además, mostró la posibilidad de procesos regionales de incorporación política con programas reformistas de inversión social y de infraestructura, apoyados por la comunidad internacional. Ésta habría sido una excelente oportunidad para apoyar una reforma agraria regional en sus diferentes componentes —titulación, redistribución, comercialización, financiación, encadenamientos, etc.—, y si bien no pudo realizarse, sí mostró la posibilidad de reformas redistributivas regionales, en oposición a los programas nacionales más complejos y que despiertan mayor oposición. Con todo, los enemigos de las reformas y la violencia que originaron esos intentos limitados de incorporación y redistribución indican los formidables obstáculos que enfrentan este tipo de intervenciones del gobierno central.

COMPETENCIA ELECTORAL BIPARTIDISTA, GUERRILLAS Y AUC

Otro de los elementos nuevos que trajo el proceso político surgido de las negociaciones de paz fue la competencia entre los dos partidos mayoritarios, el Liberal y el Conservador, por la trayectoria de la paz o de la guerra, y las interacciones con las agrupaciones ilegales antes, durante y después de las elecciones para órganos legislativos y los diferentes niveles del Ejecutivo. Este hecho plantea un sistema político en sí, en el cual una parte está en la legalidad y otra en la ilegalidad. A manera de ilustración, la elección presidencial de 1998 se podría asemejar a una situación en la que minorías políticas representadas por las guerrillas intentaron entrar en coaliciones ganadoras, aprovechando la competencia entre las élites políticas mayoritarias. Por un lado, el Partido Conservador aceptó una alianza tácita con las FARC en las elecciones presidenciales de 1998, no sólo para dar una imagen de posibilidad real de paz, sino también para balancear la alianza manifiesta entre el candidato liberal y el ELN, y la propuesta de un eventual proceso de paz entre esta guerrilla y un Partido Liberal en la Presidencia, por el otro. Esto había quedado prácticamente acordado en la reunión de Mainz (Maguncia, Alemania) en julio de 1998 (Umaña, 1998), hecho que confirmaba la percepción de que el candidato liberal Horacio Serpa tenía una propuesta de paz más madura que la del candidato conservador (Vargas, 2001).

Las intenciones de estrategas del conservatismo para sentar las bases de una nueva coalición ganadora que le disputara el poder a las mayorías liberales, utilizando para esto una negociación exitosa con la guerrilla de las FARC, se esbozaron en los inicios del gobierno Pastrana (Vargas, 2001). El senador conservador por Antioquia, Fabio Valencia Cossio, presidente del Senado a finales de la década de los noventa, lanzó las primeras cargas al insistir en varios foros en que el liberalismo «ahora representa la derecha», y el conservatismo, por el contrario, es más avanzado, moderno y preocupado por lo social[5]. Para el director del Partido Liberal, el senador Luis Guillermo Vélez, por el contrario, lo que había era una alianza entre el gobierno Pastrana y las FARC en contra del Congreso de mayoría liberal.

> El proceso de alianza entre el gobierno y las FARC ha desembocado en lo que hoy es inminente: impulsar una convocatoria a una Asamblea Constituyente muy singular, porque habría representación de los grupos subversivos y se haría al comenzar el proceso de paz. Además, sería elegida en este gobierno para que funcione en el siguiente.[6]

Vélez insistió públicamente en que «hay una serie de tufillos lanzados por el gobierno, las FARC y el Partido Conservador para promover la idea de la constituyente. Ahí hay gato enmochilado» y lo que se quiere es «birlar las elecciones, lo cual generaría incertidumbre»[7], dijo refiriéndose a las elecciones parlamentarias de 2002.

El rumor de la constituyente tomó cuerpo luego de la divulgación de las recomendaciones de la Comisión de Personalidades a la mesa de negociación entre el gobierno y las FARC —nombrada de común acuerdo para agilizar el proceso de paz y sugerir un plan de acción en contra de los grupos paramilitares y de autodefensa—, en las que se planteó una asamblea constituyente como una vía para el éxito de las negociaciones[8]. El punto de la constituyente llevó a la renuncia de Ana Mercedes Gómez, directora del diario *El Colombiano* de Medellín y delegada del gobierno en la Comisión, para quien el mecanismo aumentaba aún más la inestabilidad y la polarización política. Igualmente, el cuerpo de generales y almirantes retirados de las Fuerzas Militares, encabezado por el general Adolfo Clavijo, luego asesor del presidente Uribe Vélez, sugirió al gobierno no aplicar las recomendaciones de la comisión por dar ventajas estratégicas a las FARC y debilitar el Estado[9]. A estas apreciaciones se sumaron las AUC, quienes por intermedio de su vocero político, Carlos Castaño, indicaron que una constituyente pactada con las FARC «sería casi el principio de una guerra civil en Colombia» (Aranguren, 2001).

Aunque no se consolidó la continuidad de esos acuerdos coyunturales entre partidos tradicionales y grupos guerrilleros en busca de inclusión en la comunidad política, sí quedó expuesta esa competencia entre partidos legales en torno a la paz o la guerra y la interacción con los grupos ilegales. Unos buscaban réditos electorales; otros, participar en coaliciones ganadoras. Falta por hacer un análisis de los factores y procesos que llevaron a la redefinición de esos acuerdos preliminares una vez finalizado el proceso electoral. La oposición liberal, empresarial, del estamento militar y de los grupos paramilitares y de autodefensa fue sin duda una razón de peso. Si bien la zona de despeje para las FARC fue resultado de un acuerdo con el candidato ganador, la desconfianza de este grupo guerrillero para entrar en el juego político planteado por el presidente

Pastrana y la oposición que despertó ese tipo de relaciones no permitieron el desarrollo del propósito inicial.

Lo que sí se puede sostener es que ese acuerdo entre la administración conservadora y las FARC mostró diferentes trayectorias de solución del conflicto armado: por un lado, apertura de un proceso que conduzca a un nuevo régimen político, es decir, nuevos competidores por el poder, un rango de alianzas más amplio, inclusión institucional de sectores por fuera de la comunidad política, etc., y por el otro, profundización del conflicto armado. El péndulo político se movió hacia el lado de la guerra con la nueva administración del presidente Uribe Vélez, pero en medio de esos dos extremos, el proceso político en torno a la paz o a la guerra también sugirió que puede llegarse a diferentes combinaciones entre negociación y enfrentamiento armado.

Por otro lado, el análisis de la dinámica surgida entre la Presidencia, las AUC y el ELN, luego del anuncio de la administración Pastrana de aceptar una zona de convivencia para esta guerrilla, indicó el carácter reactivo de los paramilitares a las posibilidades de incorporación política a través de negociaciones de paz. La zona de convivencia para el ELN en el Magdalena Medio tuvo diversos orígenes: el Consejo Nacional de Paz creado durante el gobierno liberal del presidente Samper Pizano (1994-1998); gestiones de la Iglesia católica colombiana y alemana con el ELN, y apoyo del candidato liberal Horacio Serpa en la campaña presidencial de 1998[10]. Una vez acordada, la convención entre representantes de la sociedad civil colombiana, el gobierno entrante y el ELN debería haberse organizado a más tardar el 12 de octubre de 1998 en algún lugar de esta región. La propuesta estuvo desde el inicio amarrada a la candidatura presidencial del Partido Liberal, y como éste perdió la elección, el ELN y su propuesta de convención nacional se quedaron sin apoyo en el nuevo gobierno.

Esto se corroboró con el tratamiento indiferente de la administración conservadora hacia este grupo, en contraste con el trato de aliado político dado a las FARC: concesión de una zona desmilitarizada, visitas presidenciales a la zona y reunión con el jefe de esta guerrilla, gira diplomática de las FARC a lo largo del viejo continente junto con funcionarios del gobierno, audiencias públicas televisadas sobre temas de la agenda común, prolongación de la zona desmilitarizada, etc. Este trato diferencial llevó al ELN a una campaña de operaciones armadas desde 1999, en la que la población civil fue la más afectada: secuestro de feligreses de la iglesia La María en Cali, del avión de la empresa Avianca en Bucaramanga, de miembros de un club de pesca en Barranquilla y otros. El ELN buscaba obligar al nuevo gobierno a negociar la zona de convivencia con este grupo, pero la administración de la Alianza para el Cambio no cedió y siguió tratando a este grupo como a un perdedor.

El que la campaña presidencial de 1998 hubiera tenido como competidores, por un lado, a la confluencia electoral entre el mayor de los grupos guerrilleros (FARC) y el menor de los partidos tradicionales (Conservador), y por el otro, al mayor de los partidos tradicionales (Liberal) con el menor de los grupos guerrilleros (ELN), es diciente de la competencia estratégica en torno a la pacificación y la forma que ésta tome entre las facciones de los dos partidos mayoritarios. Aunque poco reconocido, quedó evidente que el tema de la paz o de la guerra se ha ido perfilando como un factor clave en la competencia electoral de las diferentes facciones de los dos partidos tradicionales legales. Esa interacción entre los partidos tradicionales y las guerrillas (véase Figura 2.7) es significativa desde la perspectiva de la transformación del régimen político y su apertura a acuerdos o acercamientos con actores político-militares ilegales. Éstos son muy diferentes de las acostumbradas alianzas electorales y de gobierno entre facciones liberales y conservadoras desde el inicio del Frente Nacional en 1958.

Igualmente, esa interacción es reveladora de la rivalidad, crisis e intentos de renovación a través de la paz o de la guerra de las facciones de los dos partidos que históricamente han tenido acceso al Estado. Esto es cierto, en particular, para el Partido Conservador y los intentos por redefinir las mayorías electorales a su favor, luego de una tendencia al declive electoral durante las últimas dos décadas. Sin embargo, otro aspecto al cual no se le ha hecho el suficiente análisis es el de la zona gris entre legalidad e ilegalidad creada por esas interacciones entre partidos legales y organizaciones ilegales, y la tenue línea divisoria entre un lado y otro de la ley, surgida de esos acercamientos. Esto ha sido más relevante en los contextos regionales donde la guerrilla tiene un peso militar y político importante, como en el sur del país, o en el norte y el Magdalena Medio, donde los grupos paramilitares y autodefensas tienen mayor influencia.

El Partido Conservador, con Belisario Betancur (1982-1986) como presidente, fue el que por primera vez estableció negociaciones de paz directas entre las guerrillas y un gobierno, en 1982, luego de ocho años de gobiernos liberales donde el uso de la represión fue un instrumento de gobierno utilizado ampliamente (Amnistía Internacional, 1980). De forma similar, fue otro gobierno conservador el que en 1998 restableció los diálogos de paz con las FARC, esta vez con el presidente Andrés Pastrana (1998-2002), luego de ocho años bajo gobiernos liberales sin acercamientos con este grupo. Es cierto que al inicio de la década de los noventa se avanzó en la desmovilización de seis guerrillas (M-19, EPL, MQL, Corriente de Renovación Socialista del ELN, Patria Libre, ADO), pero con el mayor de todos, las FARC, las negociaciones estuvieron interrumpidas.

Por otro lado, el fracaso del proyecto de incorporación política del ELN a través de la zona de convivencia también frustró las posibilidades de poner en la agenda pública las demandas de sectores campesinos de la región, quienes requieren urgentemente políticas de titulación de tierras, encadenamiento con procesos agroin-

FIGURA 2.7 INTERACCIÓN DE ACTORES POLÍTICOS LEGALES E ILEGALES, ELECCIONES PRESIDENCIALES DE 1998

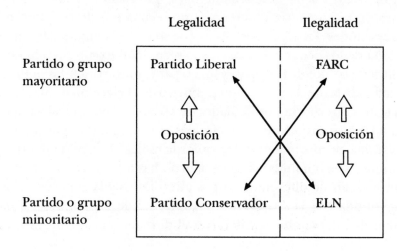

dustriales, financiamiento, comercialización, etc., para superar la pobreza de una de las regiones más marginadas del país. Estas posibilidades habrían sido facilitadas por el trabajo de más de cinco años en la zona del PDPMM (Premio Nacional de Paz 2001) y por las inversiones del componente social del Plan Colombia, del cual el Magdalena Medio es una de las tres regiones de intervención. La zona de convivencia también evidenció la necesidad de armonizar procesos de reconocimiento, como lo habría significado una negociación política con el ELN, con programas de inversión pública y privada. Ese reconocimiento no habría sido sólo para los nuevos competidores por el poder institucional, sino para las agendas sociales, culturales, campesinas, ambientales y étnicas apoyadas por los diversos grupos locales y regionales que hubieran podido hacer oír su voz en la nueva arena pública ampliada por las garantías y condiciones para ejercer la democracia local.

PARAMILITARES, AUTODEFENSAS Y NEGOCIACIONES DE PAZ CON LA GUERRILLA: UNA DINÁMICA PERVERSA

Así, si los grupos paramilitares y las autodefensas son considerados como parte de una reacción que va más allá de los retos de seguridad originados por la extracción de recursos de la guerrilla, hay que tener en cuenta la resistencia contra las eventuales reformas que podrían ser el resultado de un proceso de paz exitoso (Romero, 2000). Se puede sostener, entonces, que cuando se inician procesos de paz, debería observarse un crecimiento de este tipo de agrupaciones. En efecto, eso es lo que se ve en la Figura 2.8. En la década de los ochenta iniciaron su crecimiento como reacción en contra de las políticas de paz, y luego para contrarrestar las oportunidades de la descentralización política o de la elección de alcaldes, las cuales ofrecieron posibilidades de acceso al poder local y regional a las alianzas o frentes electorales con alguna influencia de la guerrilla o de movimientos de izquierda radical. Ese incremento en el número de hombres armados ocurrió hasta 1990, cuando la desmovilización de diferentes grupos guerrilleros y la expectativa de paz surgida con la Asamblea Constituyente de 1991 redujeron la intensidad del conflicto y llevaron al desarme de algunos grupos

FIGURA 2.8 CRECIMIENTO DE LOS EFECTIVOS
DE LOS GRUPOS PARAMILITARES

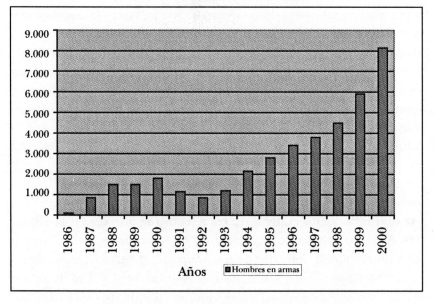

Fuente: Ministerio de Defensa, *Los grupos ilegales de autodefensa*, 2000.

paramilitares, como el de Fidel Castaño en el sur del departamento de Córdoba.

Esta correlación positiva entre paramilitarismo y reformismo político ayudaría a entender mejor el carácter de esta reacción armada, la cual se ha asociado casi exclusivamente con motivaciones económicas, como el acaparamiento de tierras para el latifundio ganadero, con el desalojo de poblaciones para aprovechar la valorización predial y los beneficios futuros de proyectos de inversión pública y privada, o con problemas de seguridad para los grupos afectados por una negociación política con la insurgencia. En 1993 y 1994 el aumento en el número de combatientes de los paramilitares se reanuda, como consecuencia de la intensificación del conflicto entre las FARC y el ELN, por un lado, y el gobierno liberal de César Gaviria (1990-1994), por el otro.

En el período del también liberal Ernesto Samper (1994-1998) la expansión en número de los paramilitares continúa, pero con una intensidad menor. Se podría decir que esta disminución en la intensidad fue el resultado de la legalización durante dos años de las cooperativas de seguridad y vigilancia Convivir, encargadas de la seguridad en las zonas de conflicto. Además, como las negociaciones de paz con los grupos en armas no avanzaron durante este período, fue innecesaria una ofensiva para neutralizar la posible incorporación de las guerrillas al sistema político legal. Aunque hay que recordar que fue en este lapso cuando se inició una centralización política y militar de los diferentes grupos paramilitares y de autodefensas del país, primero a través de la creación de las ACCU a finales de 1994, y luego con la oficialización de las AUC, en abril de 1997. En la Figura 2.8 se observan los cambios descritos.

Esas necesidades de financiación de las AUC y las ACCU para sostener sus crecientes fuerzas están asociadas con la expansión del área sembrada con cultivos de coca, como se aprecia en la Figura 2.9. Allí se observa que la expansión de los cultivos ilícitos no fue sólo un resultado del éxito de las campañas de erradicación de las siembras de coca en Perú y Bolivia, sino también del incremento del enfrentamiento armado en Colombia, donde sus crecientes costos llevaron a las organizaciones armadas ilegales a promover las siembras, a controlar territorios con cultivos ilícitos, lo mismo que a brindar protección para las diferentes transacciones requeridas por este negocio. Este razonamiento permite ver los cultivos ilícitos no sólo como una causa del enfrentamiento armado, sino también como un resultado del fracaso de las negociaciones de paz, especialmente con las FARC. La protección de las organizaciones armadas ilegales a los cultivos de coca y amapola ha sido definitiva para que éstos hayan echado raíz en territorio colombiano, y da pistas para entender por qué no se han extendido a los países limítrofes, como Venezuela o Brasil, por ejemplo.

En relación con las cooperativas de seguridad Convivir, los nexos con la delincuencia común y grupos paramilitares de algunas de ellas llevaron a su eliminación a mediados del gobierno del presidente Ernesto Samper (1994-1998), luego de un intenso debate regional y nacional sobre su conveniencia, y aun de posiciones dentro de los mismos grupos paramilitares sobre su ineficacia para resolver el problema de la violencia política. Sin embargo, es significativo que en poco tiempo sobrepasaron las 400 en todo el país, en las

FIGURA 2.9 EVOLUCIÓN DEL ÁREA SEMBRADA
CON COCA Y EFECTIVOS PARAMILITARES, 1985-2000

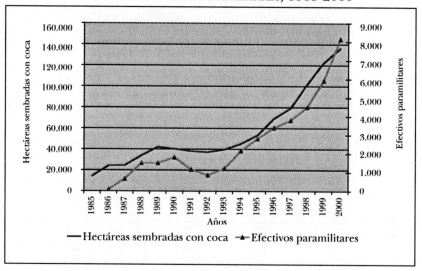

Fuente: Ministerio de Defensa, *Los grupos ilegales de autodefensa*, 2000.

cuales estaban empleados unos 2.000 oficiales retirados de las Fuerzas Armadas, según la Superintendencia de Vigilancia y Seguridad Privada[11]. Llama la atención el número de las Convivir en Santander, hecho que podría ser un antecedente ilustrativo de la ofensiva paramilitar contra el ELN y la población civil en el Magdalena Medio iniciada en 1997 (véase Tabla 2.3).

A partir de 1998 ocurre una aceleración en el crecimiento de los grupos paramilitares, precisamente cuando se insinuaron las posibles alianzas entre liberales y el ELN, y entre conservadores y las FARC, lo mismo que propuestas de paz con estos grupos insurrectos. En efecto, según el Ministerio de Defensa, los hombres en armas de los grupos paramilitares eran 3.800 en 1997, y ya sumaban 8.150 en el año 2000, es decir, un crecimiento de más del 100% en sólo tres años[12]. Esto indica que los paramilitares aceleraron su crecimiento durante la negociaciones de paz del anterior gobierno, y que ese aumento del pie de fuerza no se debe sólo a la ofensiva de las guerrillas y al incremento de los secuestros, tal como sostienen los que ven en los paramilitares sólo el resultado de una falta de seguridad para hacendados, ganaderos y propietarios rurales. Ese

TABLA 2.3 NÚMERO DE CONVIVIR POR DEPARTAMENTO,
1997

Departamento	Cantidad de Convivir
Santander	106
Cundinamarca	83
Antioquia	65
Boyacá	64
Córdoba	19
Caldas	12
Cesar	8
Meta	8
Otros	49
TOTAL	414

Fuente: Superintendencia de Vigilancia y Seguridad Privada, 1997.

mayor radio de acción paramilitar también se puede explicar como parte de los planes de quienes serían afectados por un proceso de paz exitoso. Estos sectores —élites ganaderas y rurales, políticos locales tradicionales, etc.—, mediante una alianza estratégica con grupos de las Fuerzas Armadas y el narcotráfico, esperan neutralizar cualquier intento de paz con negociación, lo mismo que el reformismo que aparentemente le seguiría, en especial el que supone una redistribución de activos rurales.

Si se analizan los paramilitares por el número de masacres cometidas (véase Tabla 2.4), también se observa una mayor actividad desde 1998 y un incremento de casi cuatro veces en los ataques en contra de la población civil entre 1998 y 1999, con un resultado en el número de víctimas escalofriante, que para el año 2000 siguió aumentando a un ritmo perturbador. Las regiones geográficas donde se ubicó ese crecimiento en combatientes y en capacidad operativa fueron principalmente Norte de Santander, los montes de María en el departamento de Sucre, el Urabá chocoano, Antioquia, el Magdalena Medio, el Valle del Cauca, parte del piedemonte llanero y el suroccidente del país, incluyendo el Putumayo, zonas donde precisamente han ocurrido los mayores desplazamientos de población

TABLA 2.4 MASACRES COMETIDAS
POR LOS GRUPOS PARAMILITARES, 1997-2000

Año	Masacres	Víctimas
1997	6	30
1998	16	111
1999	61	408
2000	83	593

Fuente: Ministerio de Defensa, *Los grupos ilegales de autodefensa*, 2000, Dijin.

desde 1998[13]. Una de las regiones de reciente ampliación del radio de acción de las AUC ha sido el Magdalena Medio, donde se pudo apreciar con claridad el carácter reactivo de esta organización a las política de paz del gobierno central, y la coincidencia con élites locales y agencias del mismo Estado en esa oposición.

MAGDALENA MEDIO, PARAMILITARES Y FUERZAS ARMADAS

Desde 1995 las organizaciones de derechos humanos denunciaron la intención de los grupos paramilitares de «sitiar a Barrancabermeja»[14]. Al respecto Credos dijo en ese entonces:

Según testimonios se nota un avance territorial por el norte, comprendido desde los los municipios de San Alberto, departamento del Cesar, formando un triángulo con los municipios santandereanos de Puerto Wilches, por el occidente, y Sabana de Torres, por el oriente; este avance territorial se extiende hasta los alrededores rurales de Barrancabermeja, en particular al corregimiento de El Centro y la presencia «anónima» de miembros vinculados al paramilitarismo en los barrios nororientales; la red paramilitar se acaba de tejer con el proyecto implementado desde hace varios años con la ocupación de territorios de los municipios limítrofes con Barrancabermeja por el sur —El Carmen, Cimitarra—, por el suroccidente —Puerto Parra— y por el suroriente —San Vicente de Chucurí, Simacota[15]—.

En el informe del año siguiente se registra presencia de los grupos paramilitares en Yondó, en la ribera izquierda del río Magdalena, el Sur de Bolívar, la zona rural de Barrancabermeja, «y propaganda alusiva a las autodefensas y los paramilitares en el casco urbano de esta ciudad, a pesar de la militarización»[16].

Este último punto es importante porque una de las quejas recurrentes de las organizaciones de derechos humanos y de sectores de la población es que los paramilitares se afianzan precisamente en las zonas altamente militarizadas, como el Magdalena Medio o Urabá, o más concretamente, como sucedió en Barrancabermeja desde la desaparición de más de 25 pobladores —se cree que fueron incinerados— y el asesinato de otros siete por parte de las AUSAC, el 16 de mayo de 1998[17]. Hasta ahora la impunidad de este hecho ha sido absoluta, como ha sucedido con la mayoría de los asesinatos y desapariciones, a pesar del impresionante pie de fuerza de la región, las Fuerzas Especiales designadas para Barrancabermeja, la Brigada Móvil N.º 2, asignada a la V Brigada, con sede en Bucaramanga, y el enorme aumento en el gasto público para el fortalecimiento del sistema judicial, incluida la Policía.

Esta dinámica indica que la prioridad de las Fuerzas Armadas es lo que ellos llaman «la seguridad estatal», antes que la de los ciudadanos. No de otra forma se explica que las Fuerzas Militares hayan condecorado a comienzos del año 2001 al general Martín Orlando Carreño, comandante de la V Brigada —precisamente con jurisdicción en el Magdalena Medio santandereano y el Sur de Bolívar— con una medalla por Servicio Distinguido al Orden Público y el Valor, en medio de «la toma» paramilitar de Barrancabermeja. Los efectos de este avance territorial se reflejaron en un crecimiento sostenido del índice de muertes violentas desde 1998 hasta llegar a un aterrador número de 250 en el año 2000, sin ningún tipo de responsabilidad de las autoridades o de la Fuerza Pública. La condecoración al general Carreño fue un reconocimiento por haber desarticulado una columna móvil de las FARC en la llamada Operación Berlín[18]. La columna de las FARC estaba compuesta en su mayoría por menores de edad —hombres y mujeres adolescentes— y en esa acción murieron 20 niños y niñas. Según el reporte militar, los guerrilleros venían de la zona de despeje del Caguán, pero los indicios demostraron luego que lo más seguro es que los muertos fueran originarios de la región y nunca viajaron al Caguán. Tan sólo dos de ellos pudieron ser identificados, y las autoridades civiles sospechaban que los familiares de los otros 18 decidieron no reclamar los restos para evitar represalias y estigmatización[19]. Lo que debería haberse reportado como una tragedia del conflicto armado colombiano, el que niños y adolescentes sean reclutados, luego enfrentados al combate y algunos de ellos muertos, fue presentado como «un triunfo», hecho que debería haber despertado más bien tristeza y reflexión.

Mientras tanto, el ataque de los paramilitares a quienes ellos consideran «auxiliadores de las guerrillas» ha sido implacable en Barrancabermeja, precisamente en la jurisdicción de la V Brigada. Entre 1999 y 2001 fueron asesinadas en ese puerto, presumiblemente por los paramilitares, cerca de 800 personas acusadas por éstos de pertenecer o auxiliar a la guerrilla, muchos de ellos líderes comunales, barriales, sindicales, campesinos o activistas sociales y de derechos humanos. Si la seguridad estatal y la ciudadana son contradictorias, y para preservar la primera hay que sacrificar la segunda, como parece que está implícito en la forma de operación tanto del Ejército como de la Policía en el Magdalena Medio, debe existir un problema político de por medio que hay que resolver, y no precisamente por las armas.

Sin embargo, en la concepción de seguridad de las Fuerzas Armadas parece que «los enemigos de mis enemigos son mis amigos», así se pase por encima de eso llamado «Estado de derecho», o del simple monopolio estatal de la justicia y la fuerza, sin los cuales no puede existir la democracia. Esa inacción de las autoridades armadas frente a los paramilitares en el caso de Barrancabermeja sólo despierta perplejidad, por decir lo menos. El general Carreño es considerado como uno de los oficiales más respetados e íntegros del Ejército, lo que confirma la apreciación de que el problema no es de individuos, sino de la concepción sobre cómo abordar la seguridad en una situación tan compleja como la actual y en medio de una negociación de paz.

Esa perplejidad ha quedado registrada en múltiples testimonios sobre la ocupación por los paramilitares de barrios marginales en Barrancabermeja en diciembre de 2000 y el asesinato de jóvenes y adultos que consideraron simpatizantes de la guerrilla:

La pasada no fue una Navidad fácil. A las 11:00 de la noche del 23 de diciembre escuadrones de autodefensas que operan en la zona oriental de Barrancabermeja se dejaron sentir en el barrio Primero de Mayo: asesinaron a un joven de diecisiete años y se instalaron en la casa de un ciudadano adonde empezaron a llevar transeúntes que, según ellos, tenían nexos con la guerrilla. En pleno día del 24 se trasladaron a otra vivienda y segaron la vida de un muchacho de diecinueve años en la mitad de la calle. La ocupación terminó a las 4:00 de la tarde cuando las tanquetas al mando del coronel de la Policía José Manuel Villar, encargado de manejar la Fuerza Pública en el puerto, ingresaron a la zona. Los agentes entraron a la casa tomada y conversaron con diez paramilitares que la controlaban, revisaron sus armas y les dieron cinco minutos para que se «perdieran». Ése fue el final de la historia según una docena de organizaciones locales que trabajan en defensa de los derechos humanos.[20]

El coronel de la Policía tiene una versión distinta: «Gracias a las llamadas de la gente evitamos una tragedia grande, pues estaba anunciada la muerte de 20 personas. No tuve Navidad porque durante 24 horas hicimos operativos. Así es este trabajo»[21].

Esta divergencia entre las versiones de la autoridad armada y las de las organizaciones de derechos humanos en la apreciación de los hechos ha creado una gran desconfianza en los pobladores de los barrios acerca de la relación entre paramilitares y autoridades. Esto ha tenido un gran efecto a la hora de hacer denuncias y organizar las pruebas judiciales. El silencio de la población es aplastante por la falta de confianza hacia la autoridad. Uno de los oficiales del Ejército encargado de la seguridad en el barrio La Paz en Barrancabermeja lo confirma: «Los habitantes del barrio han guardado silencio frente a la situación. El problema es que la ciudadanía no concreta las denuncias. Uno les pregunta en cuáles casas están [los paramilitares] o por dónde se fueron y no dan información»[22]. Según el oficial, la responsabilidad de la impunidad es de la ciudadanía, la cual no hace efectiva las denuncias. Y ¿quién se arriesga si los representantes de la ley están bajo sospecha de parcialidad hacia los acusados? Además, no es la población la que tiene que hacer la labor de investigación e inteligencia para las autoridades. Ésta no es su responsabilidad.

El coronel Villar, comandante de la Policía en el puerto, también da muestras de impotencia y pasividad que desdicen de la capacidad de la institución policial: «Nosotros verificamos los sitios, entramos y no encontramos gente armada»[23]. Sin embargo, era un secreto a voces a finales del año 2000 en Barrancabermeja el plan de las AUC para trasladar parte de sus efectivos del Sur de Bolívar a este puerto:

> Eran las 7 de la mañana del 22 de diciembre. Los habitantes de los barrios Primero de Mayo y Simón Bolívar sólo pensaron en la muerte. No había nada más que hacer. Era evidente que la sentencia de Carlos Castaño se estaba cumpliendo: antes del 24 de diciembre parte de los hombres de las AUC se trasladarían del Sur de Bolívar al nororiente de Barrancabermeja. Y así pasó. Desde ese día más de 100 combatientes llegaron por el río Magdalena a concretar una estrategia de guerra y muerte en la ciudad. Ellos piensan que desde el puerto petrolero pueden cerrarle los corredores de abastecimiento que el ELN tiene para sus militantes en el Magdalena Medio. «Ya estamos aquí guerrilleritos. Ahora vamos a acabar con ustedes», gritaron los miembros de las AUC frente al mural donde están los rostros del Che Guevara, Camilo Torres, José Martí y Manuel Cepeda. El sitio queda a pocas cuadras del barrio Providencia y es considerado como uno de los bastiones del ELN y las FARC. El ingreso de las AUC se extendió en las horas de la noche a los barrios Miraflores, Chicó, Chapinero y La Paz, donde se establecieron en casas que tomaron por la fuerza y sacaron a sus dueños, como le sucedió a Pedro Ospina, quien tuvo que dejar su vivienda del barrio Primero de Mayo, uno de los primeros lugares en que incursionaron.[24]

¿Cómo cruzaron el río hacia Barrancabermeja aproximadamente 100 hombres armados de las AUC sin ninguna intervención de las autoridades, las que supuestamente mantienen un estricto control sobre los accesos al puerto, considerado estratégico? El comandante de la base de la Armada en el puerto, el capitán de corbeta Agustín Rodríguez, es parte de las Fuerzas Especiales, entrenado en lucha contraguerrillera por agua, tierra y aire, y hombre curtido en operaciones contra el narcotráfico; sin embargo, en esta ocasión «pasó de agache», a juzgar por los resultados. Este oficial comanda una fuerza de 280 hombres dotados de ocho lanchas piraña, cuatro naves patrulleras y dos barcos nodriza para evitar el tráfico ilegal de armas, gasolina, coca y contrabando en el río, y específicamente alrededor de Barrancabermeja[25], pero ese 22 de diciembre los paramilitares tuvieron vía libre para cruzar de una ribera a otra. Esta incursión fue el punto final de lo que venían haciendo desde hace dos años. Desde entonces las AUC empezaron a alquilar casas en los barrios orientales del puerto, donde la guerrilla tenía una gran influencia.

La liquidez económica les permitió comprar información y ganar adeptos en estas zonas marginales. Además, según análisis de la organización de derechos humanos Credhos, también trajeron hombres de poblaciones vecinas y los fusionaron con la base social. Fue un repoblamiento silencioso. Una labor juiciosa a largo plazo que hoy destapa sus cartas amargas.[26]

Los efectos de esta ocupación se sintieron inmediatamente. Sólo en el primer mes de 2001 las organizaciones de derechos humanos reportaron más de 40 muertos en el puerto, que se suman a los 567 del año anterior, y a los 50 desaparecidos desde 1998[27].

Al observar la tasa de homicidios para la región, y en concreto para Barrancabermeja, se ven las consecuencias de la reacción paramilitar a los anuncios de la zona de convivencia para el ELN. La tasa de homicidios por 100.000 habitantes, que venía fluctuando entre 10 y 14 durante toda la década de los noventa en este puerto, pasó abruptamente a 133 en 1999, y según cálculos conservadores, a más de 250 en el año 2000[28]. Éste es un dato escalofriante que ilustra la libertad e impunidad con la que han actuado estas organizaciones irregulares.

La Figura 2.10 muestra el promedio del índice de muertes violentas para la región, el cual superó las 100 en 1999, con un leve descenso el año siguiente. Algo sorprendente es el índice de alrededor de 100 muertes violentas en Sabana de Torres durante la década, y su duplicación en 1999[29]. Este municipio, supuestamente «pacificado» y «sin guerrilla», está ubicado en una zona de amplia influencia paramilitar. Las ONG de derechos humanos en Barrancabermeja tienen información sobre campañas de «limpieza social» y persecución de jóvenes desempleados en ese municipio. Aun así, ese indicador parece demasiado alto y valdría la pena investigar más a fondo. En Puerto Wilches también se aprecia el efecto en el índice de muertes violentas de la campaña de las AUC por controlar las

FIGURA 2.10 EVOLUCIÓN DE LA TASA DE HOMICIDIO EN ALGUNOS
MUNICIPIOS DEL MAGDALENA MEDIO SANTANDEREANO, 1990-2000

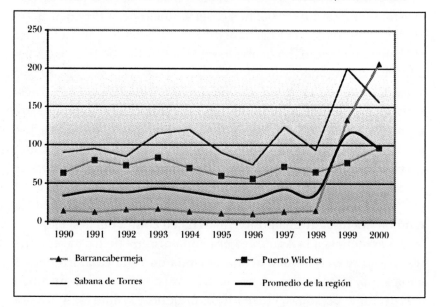

Fuente: Policía Nacional y Observatorio de Derechos Humanos, Vicepresidencia
de la República. Véase *Panorama Actual del Magdalena Medio,* 2001.

riberas del río. En este municipio el índice de homicidios llegó a
100 en el año 2000.

En el Sur de Bolívar los municipios más afectados por la campaña de expansión de las AUC han sido Simití y San Pablo. Los datos
disponibles indican que en 1999 los índices de muertes violentas
fueron 54 y 255, respectivamente[30], y es factible que para el año
2000 se hayan mantenido en los mismos niveles. Esto contrasta con
los índices entre 5 y 10 muertes violentas observados en esta región
durante la década de los noventa. Sin embargo, unos de los hechos
nuevos ocurridos en el forcejeo entre el gobierno, los paramilitares
y el ELN por la zona de encuentro fueron el bloqueo de carreteras y
la protesta en contra de esa decisión presidencial a favor de la zona.
Esa movilización tuvo diferentes episodios a lo largo del año 2000.
Aunque no se examinará en detalle esa movilización, se analizan
algunos puntos sobre el tipo de convocatoria hecha por los paramilitares a la población.

«¿A QUIÉN ESCUCHA EL PUEBLO?»

La primera movilización social en contra de la zona para el ELN ocurrió en febrero de 2000, luego del anuncio de la Presidencia sobre los acuerdos con el ELN para decretar la zona de convivencia en el Magdalena Medio. Lo ocurrido en Morales, Sur de Bolívar, es significativo de la dinámica en los cascos urbanos de esta región, días antes del bloqueo a la carretera que conecta el interior del país con la costa atlántica. Esta acción colectiva en contra de una zona de encuentro para el ELN impidió por varias semanas la comunicación por tierra entre estas dos regiones[31]. El 2 de febrero, apenas se conoció el sí del gobierno central al despeje del Sur de Bolívar, en Morales se expandió el rumor de que había que asistir a una Asamblea en el parque de la Virgen del Carmen a las 6:30 de la tarde. El objeto de la reunión era discutir una posible marcha en contra del despeje.

La asistencia a la Asamblea era «una orden» de los paramilitares, y sólo se podía quedar una persona en cada casa, los demás tenían que desplazarse al parque. La asistencia fue de un poco más de 1.000 personas, entre niños, mujeres y hombres. A la hora señalada un comandante paramilitar, uniformado y armado, se subió a una tarima improvisada, y con un megáfono se presentó como integrante de las AUC diciendo: «No somos un grupo al margen de la ley, sino que estamos aquí para apoyar y organizar a las comunidades». Informó de una carta enviada desde San Pablo, Simití y Santa Rosa del Sur, en la que se «daban órdenes precisas sobre cómo proceder».

El jefe paramilitar continuó su discurso preguntando y pidiendo respuestas en coro a los pobladores reunidos. «¿Ustedes saben qué es el despeje?», preguntó el jefe paramilitar, pidiendo a la audiencia un sí o un no como respuesta. La Asamblea en coro dijo que no, y luego vino la explicación. «Es un nuevo gobierno donde se tendrá que hacer lo que ellos digan, quedaremos a la deriva». Luego, el hombre de camuflado habló de lo nefasto que era la zona de despeje para las FARC en San Vicente del Caguán.

> Por ejemplo, sus hijas van a ser obligadas a ser las mujeres de los guerrilleros. ¿Van a dejar que el ELN se vuelva a fortalecer cuando ya lo tenemos casi acabado? Nosotros no pedimos nada, sólo estamos aquí

para pedir la colaboración moral y física para salir a la marcha. Estamos aquí porque el pueblo nos ha pedido su protección. Se necesita organizar un comité y contamos con el apoyo de la administración municipal, de los gremios y de los ganaderos.

También habló del apoyo del gobernador de Bolívar. Y como si fuera poco, el discurso también dejó campo para el humor. Al preguntar: «La subversión eligió al presidente que tenemos, ¿sí o no?», la Asamblea en coro respondió que no, y entonces el jefe paramilitar dijo: «No importa, cualquiera se equivoca», y los asistentes se rieron. A continuación, el paramilitar aseguró: «El presidente entregó medio país a los guerrilleros», y lanzó de nuevo otra pregunta: «Van a dejar que les entregue el Sur de Bolívar, ¿sí o no?». Y la Asamblea dijo otra vez en coro que no.

El presidente de la junta de acción comunal del municipio también intervino apoyando la movilización en contra del despeje y, finalmente, el jefe paramilitar empezó a dar las orientaciones organizativas: «Necesitamos un comité que esté conformado por la administración municipal, los ganaderos y los gremios, además de un secretario. Vamos a salir a decirle al presidente que no queremos el despeje». Esta concepción de «pueblo» que tiene el paramilitar, la cual no se diferencia en nada de lo que se conoce como «los poderes locales», llama la atención. En este sentido los paramilitares son una expresión violenta de defensa del statu quo. Junto con el anuncio de la realización de un censo de los asistentes, también se amenazó con destierro a los que no colaboraran.

> Que nadie se mueva, que vamos a censar. Todos deben apoyar la marcha, de cada casa debe salir por lo menos uno. Tenemos previsto el sitio y la ruta de salida, que les avisaremos después, porque no lo podemos decir ahora. El que no colabore no le pasa nada, pero debe salir de Morales, pues no es persona grata, ya que no defiende los intereses del pueblo.

En ese momento se confundió con la guerrilla a un grupo de gente que entraba al pueblo, y cundió el pánico. Los asistentes a la Asamblea corrieron gritando que la guerrilla se había metido al pueblo, mientras sonaron dos disparos. El nerviosismo era evidente entre la población.

Una vez recobrada la calma, se supo que en el grupo de personas venían unos para registrar la cédula, por orden de los paramilitares, y otros para un examen médico, ya que decían estar impedidos de ir a la marcha por razones de salud. El censo se organizó por sectores más avanzada la noche, y se hizo con gente de los mismos barrios. Los promotores de la marcha pidieron llevar agua, panela, un plato, una cuchara y una muda de ropa. Se anunció que todos los días iba a salir un carro con la comida que mandaran los familiares a los marchantes. En el casco urbano se quedó un grupo de los paramilitares, y su jefe patrullaba el pueblo en moto. Los rumores iban y venían sobre la identidad de los miembros de este comando, y se aseguró que el segundo al mando era un antiguo zapatero del pueblo, que lo conocía al dedillo. Además corrió el rumor de que iban a llegar refuerzos ante el temor de una toma guerrillera. El sonido de helicópteros que aterrizaban cerca del pueblo se volvió normal en los días siguientes, lo mismo que el sobrevuelo de aviones.

Lo insólito del caso es que en Morales existe una guarnición contraguerrillera de 50 hombres del Ejército bien dotados, apertrechados en el parque principal del pueblo en un búnker de cemento pintado con los colores de los trajes de camuflaje y rodeado de sacos de arena. Su actitud fue de total pasividad. La Policía tuvo que abandonar el pueblo luego de una toma del ELN en 1995, en la que el Comando y el Cuartel quedaron destruidos. El municipio tiene 23.000 habitantes y aproximadamente unos 7.000 viven en el casco urbano, de los cuales se calcula que salieron a la marcha unas 1.000 personas.

En la homilía del domingo siguiente el párroco de Morales preguntaba: «¿Qué nos pasa a los predicadores? ¿Será que no hemos sido claros en el mensaje? ¿Cuál es el mensaje que escucha el pueblo?». El llamado del sacerdote se refirió al apoyo obtenido de diversos sectores sociales de Morales a los paramilitares, más allá de cierta obediencia resultado del temor que pudieron inspirar. Como en otras regiones del país, ese apoyo no ha surgido únicamente entre sectores de élite, sino también entre grupos de trabajadores, empleados y simples ciudadanos, algo aparentemente inesperado, fenómeno que requiere un análisis específico para cada caso, como el que se presenta en los capítulos 4 y 5 para la región de Urabá.

1. *El Tiempo*, 6 de abril de 2002, pp. 1-3 y 1-9.

2. La *comunidad política* se define como el conjunto reconocido de competidores por el poder, a los cuales se acepta como legítima su aspiración para dirigir el aparato estatal en los distintos ámbitos. En nuestro país la composición de esa comunidad está todavía en disputa y tiende a limitarse a los dos partidos históricos —el Liberal y el Conservador—, mientras que hay sectores o agrupaciones que por no pertenecer a esa comunidad son considerados como indeseables y extraños a esa colectividad, y por lo tanto su capacidad para ser tratados como sujetos o portadores de derecho se pone en duda. Esto expone a los excluidos de esa comunidad al abuso de autoridades y sectores con recursos y poder, a la vez que propicia unas relaciones de antagonismo, arbitrariedad y venganza en la sociedad. Sobre la comunidad política y el tipo de conflictos que surgen alrededor de su definición, véase Juan J. Linz y Alfred Stepan (1996), *Problems of Democratic Transition and Consolidation. Suothern Europe, South America, and Post-Communist Europe*, John Hopkins University Press.

3. Leal, Francisco y León Zamosc (eds.), *Al filo del caos. Crisis política en la Colombia de los años 80*, Bogotá: Tercer Mundo Editores-IEPRI, 1990.

4. Comisión de Estudios sobre la Violencia, *Colombia: violencia y democracia*, Bogotá: IEPRI, 1987.

5. *El Espectador*, 14 de enero de 2001, p. 3A.

6. *El Tiempo*, 15 de septiembre de 2001, p. 1-10.

7. *El Tiempo*, 10 de octubre de 2001, p. 1-10.

8. «Recomendaciones de la Comisión de Personalidades a la Mesa de Diálogo y Negociación», *La Revista de El Espectador*, N.º 63, 30 de septiembre de 2001.

9. «Análisis del "Documento de la Comisión de Personalidades a la Mesa de Negociación"», Cuerpo de Generales y Almirantes en Retiro de las Fuerzas Militares, manuscrito sin publicar, 2 de octubre de 2001.

10. Umaña Luna, Eduardo (1998), *Carta abierta a los firmantes del acuerdo «La Puerta del Cielo»*, Bogotá: Gráficas Punto y Trama.

11. *Revista Alternativa*, N.º 8, «Convivir, embuchado de largo alcance», marzo-abril de 1997, Bogotá.

12. El Ministerio de Defensa llama *autodefensas ilegales* a los grupos paramilitares.

13. *Codhes Informa*, N.º 35, 17 de abril de 2001, Consultoría para los Derechos Humanos y el Desplazamiento (Codhes), Bogotá.

14. Corporación Regional para la Defensa de los Derechos Humanos (Credos), Barrancabermeja, junio de 1996, al citar el informe sobre derechos humanos del año anterior, p. 19.

15. *Ibid.*

16. *Ibid.*

17. «Los guardianes de Barrancabermeja», *La Revista de El Espectador*, N.º 28, 28 de enero de 2001.

18. *El Tiempo*, 22 de enero de 2001, p. 1-4.

19. *El Tiempo*, 12 de abril de 2003, p. 1-5.

20. «Los guardianes de Barrancabermeja», *op. cit.*

21. *Ibid.*

22. *El Espectador*, «Barranca: guerra sin cuartel en vías», 14 de enero de 2001.

23. *Ibid.*

24. *Ibid.*

25. «Los guardianes de Barrancabermeja», *op. cit.*

26. *Ibid.*

27. *Ibid.*

28. Datos del Observatorio de Derechos Humanos, Vicepresidencia de la República.

29. *Ibid.*

30. Datos del Observatorio de Derechos Humanos, Vicepresidencia de la República.

31. El siguiente recuento está basado en un reporte escrito por dos asistentes a la Asamblea, de los cuales uno fue asesinado meses después, por razones de su oficio. Por este motivo se omite la identidad de sus autores.

CAPÍTULO 3

ÉLITES REGIONALES, POLARIZACIÓN Y PARAMILITARES EN CÓRDOBA

Un caso significativo de conflicto y violencia en América ha sido el prolongado enfrentamiento armado en Colombia. Su escala se ha incrementado progresivamente desde los años setenta hasta llegar a las proporciones actuales, en las que por momentos se observa una dislocación de su territorio en tres partes. El noroeste del país, dominado por grupos paramilitares contrainsurgentes; la zona andina y central, controlada por las Fuerzas Armadas constitucionales, y el sur y sureste, esta última una zona escasamente poblada donde las FARC tienen una significativa influencia. Hasta los inicios de la década de los noventa, estos conflictos internos o guerras civiles no tuvieron mayor relevancia internacional, a menos que pudieran explicarse como reflejos de la Guerra Fría (Warren, 1993). La atención hacia las hostilidades interestatales o hacia las fricciones sistémicas tendió a marginar el análisis de esos conflictos, la emergencia de agentes armados paraestatales, lo mismo que las implicaciones de estos empresarios de la coerción para los patrones de cambio social, la modernización política y la transformación del Estado en las llamadas sociedades de lo que se conoció antes como el Tercer Mundo.

El enfoque de este libro pone énfasis en el proceso político y en la agencia histórica colectiva para analizar el conflicto armado en Colombia, el cual fue enmarcado exclusivamente en el enfrentamiento Este-Oeste durante varias décadas. De esta manera el texto muestra la naturaleza social y práctica del monopolio estatal de la fuerza organizada. Este atributo del Estado es frecuentemente considerado como dado, permanente o aun natural, sin tener en cuenta su naturaleza histórica. Por el contrario, en este capítulo se observa que la autoridad sobre los medios de violencia organizada es cambiante y es un terreno de disputa, y en ningún momento una cualidad invariable de la organización estatal.

¿Cómo sucedió la fragmentación territorial observada en el caso de Colombia? ¿Qué tipo de diferencias políticas han impulsado esa división que está amenazando la débil configuración del Estado nacional colombiano? ¿Qué significa la persistencia del enfrentamiento armado más allá de la Guerra Fría, supuestamente el terreno para su desarrollo? A diferencia de la mayoría de los conflictos internos contemporáneos, las divisiones étnicas, raciales o religiosas no son la base de la disputa en Colombia, y un enfoque que enfatice las diferencias de clase no es suficiente para dar cuenta de la persistencia del conflicto y de la variedad de alianzas regionales forjadas en el enfrentamiento. Los ingresos obtenidos del narcotráfico por los agentes armados son, en parte, responsables del incremento en la escala de las hostilidades, pero este razonamiento recalca demasiado los recursos materiales, sin prestar atención a la configuración de esos actores y sus identidades, a la forma como ha sido formado el campo de enfrentamiento entre ellos ni a los cambios institucionales que han influenciado los patrones del enfrentamiento.

Este capítulo analiza la reacción de las élites regionales ante las políticas de paz del gobierno central, los efectos de esas políticas en términos de seguridad para esas élites, por un lado, y las posibilidades de democratización para sectores marginados y excluidos, por el otro. El texto también examina la consolidación de un aparato armado diferente al del Estado y las guerrillas, y la polarización política en el departamento de Córdoba en los últimos 35 años, una región ganadera y de agroindustria colindante con Urabá, sede de una pujante y poderosa industria exportadora de banano. Siguiendo el argumento del libro, el capítulo señala que la coincidencia de tácticas contrainsurgentes de las Fuerzas Armadas, la competencia entre narcotraficantes convertidos en terratenientes y el poder establecido de la guerrilla, y la reacción de élites regionales a los riesgos y desequilibrios de poder surgidos de las negociaciones de paz entre el gobierno central y los grupos insurgentes, hicieron de este territorio el centro de una feroz campaña para recuperar el orden rural y, de paso, eliminar las posibilidades de democratización. Ese orden elitista se sintió gravemente amenazado por la acumulación de influencia política y poder militar de la guerrilla y la posible redefinición de la comunidad política resultado de la negociación de paz, lo mismo que por la movilización de diversos sectores sociales en busca de derechos, reconocimiento y apoyo estatal.

«GUERRILLEROS DE CIVIL» Y PROTESTA SOCIAL

En el departamento de Córdoba y en la vecina Urabá, las temidas ACCU, la organización paramilitar y contrainsurgente más consolidada del país, sentaron su cuartel general y construyeron una sólida red de apoyo e influencia local y regional que va más allá del dominio ejercido directamente por los aproximadamente 6.000 combatientes organizados bajo su dirección. Con esta fuerza, además de protección para sus asociados, las ACCU han aterrorizado a lo que sus dirigentes llaman «los guerrilleros de civil», población desarmada con diferentes tipos de relación con la guerrilla, sus planteamientos, o simplemente coincidente con ésta en el campo de la oposición política y la movilización social: redes urbanas de apoyo, testaferros, simpatizantes, cotizantes forzados, activistas sociales y de derechos humanos, sindicalistas, opositores políticos, críticos del narcotráfico o pobladores en las áreas de influencia de aquélla. La existencia de múltiples y variadas relaciones entre estos disímiles grupos sociales refleja la presencia de hondos problemas institucionales y desarreglos en la sociedad que deberían ser objeto de un tratamiento preventivo, policivo, judicial o político si es el caso, pero no con el recurso a la violencia directa, y menos por grupos privados.

Al tratar de «secar el agua donde se mueve el pez», las ACCU han pretendido eliminar cualquier factor que pueda otorgarle alguna ventaja a la guerrilla, y de paso han sacrificado o acallado a miles de líderes sociales y políticos reformistas, radicales o de oposición, dando argumentos a los «duros» de los grupos subversivos sobre la imposibilidad de democratizar la política local y regional en el actual régimen político. Si bien las ACCU han logrado desalojar a la guerrilla de algunas zonas, en particular de los cascos urbanos del valle del Sinú en el departamento de Córdoba, el Magdalena Medio, el eje bananero en Urabá y otras áreas, no han impedido que el aparato militar de la guerrilla continúe desarrollándose en los márgenes de estas regiones o en el sur del país. Ésta ha sumado aproximadamente 20.000 combatientes (16.000 hombres en las FARC y 4.000 en el ELN) con ramificaciones en 622 de los 1.071 municipios del país (Ríos y García-Peña, 1997).

Al funcionar como una organización político-militar, las ACCU han forjado una «comunidad política imaginada» que compite con las lealtades al Estado central y al proyecto político de la insurrección guerrillera. Aquéllas han liderado las AUC, una organización con perspectiva nacional, financiada por ganaderos, comerciantes, transportadores, agroexportadores y narcotraficantes, que actúa en cooperación o con el consentimiento tácito de sectores de las Fuerzas Armadas y la Policía. En su campaña contrainsurgente, las AUC han aterrorizado vastas áreas del país, dondequiera que las guerrillas tienen apoyo, un movimiento social protesta o un grupo de activistas en favor de los derechos humanos se moviliza. Al no poder derrotar a la guerrilla en las zonas rurales, el control de los centros urbanos y de todo tipo de servicios utilizados por la guerrilla ha sido su objetivo, con el fin de aislar a los insurgentes de los centros de abastecimiento y decisión. Carlos Castaño explica con claridad cómo desarrolló su modus operandi, el cual aún se sigue utilizando con éxito e impunidad:

> Si no podemos enfrentarnos cuando están en el grupo armado porque no tenemos ni la capacidad militar ni el armamento, pues entonces vamos a ir a quedarnos en el pueblo. Allí sí nos podremos proteger porque en el pueblo no son capaces de matarnos. Y vamos a ir comenzando a darles de baja a todos los que vayan llegando [...]. De ahí surgió, sin que nadie nos lo enseñara, uno de los mejores mecanismos que hemos utilizado para la lucha contraguerrillera: si no podíamos combatir donde estaban acantonados, sí podíamos neutralizarles las personas que les llevaban comida, droga, razones, aguardiente, prosti-

tutas y todo ese tipo de cosas que les llevan a ellos a los campamentos. (Castro, 1996, p. 155).

Esa «neutralización» a la que se refiere el jefe de la AUC ha incluido una amplia variedad de actividades de oposición o crítica pública, manifestaciones de inconformidad social o movilizaciones por derechos, y no sólo las propiamente subversivas. En efecto, dentro de las simplificaciones de la Guerra Fría y la lucha contrainsurgente, seguidas al pie de la letra por las AUC, las actividades reivindicativas de sectores oprimidos, marginados o vulnerados, en las que en muchos casos participan miembros civiles de la guerrilla, son asimiladas directamente con la subversión, sin esfuerzos por hacer una diferenciación mínima. Es claro que esta zona gris característica de los conflictos insurgentes es de difícil manejo e impone retos a las autoridades, «dentro del concepto liberal demócrata según el cual la protesta es legítima y debe ser atendida» (Pardo, 1996, p. 44). Los diferentes grupos de paramilitares y autodefensas primero, las ACCU después, y luego las AUC, pasaron por encima de esas minucias y decidieron liquidar a todo lo que fuera o pareciera subversión. El antiguo consejero presidencial para la paz y ex ministro de Defensa Rafael Pardo así lo reconoce:

> Las marchas y paros [de finales de los años ochenta] hacían parte de una estrategia global de agitación manejada por la izquierda con la activa colaboración de los grupos guerrilleros, pero incorporaban también a dirigentes locales liberales y conservadores. Los promotores de los paros buscaban unificar y fortalecer la organización popular a través de estos movimientos, y de hecho la modalidad de protesta cívica generaba un gran sentido de unidad para los pobladores, pues tenían éxitos que mostrar y galvanizaba alrededor de una causa común los sentimientos de gentes históricamente marginadas [...] Un factor que se exacerbó con la proliferación de movilizaciones campesinas fue la guerra sucia. Muchos líderes de la UP y de A Luchar, brazo político del ELN, fueron asesinados en los períodos posteriores a las negociaciones. Pero también muchas de las víctimas fueron jóvenes liberales y conservadores que aprovechaban las marchas para destacar su liderazgo y para sacudirse el yugo de los caciques tradicionales. (Pardo, 1996, pp. 47-49).

Castaño anunció a los cuatro vientos que la única forma de enfrentar a la guerrilla era oponiéndole otra fuerza similar: «Un ejército irregular sólo se detiene con un ejército de las mismas características»[1]. Y como se discutió en el primer capítulo, la población desarmada ha sido el principal objetivo de las AUC. Éste ha sido uno de los rasgos característicos de las guerras de nuevo tipo donde se enfrentan dos bandos irreconciliables. Las guerras coloniales y de ocupación fueron fértiles para ese tipo de oposiciones extremas y excluyentes, y los enfrentamientos étnicos contemporáneos también. Sin embargo, ¿es el conflicto colombiano un enfrentamiento de este tipo, en el que la polarización ha llevado a que la principal forma de resolución sea la eliminación mutua de miles de colombianos? Parece difícil de entender, pero eso es precisamente lo que ha estado sucediendo.

CONFLICTO, SECUESTRO E IDENTIDADES POLÍTICAS

A primera vista sorprende la influencia lograda por los paramilitares y la aceptación de amplios sectores de las élites regionales y sectores estatales de sus sangrientos métodos. La actitud desafiante de propietarios rurales, empresarios y políticos en el noroeste colombiano y su apoyo activo «al derecho a la defensa propia» reveló un cambio significativo en relación con el Estado central y su supuesto monopolio de los medios de coerción. La experiencia compartida de las élites en organizar su propia defensa y protección en contra de las guerrillas y de la movilización social en esta región del país, y la cooperación para oponerse a las políticas de paz y a las propuestas de reformas redistributivas de tierras desarrolló fuertes lazos de identificación entre los participantes en esta empresa. Alrededor de esta colaboración se formó también un proyecto de orden rural corporativo con una visión clara del papel y posición de esas élites y su protagonismo histórico en ese orden regional en formación.

El secuestro y extorsión de ganaderos y hombres pudientes se convirtió en la manifestación más contundente de la pérdida del control regional de las antiguas élites. Estos riesgos se incrementaron con el inicio de las negociaciones de paz en los años ochenta y pronto fueron la crítica más sentida de este sector social frente a las negociaciones. Sin embargo, no fue la única. A estos grupos también les parecía inadmisible que los guerrilleros amnistiados por el gobierno Betancur en 1982 hicieran proselitismo abierto para incluir temas de injusticia y desigualdad social en la agenda de discusión pública. El gremio ganadero cordobés acusó a los ex guerrilleros de pretender:

> ...obtener los mismos fines que antes quisieron lograr mediante las armas, pero ahora, valiéndose de la agitación. En efecto, dispersos, o más bien distribuidos en lugares clave del territorio nacional, articulados con elementos de izquierda eclesiástica y civil, muchos de ellos vienen realizando un verdadero plan de perturbación social en los campos, aglutinando descontentos, enardeciéndolos, promoviendo y organizando invasiones y ocupaciones de fincas y haciendas y, en suma, preparando el incendio de la lucha de clases, ya no desde la clandestinidad, sino de forma más o menos ostensible.[2]

La seguridad pasó a ser la preocupación primordial de esas élites en la cúspide de ese orden regional amenazado por la movilización de campesinos sin tierra y desempleados, las vías de hecho y la transgresión social, además de la acumulación de poder armado de la guerrilla. La recuperación del orden empezó a ser la prioridad de esos grupos sociales intimidados, y además, casi la única respuesta a esas demandas por justicia social. Ya en 1984 los ganaderos y agricultores cordobeses se quejaban de los 117 secuestrados en todo el país, y culpaban directamente a las negociaciones de paz de fomentar el clima de inseguridad en este departamento:

> Acá impera el delito en todas sus formas, que van desde las simples apologías e instigaciones hasta la consumación de despojos, secuestros y asesinatos. Personas que sufren vejaciones y humillaciones son obligadas a pagar gruesas sumas de dinero para recuperar una libertad que les garantiza la Constitución Nacional, pero que los legisladores de la violencia impunemente desconocen.[3]

Un año antes, en 1983, el gerente de Fedegan y ex ministro de Agricultura conservador Hernán Vallejo Mejía, advertía ante un congreso de ganaderos en Caquetá que lo que le iba a ocurrir en Colombia era «un enfrentamiento abierto con un Estado represivo, que va a tener por un lado grupos subversivos envalentonados, y por otro, más víctimas con las manos atadas y una población que tendrá que defenderse a cualquier precio»[4]. Las discusiones sobre «el derecho a la defensa propia» en este gremio empezaban a emerger.

Esa solidaridad y colaboración entre esas élites emergentes y establecidas, las cuales coincidieron en la recuperación del orden rural perturbado, consolidó una red de cooperación y una identidad política[5] en contra de la movilización social, la organización autónoma de los sectores subalternos y aun de la penetración estatal, en particular en temas de paz y reconciliación. Esa identidad también resaltó valores masculinos de honor y valentía, y promovió la venganza como forma de resolución de conflictos. Es lo que los israelíes llaman «la ley del retorno» o una respuesta aleccionadora y fuera de proporciones frente a una agresión. Este tipo de reacciones ha agudizado el conflicto entre palestinos y el Estado de Israel en el Medio Oriente, ley que Castaño ha seguido con aplicación (Aranguren, 2001) y, además, con resultados similares: mayor polarización y violencia.

Este análisis de identidades políticas cambiantes en contextos conflictivos también propone una comprensión dinámica de la interacción entre cultura y política. Las diferencias culturales —sean étnicas, religiosas, ideológicas, etc.— son usualmente entendidas como estables y promotoras de conflicto. Por el contrario, en este estudio del enfrentamiento armado en Córdoba se hace hincapié en el carácter cambiante de las identidades políticas tanto de las élites como de los grupos subalternos. En esta perspectiva las identidades son consideradas más como un proceso en desarrollo, un producto cambiante de la acción colectiva, y menos como su causa y sustento (Calhoun, 1991). Es decir, la identidad no es una condición estática y preexistente que ejerce una influencia causal sobre la movilización, sino un resultado cambiante de la interacción política (Tilly, 1998). El análisis también explora el papel de la movilización colectiva, las políticas estatales y el conflicto armado en la lucha por dar nuevos sentidos a las nociones recibidas de ciudadanía, representación política y participación (Álvarez, Dagnino y Escobar, 1998; Warren, 1993). En suma, las identidades públicas, incluida la ciudadanía, se consideran como relaciones sociales que permanecen abiertas a nuevas interpretaciones y renegociación (Tilly, 1996).

En consecuencia, esas identidades políticas son socialmente construidas, en permanente negociación y transformación, al igual que las identidades nacionales, étnicas o raciales. Éstas no responden a características naturales, inmutables o primordiales de grupos humanos, sino que son el resultado de un proceso social. Además, este enfoque no imputa a los individuos o actores colectivos atributos o comportamientos derivados del nivel de desarrollo (moderno/industrial o tradicional/preindustrial) o de la categoría social a la que pertenecen (artesanos, campesinos o esposa de trabajador), sino que tiene en cuenta la localización de ese actor en el campo relacional donde está inmerso (Somers, 1993).

Por ejemplo, las identidades no han seguido estrictas divisiones de clase en Córdoba, sino, por el contrario, los alineamientos y coaliciones han llevado a resultados más complejos, los cuales dependen de los contextos relacionales de la movilización y el conflicto. Además, el caso estudiado deja observar que la identidad política no es un núcleo estable del individuo o una colectividad, algo que permanece sin cambio a través del tiempo, sino que es un resultado, consecuencia de un proceso de interacción conflictiva y de una activación explícita y pública desde el campo del poder (Hall, 1996). Esta perspectiva ayuda a entender por qué grupos de activistas sociales que estuvieron cercanos a las guerrillas en las décadas de los años setenta y ochenta hoy están en el bando contrario en diversas regiones del país, como en Córdoba y Urabá.

El énfasis en identidades es también pertinente para examinar la relevancia de las culturas locales y regionales en la conformación de la sociedad nacional, usualmente el centro del análisis. Así mismo, la investigación explora cómo la transformación, consolidación o declive estatal pueden ser ligados a las lealtades cambiantes en las regiones, las cuales compiten con los discursos y prácticas estatales que resaltan la pertenencia y obediencia a una «comunidad nacional» centrada en la capital. Este punto es importante porque la capacidad estatal es considerada frecuentemente como un fenómeno absoluto, y como el monopolio de los medios de fuerza organizada lo demuestra, ésta también es relacional. La capacidad estatal para conseguir una condición cercana al monopolio de la fuerza organizada también depende de la resistencia o cooperación de diferentes sectores de la sociedad. En resumen, el enfoque de este trabajo indica cómo representaciones y significados pueden ser ligados a comportamientos políticos, cómo las culturas políticas locales interactúan y constituyen la sociedad nacional y cómo las identidades y la acción colectiva también forman parte de la consolidación estatal.

RÉGIMEN, DESCENTRALIZACIÓN Y NUEVAS OPORTUNIDADES

La dinámica política generada por las diferentes formas de intervención estatal en el departamento de Córdoba desde los años sesenta no se desarrolló en un vacío institucional. Por el contrario, la forma de centralización del poder político, la cual no permitió elecciones locales de alcaldes sino desde 1988, y la limitada operación del sistema democrático, debido a los acuerdos bipartidistas del Frente Nacional, tuvieron efectos contundentes en la constitución de identidades y actitudes políticas radicales de diversos sectores regionales como campesinos, obreros y trabajadores, maestros y estudiantes, microempresarios o profesionales. Ha sido tradicional destacar los efectos del régimen político del Frente Nacional sobre la radicalización política y el origen de la insurgencia armada. Sin embargo, este énfasis ha hecho pasar por alto las consecuencias políticas de la forma de centralización de la autoridad estatal vigente hasta 1988, lo mismo que la influencia sobre nuevos patrones de conflicto y enfrentamiento como resultado de la reforma de descentralización político-administrativa iniciada a finales de los años ochenta y profundizada por la Constitución de 1991.

En concreto, el tipo de centralización del poder estatal vigente hasta 1988, el cual ordenaba el nombramiento de gobernadores por el presidente, y de alcaldes por aquéllos de acuerdo con los resultados de las elecciones para Congreso, contribuyó a impedir que se consolidaran sectores políticos diferentes al bipartidismo liberal-conservador al limitar las posibilidades de acceso al poder local a sectores sin expresión nacional o en minoría. Esto redujo las oportunidades para acuerdos y alianzas entre grupos minoritarios y los poderosos locales, y en general la competencia política. Estos efectos de la forma de centralización, junto con los privilegios a favor del Partido Liberal y del Conservador otorgados por el régimen bipartidista y la exclusión de otros partidos, incluidos los comunistas, favorecieron la conformación regional de espacios públicos estrechos y culturas políticas excluyentes, que no reconocieron la diversidad y pluralidad de la sociedad[6]. En aquéllas primaron prácticas y discursos que no permitieron «visibilidad» a esa diversidad de identidades políticas y culturales, de no ser en la forma descalificadora de «extremistas» o «marginales». Estas identidades, a diferencia de lo sancionado como liberal-conservador, no fueron reconocidas en pie de igualdad por las autoridades, y quedaron por fuera de la «comunidad política» que caracterizó a liberales y conservadores desde el acuerdo del Frente Nacional en 1958, hecho que contribuyó a la polarización de las identidades de importantes sectores excluidos o marginados.

La nueva forma de centralización y la elección de alcaldes, por el contrario, ha desatado una intensa competencia local y ha ofrecido un objetivo más accesible para las guerrillas (y luego para los paramilitares) que el poder distante del Estado central en la capital. Así, la preocupación de las élites regionales y de las Fuerzas Armadas acerca del creciente dominio territorial e influencia de la guerrilla se incrementó desde los años ochenta, dadas las nuevas oportunidades institucionales ofrecidas a grupos diferentes al bipartidismo, incluidas las guerrillas, para influenciar o controlar gobiernos locales. Así, la descentralización, impulsada para promover la democracia y la autonomía local, polarizó aún más el conflicto armado y expuso a los civiles activos en política local a las amenazas de guerrillas, paramilitares o fuerzas de seguridad.

El capítulo tiene una aproximación histórica y comienza analizando dos momentos de intervención estatal en el noroccidente del país, los cuales agudizaron el conflicto y contribuyeron a polarizar el campo político y las identidades de los grupos locales en disputa. Esta visión histórica da una perspectiva del descontento de las élites cordobesas más allá de la coyuntura, lo cual es necesario para entender por qué optaron por la «justicia por mano propia» en el presente, subvirtiendo uno de los supuestos de funcionamiento de cualquier Estado nacional, como es el del monopolio de la fuerza. Primero, el estudio analiza el intento del gobierno central por implementar una reforma agraria en 1968, la cual falló como resultado de la resistencia de los terratenientes y de la falta de apoyo en el Congreso. El experimento redistributivo dejó descontentos a campesinos, reformistas y radicales, por un lado, y creó recelo e inconformismo entre las élites locales, por el otro, por lo que ellas llamaron la forma inconsulta de la intervención estatal. En este aparte también se exploran los efectos políticos de los cambios en composición dentro de las élites locales, la inversión en tierras por parte de narcotraficantes y el incremento de la lucha armada que siguió al fracaso de la reforma.

En la segunda sección se examina la «guerra sucia» que se desató en Córdoba después de las negociaciones directas iniciadas en 1982 entre el presidente conservador Belisario Betancur y las guerrillas, y después de la amnistía a guerrilleros encarcelados que siguió a esas primeras aproximaciones para pactar un cese de hostilidades. La violencia política se incrementó, y como resultado de la primera elección directa de alcaldes en la historia del país, en 1988, la «limpieza» de candidatos y activistas de izquierda por fuerzas de seguridad y paramilitares se intensificó. Finalmente, el texto presenta una coyuntura de reconciliación abierta por la elección por voto directo de los gobernadores en 1992 en Córdoba, y analiza algunos de los factores que pudieron contribuir a su fracaso. A continuación se discute la consolidación de las ACCU en Córdoba, el apoyo significativo obtenido de diversos sectores sociales desde 1994 y las sólidas lealtades e identidades locales y regionales formadas en oposición a los intentos reformistas del Estado central y a los riesgos y desequilibrios a favor de las guerrillas y sus aliados creados por las negociaciones de paz.

REFORMISMO AGRARIO Y DESCONTENTO RURAL

En Córdoba no se consolidó un movimiento cívico o regional en los años ochenta que impulsara un proyecto radical de organización social y del Estado de las dimensiones del Frente Amplio del Magdalena Medio, el Movimiento Cívico del Oriente de Antioquia o el Movimiento Inconformes de Nariño. Sin embargo, el reformismo agrario de la administración liberal de Lleras Restrepo (1966-1970) facilitó la movilización y expresión de sectores campesinos y grupos de activistas políticos que habían sido marginados por la dinámica institucional ya descrita, situación que fue aprovechada por éstos para ganar posiciones y audiencia en el espacio y cultura pública local. El posterior fracaso de la reforma contribuyó a crear una gran desconfianza frente a la intervención del gobierno central, percepción que fue compartida, aunque por razones distintas, tanto por las élites del departamento como por los campesinos y grupos organizados que demandaban derechos, recursos y atención estatal.

Las tomas, marchas, invasiones y acciones campesinas en Córdoba y en el vecino Sucre entre 1970 y 1973, representaron cerca de un tercio del total nacional de las acciones colectivas campesinas. En este período, la ANUC movilizó a sus efectivos en todo el país para evitar el desmonte de la política de reforma agraria por el gobierno conservador de Misael Pastrana (1970-1974), y Córdoba y Sucre fueron epicentros de esa resistencia al cambio de énfasis de la política agraria. Con escaso o ningún apoyo dentro del bipartidismo liberal-conservador, el respaldo de la izquierda comunista y socialista a la ANUC no significó mayores logros materiales para sus afiliados, dada la reducida influencia de esos grupos en la definición de políticas de la coalición en el poder. Bajo las consignas de «tierra sin patronos» (socialistas) y «tierra para el que la trabaja» (comunistas de las diferentes líneas), campesinos y activistas políticos intentaron desconocer el régimen extensivo de uso y acceso a la tierra, para promover uno más equitativo, proyecto que fue derrotado tanto en la negociación en el Congreso como en la movilización social, resultado de un intensa represión estatal, como se observó en el capítulo anterior.

A pesar de su fracaso, el intento de reforma propiciado por el gobierno central tuvo un impacto profundo y duradero en la dinámica política local. El apoyo a las reivindicaciones de los campesinos sin tierra y pequeños propietarios por parte de ese aliado tan poderoso, abrió un espacio de negociación y debate. Esto permitió participación a individuos y grupos campesinos y de activistas sociales y políticos que hasta el momento no habían tenido un reconocimiento público en la legitimidad de sus aspiraciones y propuestas. Aunque fue sólo por poco tiempo, esa «apertura» de la esfera pública local dominada por la élites ganaderas, en favor de una con rasgos más pluralistas y de justicia social, permitió el florecimiento organizativo de asociaciones de usuarios de servicios del Estado, de pobladores barriales y estudiantes y, en general, de la capacidad asociativa de los grupos subordinados. Esto fue importante porque se crearon redes de comunicación y solidaridad que contribuyeron a consolidar y articular identidades y proyectos políticos alternativos o radicales, contrarios a los de los opositores a las reformas. Además, esa dinámica organizativa y de movilización llevó a una ampliación de las demandas, ya no sólo por el acceso a la tierra, sino por otros servicios como educación, salud y vivienda, teóricamente garantizados por la Constitución nacional.

El nuevo gobierno conservador encabezado por Pastrana Borrero (1970-1974) hizo hincapié en la industrialización de la agricultura a través del apoyo a los propietarios pudientes. Ese cambio enfrentó al gobierno contra grupos populares y radicales con distintos grados de consolidación organizativa en el valle del Sinú. Las oportunidades para la cohesión ofrecidas por el gobierno anterior resultaron clave en este «empoderamiento» popular. A pesar de esas diferencias en cohesión y organización, estos grupos adelantaron una ola de protestas campesinas sin precedentes, que se sumó a la oposición frontal de estudiantes, profesores y trabajadores al proyecto de privatizar la educación pública, en particular la universitaria.

DESENCANTO POR ARRIBA Y DESCONTENTO POR ABAJO

La respuesta contra las autoridades fue tanto más irreverente cuanto escasas las actitudes o prácticas de aquéllas hacia la concertación con los grupos que demandaban derechos, recursos o atención estatal. Como resultado, la subversión del orden creado por el latifundio ganadero se convirtió en un propósito de esos grupos excluidos. Aquélla alcanzó el fondo de la sociedad cordobesa y llegó hasta el corazón de la exaltación del poder terrateniente y masculino en la sociedad: las tradicionales corralejas del 20 de enero, máxima exhibición pública del poder de las élites ganaderas. Los ánimos de venganza y agresión de los grupos excluidos por la nueva política agraria y educativa obtuvieron su revancha en el terreno simbólico y material cuando las corralejas fueron suspendidas en Montería en 1971, luego de que el «público descuartizó y se comió» tres toros donados por los ganaderos, y después apedreó el palco de la Junta e incendió otros[7]. La historia se repitió en Sahagún, Cereté y Ciénaga de Oro unos años después, cuando «gentes de los barrios "periféricos" de Montería», se trasladaron a estas ciudades y apedrearon buses, lanzaron tierra a los palcos y sacrificaron a los animales. Con el grito de «salven la corraleja», ganaderos escandalizados por la agresión demandaron mano fuerte a las autoridades[8].

Los ánimos en Córdoba continuaron caldeados hasta 1974, año de cambio de gobierno y finalización formal del Frente Nacional: del conservador Pastrana Borrero al liberal López Michelsen. Al día siguiente de la posesión del nuevo gobernador nombrado por el presidente López, un paro cívico departamental pedía solución a la crisis financiera de la Universidad de Córdoba, pago de los sueldos de sus profesores, empleados y obreros, solución a la pésima situación de las calles de Montería, al mal funcionamiento de los servicios de agua y luz, liberación de campesinos detenidos, restitución de maestros despedidos y rebaja del alto costo de la vida, problemas heredados del gobierno del «Frente Social» de Pastrana Borrero. El paro fue total en Montería, Sahagún, Cereté, Lorica, San Pelayo, Ciénaga de Oro y otros municipios[9]. La jornada terminó con la declaración del toque de queda a partir de las seis de la tarde en todo el departamento, luego de incendios, pedreas y ataques a la Fuerza Pública.

En Sahagún, los manifestantes destrozaron la sede de la Empresa de Telecomunicaciones y de la Federación de Ganaderos, y atacaron a piedra la residencia del médico Rodrigo Bula, hermano del senador y ex ministro de Agricultura, Germán Bula, y lo mismo hicieron con las oficinas de la Caja de Crédito Agrario y de la Electrificadora de Córdoba. Los ataques parecieron calculadas acciones contra oficinas gubernamentales o familias ligadas al poder[10]. Algo similar ocurrió en Cereté, donde los manifestantes liberaron a los presos, destruyeron expedientes, quemaron la tesorería municipal, atacaron «el barrio de los ricos», apedrearon las casas de los jefes políticos, incendiaron la sede de la Federación de Algodoneros y saquearon a media noche los almacenes del Idema. Un estudiante fue muerto en Cereté durante el paro, y en el sepelio, al día siguiente, se presentaron desórdenes similares, esta vez en contra del Cuartel de Policía y el Palacio Municipal. Estudiantes construyeron barricadas en varias calles de la ciudad, desde donde mantuvieron escaramuzas con la Fuerza Pública[11]. Las élites locales se preguntaban por los responsables de tales actos, dirigidos contra objetivos tan precisos. Frente al saqueo de las despensas del Idema, los grupos afectados reclamaban claridad a las autoridades: «¿Acaso el pueblo tenía hambre a esas horas de la noche?». Entre tanto, la prensa hablaba de agitadores profesionales venidos de otras ciudades del departamento.

La situación en otras regiones del país no era menos grave. El nuevo ministro de Gobierno, el conservador alvarista Cornelio Reyes, haciendo eco de los gobiernos militares del Cono Sur, habló de la necesidad de imponer un «régimen de disciplina social» frente a la protesta popular. Semanas antes, el presidente Pastrana Borrero había declarado que la «guerrilla en Colombia había quedado extinguida definitivamente», y que durante su gestión se había consolidado la paz pública y la reconciliación nacional. Además, Pastrana se preció de haber reconstruido el bipartidismo, «de acuerdo con la gran tradición de nuestra historia y de la base misma de nuestra nacionalidad. Con el bipartidismo el país recobró ese eje de equilibrio, que es el centro ideológico de esos dos grandes partidos tradicionales»[12]. Aunque esta declaración hacía referencia a la recuperación bipartidista del control del sistema político, amenazado por la Anapo del general (r) Rojas Pinilla en 1970, también aludía a la recuperación del monopolio de la arena pública y del Estado burocrático para los liberales y conservadores. En efecto, para Pastrana Borrero, fiel representante de esa mentalidad exclusivista, la nación colombiana estaba constituida por los dos partidos tradicionales, sus votantes y sus mitos, y todo lo diferente debería integrarse o ser extinguido. Los efectos de esta práctica social se reflejaron en rutinas tan sencillas como la de aspirar a un empleo público, para lo cual había que contar con la respectiva recomendación del jefe político y registrarse como perteneciente a uno de los dos partidos.

Para el ex presidente liberal Alberto Lleras Camargo las cosas no eran tan sencillas. Uno de los problemas más graves del país, en su criterio, era ese bipartidismo que tanto había elogiado el ahora ex presidente conservador. Según lo indicó Lleras, el país había hecho «un formidable despliegue de indisciplina social» durante 1974, pero la responsabilidad mayor recaía sobre sus dirigentes.

En efecto, el Congreso, desoyendo los límites de alzas salariales para empleados y obreros del sector privado y para los trabajadores del Estado, impuestos por el nuevo gobierno, decretó un incremento mayor para sus emolumentos. Fustigando el ejemplo de los congresistas, el ex presidente salió de su retiro y firmó un editorial en el diario *El Tiempo*:

> Ese desorden moral en las capas inferiores de la sociedad se corona con la irritante y absurda determinación de los parlamentarios, clase ya mirada con desconfianza por el país, de aumentarse los emolumentos que reciben por un trabajo realizado, visiblemente, con descuido, ligereza y ausentismo. Así quienes deberían dar ejemplo de sensatez y disciplina, son los primeros en mostrarse como una de las castas más voraces de la nación.[13]

Mientras tanto, las demostraciones de insubordinación en contra del Estado y el orden local en Córdoba pusieron en guardia a los dirigentes del departamento. «La hostilidad campesina destruyó el antiguo orden», se quejaba el senador conservador Miguel Escobar Méndez, para quien ya no era posible, «sin sentir temor», volver a las haciendas (Romero, 1995), y responsabilizaba por ese «envalentonamiento de los campesinos» a las promesas de tierra hechas por el gobierno liberal de Lleras Restrepo. Para el dirigente ganadero Rodrigo García Caicedo, «la demagogia de la izquierda y la infiltración del marxismo en la educación» eran las causas de la rebelión. Además, García, desconfiado y resentido por la intervención del gobierno central en favor de los campesinos durante el gobierno de Lleras Restrepo, consideraba que «si el campesino tiene derecho a la tierra, el propietario tiene derecho a defenderla» (Romero, 1995).

La década de los setenta terminó con una clara tendencia a la polarización política en la arena política cordobesa. Para los campesinos, el fracaso de la reforma agraria promovida por el Estado, la ausencia de respaldo estatal para enfrentar los efectos empobrecedores de la comercialización de la agricultura y del mercado, lo mismo que el uso de la represión para enfrentar sus reclamos frente a la explotación y dominación local, forjó una experiencia de cómo operan el poder, el Estado y el bipartidismo, que contribuyó a moldear una identidad política de resistencia. Esa experiencia e identidad, una vez en contacto con los proyectos revolucionarios de origen urbano, forjaron una visión del mundo, de la historia y del papel del Estado, en la que la rebelión armada era una salida posible no sólo para construir un orden social más justo, sino para dar una señal de oposición al monopolio de la vida pública local. Eso mismo sucedió con grupos de jóvenes cristianos en Montería, trabajadores urbanos vinculados al Estado, al sector privado y trabajadores independientes.

Para las élites del departamento, entre tanto, creció el sentimiento de amenaza e inseguridad. Los grupos subordinados que reaccionaron en contra de la nueva política agraria y educativa transgredieron los límites de las jerarquías sociales locales con más o menos impunidad. Además, la posibilidad de desprotección por parte del Estado central, como lo demostraron los intentos de reforma agraria del liberalismo llerista, llevó a los propietarios cordobeses a buscar aliados más confiables en el país. En efecto, la facción liberal de Edmundo López Gómez y del conservador Francisco Burgos, mayoritarias dentro de sus colectividades en Córdoba, apoyaron abiertamente la mano dura del gobierno Turbay Ayala (1978-1982) contra la asociación y participación pública popular, y lograron mantener un férreo control sobre la comunicación y vida política local. El senador López Gómez fue figura destacada del gobierno turbayista y brindó apoyo decidido al Estatuto de Seguridad, conjunto de medidas que le otorgaban amplias prerrogativas judiciales y de manejo del orden público a la institución castrense. El resultado fue lo que los afectados llamaron la «criminalización de la protesta social», y también el abandono del terreno de la reivindicación social a los movimientos insurgentes por parte de los dos partidos históricos.

Para comienzos de los años ochenta, la represión rural y de los sindicatos urbanos daba la impresión de estabilidad y control de la élite sobre el orden local. Sin embargo, la agitación pública proseguía. Ademacor, la asociación de maestros del departamento, junto con profesores y directivos de la Universidad de Córdoba, además de profesionales vinculados con agencias estatales, continuaba movilizándose y publicitando propuestas reformistas y revolucionarias para el campo, para la financiación de la educación pública y el desarrollo regional, alternativas a las políticas oficiales de beneficio preferencial de la élite local. Festracor se resistía a las políticas salariales del gobierno central y a la disminución del presupuesto estatal para la educación pública. Grupos culturales como El Túnel de Montería, críticos de la estética pastoril e idílica con que la cultura oficial local representaba la sociedad del Sinú, hacían referencia a la marginalidad de la mayoría de su población y a la necesidad de impulsar nuevas formas de expresión artísticas más sensibles al entorno social. Editoriales, como la Fundación del Caribe, difundían versiones críticas de la historia del departamento, y la Iglesia católica, con su posición ética de preferencia por los pobres y los programas de concientización y educación de los jóvenes, también buscaba promover la movilización en contra de la injusticia y la corrupción. Esta actividad de resistencia y negociación por parte de lo que se podría llamar una «sociedad civil con hegemonía popular» contribuyó a mantener vigentes esos proyectos alternativos de participación y ciudadanía radical.

Por su lado, las redes de activistas de la ANUC, en todas sus vertientes, y otras agrupaciones menores que sobrevivieron a la crisis organizativa de este sector en los años setenta, insistieron en enfrentar a los latifundistas ganaderos y en denunciar la política bipartidista de abandono del campesino pobre. La presión sobre las autoridades regionales continuó, aunque más reducida que la década anterior. La ANUC impulsó la tomas de oficinas públicas, la ocupación de tierras sin uso económico visible o baldías, e insistió en el derecho al usufructo de las ciénagas secas durante el verano (Salgado y Prada, 1998).

FACCIONALISMO POLÍTICO, NARCOTRÁFICO Y SUBVERSIÓN

Con todo, el problema agrario empezó a pasar a un segundo plano frente a una percepción de crisis política generalizada desde finales de los años setenta. La mediación del sistema político entre los conflictos sociales y el diseño de política estatal, si bien había sido defectuoso antes, ahora se transformó en una caricatura. El dominio obtenido por el ala turbayista del Partido Liberal, fuerza mayoritaria en el departamento, llegó acompañado de mano dura frente a la movilización social y de dudosos manejos en la administración pública. Las redes bipartidistas, especialmente la liberal, mayoritaria en Córdoba y en Montería, controlaban 23 de las 26 alcaldías (20 los liberales y 3 los conservadores) a inicios de los años ochenta. Sin embargo, esa mayoría liberal ya no obedecía a la dirección del directorio departamental, donde las familias López Gómez, de Montería, y Bula Hoyos, del Bajo Sinú y de las sabanas, ejercían control. Por el contrario, emergieron nuevas redes políticas, asociadas a familias de origen árabe que habían migrado en las primeras décadas del siglo, las cuales consolidaron un gran poder económico y crecieron luego en influencia política a la sombra de las maquinarias electorales de los jefes tradicionales, especialmente de la liberal.

A finales de los años setenta, esas redes políticas nuevas se independizaron de sus antiguos mentores, y como sucedió en otros países del continente con grupos de migrantes similares (italianos e irlandeses en Estados Unidos, sirio-libaneses en Ecuador, Brasil o Argentina), esos negociantes buscaron trasladar el éxito económico al plano político, invirtiendo fuertes sumas de dinero en la disputa electoral. La compra de votos apareció como práctica definitoria de las campañas, las cuales aumentaron astronómicamente su costo. En palabras del ex ministro conservador Escobar Méndez, «la política se convirtió exclusivamente en cuestión de dinero» (Romero, 1995). Los efectos sobre la administración pública fueron inmediatos. Los destinatarios de las obras contratadas por el departamento y los municipios tenían nombre propio desde el principio. La corrupción en el manejo del presupuesto público tuvo un incrementó sin precedentes.

Dos fenómenos nuevos acompañaron este proceso de fragmentación de las élites políticas del departamento. Primero, la llegada de un grupo nuevo de inversionistas antioqueños a finales de los años setenta, quienes hicieron masivas adquisiciones de tierra en el Alto Sinú, Montería y en la región del San Jorge. La ganadería había perdido rentabilidad frente a otras posibilidades de inversión urbanas, y era el blanco fácil de lo que se conoció como los «dineros calientes». Los antiguos inversionistas paisas, pertenecientes a familias prestantes de Medellín, percibieron la nueva situación de conflictividad en el campo, y decidieron vender al mejor postor.

Según el ex ministro Escobar Méndez, se dio paso a negociantes con una «ambición sin límites» (Romero, 1995). Además de fragmentadas políticamente, las élites cordobesas tampoco tuvieron liderazgo económico.

A esta fragmentación en el liderazgo regional, se sumó otro factor que agravó aún más la situación. El EPL, con una significativa presencia y autoridad en el Alto San Jorge y Alto Sinú, decidió ampliar la influencia territorial y el consiguiente incremento en la extracción de recursos a los sectores pudientes del departamento. Esto rememoró los miedos frente a la movilización social de los años sesenta y setenta e incrementó la percepción de inseguridad y de falta de control del orden social entre los propietarios. El EPL, en la primera Conferencia Nacional en 1981, había acordado un «plan de crecimiento nacional», el cual necesitaba recursos, y Córdoba era una de las regiones donde su consolidación e influencia eran mayores (Villarraga y Plazas, 1994). La disputa política y social de las décadas anteriores continuó el camino de la polarización, ahora en la forma de dominio territorial y militar de la guerrilla.

LA FRAGMENTACIÓN DEL ESTADO: LOS MILITARES CAMBIAN DE SOCIO

La amnistía de casi 500 guerrilleros detenidos y el inicio de negociaciones entre el presidente Belisario Betancur y las principales organizaciones subversivas a finales de 1982 fueron recibidas como una franca traición por los ganaderos cordobeses. Éstos unieron sus voces a las del alto mando de la institución militar, quienes consideraban que con las nuevas medidas de «orden público» se demostraba «la debilidad de la democracia para protegerse a sí misma» (Behar, 1985). Los militares consideraron la amnistía y la negociación del cese al fuego como una gran victoria política de la guerrilla, con la cual «se le asestaba un golpe fuerte a la estructura moral y sentimental del Ejército y de las Fuerzas Militares» (Behar, 1985).

Para los ganaderos del Sinú era impensable que se hablara de negociaciones de paz con los insurrectos, en medio de la ola de secuestros y extorsiones que enfrentaban. En efecto, entre 1983 y 1990, la tasa de secuestro por 100.000 habitantes en este departamento superó el doble de la tasa promedio nacional en 1984 y 1989, los momentos de mayor diferencia, aunque la tasa era baja en relación con las de otras regiones con conflicto similar (Cubides, Olaya y Ortiz, 1995). Como efecto de esta coincidencia, los ganaderos identificaron las negociaciones de paz como la causa de esa situación. Para ellos, al igual que para los militares, la subversión estaba aislada antes del proceso de paz y expandió su influencia como resultado de éste. Además, junto con otros opositores a las negociaciones, consideraron que el presidente Betancur había entregado las banderas de la lucha social y reivindicativa a la guerrilla, al reconocer la necesidad de reformas políticas y sociales a cambio de la paz[14].

La nueva política de la presidencia de Betancur tuvo consecuencias paradójicas en la dinámica del conflicto armado, y en particular en las regiones con influencia de las organizaciones de izquierda. El convencimiento de los altos mandos del Ejército, de la dirigencia política y económica regional y de buena parte de la nacional acerca de la pertinencia de escalar el conflicto para derrotar a la insurgencia izquierdista, mostró la ausencia de apoyo a las políticas del Ejecutivo y, por lo tanto, la baja capacidad regional para territorializar su autoridad. Además, el contexto internacional de enfrentamiento de la Guerra Fría tampoco era un buen augurio para la iniciativa presidencial. Ese divorcio entre las políticas de negociación de la Presidencia con la guerrilla, frente a la oposición concurrente de la organización militar y las élites regionales, produjo una situación cercana a lo que se ha llamado «colapso parcial del Estado», en términos de Paul Oquist, en el que narcotraficantes, en asocio con élites locales desafectas de la autoridad central, aprovecharon esas nuevas condiciones institucionales y políticas para construir un aparato paramilitar.

En suma, el giro del gobierno central hacia una política de apertura en su trato con la insurgencia iba en contravía de los intereses, identidades y marcos de interpretación consolidados por los arreglos institucionales vigentes: la forma de centralización de la autoridad estatal sin elecciones locales y regionales, el régimen de monopolio bipartidista que seguía operando en la práctica y la obligación de un alineamiento con Estados Unidos frente a la bipolaridad internacional. La inusual intervención del gobierno civil en relación con el orden público, al igual que la reforma agraria 15 años atrás, encontró pocos aliados dentro de las élites regionales. Y de igual manera, como sucedió 15 años antes, despertó gran entusiasmo y expectativa dentro de los disidentes, radicales y políticamente excluidos. Sin embargo, esta vez los resultados fueron más tangibles, aunque limitados, y con un costo en vidas humanas sin comparación en América Latina, con excepción de El Salvador. La Constitución de 1991 puede considerarse como un logro parcial en un proceso prologado de democratización política, aún sin terminar.

Para el gremio ganadero, el inicio de la negociaciones de paz y la desprotección de las autoridades centrales frente al acoso de los grupos guerrilleros y la movilización social los llevó a una frontal oposición a los acercamientos entre gobierno y subversión. El presidente de la Fedegan, José Raimundo Sojo, repetidas veces expresó su no rotundo al diálogo durante la década de los ochenta, porque, según él, éste era infructuoso: «Lo que la guerrilla quiere es tomarse el poder»[15]. Mientras tanto, la campaña de finanzas de la guerrilla seguía inclemente. Quienes no pagaron las contribuciones enfrentaron las consecuencias. La quema de fincas y el «fusilamiento de reses» se extendieron, como ocurrió en 1988 con la hacienda de Rodrigo García, gerente de la Federación de Ganaderos del departamento. Los ganaderos con más influencia y recursos administraron las fincas a distancia, y obtuvieron la estrecha y generosa colaboración de la Fuerza Pública: «Por medio de oficiales del Ejército que van en helicóptero»[16].

El hostigamiento de la guerrilla en contra de los ganaderos alcanzó puntos críticos durante los gobiernos de Betancur (1982-1986) y Barco (1986-1990). Las contribuciones exigidas crecieron tan arbitrariamente, que uno de los ex comandantes del EPL recuerda que «un hombre con cincuenta vaquitas o con una finca media, ya se le catalogaba de rico [...] imagínese, gente acostumbrada a la miseria [los guerrilleros], ahora manejando millones» (Villarraga y Plazas, 1995). Como lo reconoce un antiguo mando del EPL, «la orientación era "conseguir dinero en cantidades alarmantes porque la guerra era muy costosa", eso llevó a que se crearan muchas comisiones de finanzas» (Villarraga y Plazas, 1995).

El medio estaba preparado para una mayor polarización de las identidades políticas de las élites ganaderas. Sólo faltaba quién liderara el proceso. El modelo de autodefensas y paramilitares del Magdalena Medio impulsado por sectores de la oficialidad de la XIV Brigada del Ejército, con sede en Puerto Berrío, estaba disponible (Medina, 1990). Uno de sus promotores sostenía que «era muy claro que había que combatir a la guerrilla con sus mismos métodos irregulares» (Aranguren, 2001, p. 13). Además, sectores políticos, periódicos de la capital y hasta ministros del gobierno del presidente Barco defendían el derecho a la defensa armada[17]. Con esto, Fidel Castaño, antiguo narcotraficante antioqueño con fuertes nexos con Pablo Escobar y con lo que se conoció como el Cartel de Medellín (Aranguren, 2001), y uno de los nuevos inversionistas en ganadería del departamento, obtuvo la legitimidad para liderar esa transformación de prácticas, discursos y lealtades dentro de los propietarios de la región.

Las condiciones estaban dadas para que los propietarios locales dieran un paso más allá del simple descontento y recelo frente a las intervenciones del Estado central. Se trataba de tomar iniciativas que suplantaran ese Estado y pusieran en entredicho su territorialidad. El proyecto tenía liderazgo, base social y también aprobación tácita de la organización militar estatal. Rodrigo García, gerente de la Federación de Ganaderos, recuerda: «Se despertó ánimo de lucha; continuar pagando la "vacuna" a la guerrilla era seguir engordando al enemigo; nos salvábamos con la comunidad o nos hundíamos con ella»[18].

LA PAZ EN MEDIO DE LA GUERRA SUCIA

Para 1987, el escenario de la «guerra sucia» estaba montado. El Ejército inauguró la XI Brigada en Montería, Fidel Castaño armó su ejército privado y los ganaderos cambiaron el destino de sus aportes: de los morrales de la guerrilla a las alforjas de Castaño, giro que también vino acompañado de un cambio semántico: de «la vacuna ganadera» se pasó a los «aportes para seguridad». Entre tanto, los diálogos de paz podían hacerse en la capital o en los campamentos guerrilleros, pero las negociaciones se definían en la práctica por medio de los atentados a dirigentes políticos de izquierda en las capitales y masacres de sus simpatizantes en los sectores rurales.

Además, un ingrediente nuevo hizo más explosiva la situación. La primera elección de alcaldes por voto directo se realizó en 1988, y las posibilidades de que los frentes electorales de la izquierda con aprobación de la guerrilla —UP y Frente Popular— ganaran alcaldías puso al rojo la disputa por el poder político y burocrático local. Esa competencia era un hecho sin precedentes en la historia colombiana, ya que hasta ese año los gobernadores nombraban a los alcaldes. La posibilidad de que antiguos guerrilleros, sus voceros o los tradicionales dirigentes de los frentes electorales de izquierda pasaran a ser potenciales líderes políticos con capacidad de competir por el poder local, agudizó la intransigencia de muchos años de rencores y odios acumulados por la guerra irregular. Hasta ese momento, la UP y el Frente Popular participaban en las coaliciones gobernantes de tres municipios: San Andrés de Sotavento, en el Bajo Sinú, con gran presencia de descendientes de los indios zenúes, y en Tierralta y Valencia, en el Alto Sinú, futuro fortín de las temidas ACCU. El inicio de la reforma al modelo de centralización estatal vigente y del desmonte del régimen bipartidista aumentaron los intereses en juego con la nueva política de paz. Además, la no entrega de armas por la guerrilla, en contra de la condición que exigía la institución castrense para no oponerse a la UP y las otras alianzas electorales resultado del proceso de paz, convirtió en verdaderos polvorines los escenarios regionales con presencia de la izquierda. El cuadro estaba completo para convertir a los adversarios en enemigos, y para dar inicio al juego estratégico excluyente de que cuando «gano yo, pierdes tú».

Al guerrerismo discursivo de los generales frente a las ambigüedades de la UP y otras alianzas similares, a las que calificaron de «brazo desarmado de la subversión», siguió una política de tierra arrasada de las fuerzas de seguridad y paramilitares. La táctica fue golpear los diferentes «anillos de apoyo» de lo que se consideró como sostén civil de la subversión, es decir, asesinar líderes, activistas y simpatizantes de izquierda o de organizaciones sociales, para eliminar su pilar social, y así, según esta teoría contrainsurgente, aislar a la guerrilla. Suponiendo una conexión automática y directa entre organizaciones guerrilleras y frentes legales de lucha social y política, los paramilitares, las autodefensas y las fuerzas de seguridad arremetieron contra diversos sectores de población civil desarmada en zonas de conflicto. Al tiempo, eliminaron las posibilidades de oposición política en Córdoba y otras regiones del país, sin lesionar la capacidad de los aparatos armados de la insurgencia, supuesto objetivo de su reacción. Las FARC se replegaron a zonas más altas en el nudo de Paramillo y en la serranía de Abibe, en los límites entre Antioquia y Córdoba, mientras que el EPL, dada la dinámica interna que buscaba participación en un movimiento legal más amplio, imitando el ejemplo del M-19, siguió la senda de la desmovilización.

En septiembre de 1987 fue asesinado el primer dirigente del Frente Popular. Era directivo del magisterio y candidato a la Alcaldía de Tierralta por ese movimiento. Luego siguió una racha de atentados en los que la UP y A Luchar también fueron el blanco. Caen candidatos al concejo o en ejercicio, sindicalistas, maestros, dirigentes campesinos, indígenas, profesores universitarios y periodistas radiales. Los candidatos de la izquierda elegidos en 1988 son sometidos a intensa presión por la Brigada XI, con frecuentes interrogatorios en las instalaciones militares, además de amenazas anónimas de muerte (Romero, 1995). En abril de 1988 se inician los asesinatos colectivos: 37 campesinos son asesinados en el corregimiento de Mejor Esquina, y luego son cometidas aproximadamente 20 masacres más (Negrete, 1995).

En suma, entre 1988 y 1990 se registraron en información de prensa nacional cerca de 200 asesinatos políticos y un poco menos de 400 presumiblemente políticos en Córdoba[19]. Según las estadísticas de la Consejería de Defensa y Seguridad de la Presidencia, la tasa de asesinatos políticos y la tasa global de homicidios para el período fue similar (aproximadamente 34 por cada 100.000 habitantes), indicando que, de ser ciertas esas cifras, todos los crímenes cometidos en ese departamento durante ese período fueron aparentemente con fines políticos, es decir, aproximadamente 1.200 asesinatos (Echandía y Escobedo, 1994). La cifra da sólo una dimensión numérica de la tragedia. Bajo el liderazgo de Fidel Castaño y las fuerzas de seguridad, esta alianza logró consolidar una movilización local amplia en contra de la guerrilla, condena que incluyó también a los frentes electorales que contaban con su consentimiento o aprobación, como parte de un proceso de paz que llevaría a la desmovilización. El Ejército justificó la incapacidad para proteger la participación electoral de estos grupos aduciendo que si sus compañeros estaban secuestrando y extorsionando, ellos debían enfrentar las consecuencias, puesto que sólo eran «el brazo desarmado de la subversión». Esta práctica discursiva y pública desde el poder significó la aprobación desde la misma autoridad de todo tipo de atentados en contra de los miembros de esos frentes.

Paralelamente se libraron fieros combates entre la guerrilla y el Ejército en el Alto Sinú y en la serranía de Abibe, la cual separa a Córdoba de Urabá. El coronel Jaime Díaz López, comandante del Batallón Junín, de Montería, cae en combate con el EPL cerca a Tierralta en febrero de 1988. El Ejército envía helicópteros artillados y tanques cascabel. En mayo, en un enfrentamiento con una fuerza combinada del EPL y las FARC, caen un subteniente y nueve soldados, y continúan los bombardeos aéreos sobre la zona de San Pedro de Urabá y Saiza, entre Córdoba y Urabá. En agosto, una fuerza conjunta del EPL y las FARC ataca a Saiza, en el Alto Sinú, con el pretexto de ser una base de entrenamiento paramilitar. En la operación mueren 11 militares y 10 civiles más. En octubre de 1988 se cumple un año de campaña militar continua, en la que la guerrilla tiene más de 30 bajas[20].

Habría que esperar año y medio —hasta abril de 1990— para el reinicio de operaciones militares de gran escala. Pasadas las elecciones de marzo, el Ejército introduce dentro de sus tácticas de contrainsurgencia la Brigada Móvil N.º 1, compuesta por soldados profesionales. La innovación táctica está planeada para atacar masivamente áreas de gran influencia guerrillera. El dispositivo sirvió de ensayo para la toma de Casa Verde, cuartel general de las FARC, en diciembre del mismo año. El Ejército movilizó cerca de 2.500 efectivos por tierra y helicópteros artillados, y atacó tres puntos del departamento simultáneamente: el Alto Sinú, el Alto San Jorge y zonas rurales del municipio de Montelíbano. Los reportes militares informaron de 17 bajas y 15 heridos en las filas guerrilleras, destrucción de 8 campamentos subversivos, decomiso de radios, municiones y equipos de campaña. Además, se anunció el rescate en los límites con Antioquia de casi 5.000 reses robadas por la guerrilla, hecho que fue desmentido por los subversivos[21]. La operación contó con un gran respaldo de ganaderos, comerciantes, la Federación de Cultivadores de Cereal, la Sociedad de Arquitectos y otros sectores. Éstos darían un estruendoso apoyo a la campaña iniciada por la Brigada, al tiempo que pedirían al gobierno el cese de las negociaciones de paz con los guerrilleros del EPL. Propietarios y militares consideraban que el diálogo era una táctica de distracción de los rebeldes para evitar el hostigamiento militar (Villarraga y Plazas, 1995).

A pesar de los asesinatos, hostigamientos y rumores sobre futuros atentados, la negociación entre la Presidencia y los insurgentes permitió la «visibilidad» de individuos, grupos y movimientos locales que habían estado en los márgenes de la vida legal, y que tenían planteamientos, propuestas y eran parte de la solución al conflicto armado. El EPL es un caso típico de este hecho. Esta apertura de la esfera pública, similar a la ocurrida durante la época de la reforma agraria, y las posibilidades de comunicación, asociación y propaganda que permitieron, fueron, sin embargo, mucho más riesgosas y limitadas que la apertura ocurrida durante los años de las movilizaciones campesinas. Las nuevas posibilidades de participación quedaron reducidas a los actores ya conocidos. Grupos sindicales impulsaron la movilización de opinión en contra de la guerra, aunque con resultados inciertos. En marzo de 1989, Ademacor y personalidades ligadas a la izquierda organizaron el Encuentro por la Vida, la Paz y la Democracia, en Montería, que no contó con la participación esperada, dada la situación de desmovilización social causada por el terror.

Para las elecciones de marzo de 1990, el Frente Popular decide establecer alianzas con Jesús María López, hermano del ex senador liberal Edmundo López Gómez y candidato a la Alcaldía de Montería por el Partido Liberal. Acusado de colaboración con los grupos paramilitares y político controvertido, López podía ofrecer algún tipo de protección frente a los atentados y desapariciones (Villarraga y Plazas, 1995). En lo que se consideró un balance aceptable, este sector obtuvo 13 concejales, un diputado y un representante a la Cámara en las elecciones de 1990, con menos del 5% de la votación del departamento. Por su lado, entre liberales y conservadores alcanzaron casi 200 concejales. La UP, que dos años antes había conseguido siete concejales, participó como socio menor en otras coaliciones (Villarraga y Plazas, 1995).

Lo precario de la «amenaza» electoral de la izquierda hace ver la desproporción de la reacción en su contra. La barbaridad de ésta también da una dimensión de los temores, fabricados o reales, de las élites cordobesas, y de las consecuencias catastróficas de invocar esos miedos como elementos de acción política por parte de agencias del Estado, con el fin de justificar la persecución. El discurso y la práctica contrainsurgente de la Guerra Fría, junto con los temores de las élites, construyeron una representación de la población civil simpatizante o militante de la izquierda, que se asoció con un «enemigo interior». Basándose en esta representación se convirtieron en permisibles prácticas y discursos que invitaron y fomentaron actos de agresión en contra de miembros de la misma comunidad, y que en otras circunstancias hubieran sido inaceptables. Esto se explica porque en esa construcción de «enemigo», éste se convierte, por izquierdista, en un anónimo indeseable, y por lo tanto desechable. Dentro de esta lógica, Fidel Castaño se erigió como redentor, tanto por hacer retroceder a la guerrilla, como porque controló la protesta e insubordinación social, sin importar el costo en sufrimiento y vidas humanas.

LA PAZ QUE NUNCA LLEGÓ

El proceso que culminó con la desmovilización del EPL a comienzos de 1991 y la creación del movimiento legal Esperanza, Paz y Libertad no sólo fue el resultado de la «combinación de todas las formas de lucha» por parte de las Fuerzas Armadas, paramilitares, autodefensas, ganaderos y comerciantes, sino también de un deseo dentro del EPL por participar en un proyecto «civilista y pluralista, que cuestionara la vigencia de la lucha armada» y que intentara superar por la vía pacífica las limitaciones a la participación política impuestas por el régimen bipartidista (Villarraga y Plazas, 1995).

De igual forma, la dinámica de la zona bananera de Urabá, limítrofe por el Occidente con el valle del Sinú, también influyó. El retiro de inversionistas debido a la violencia corría el riesgo de evolucionar hacia una crisis del eje bananero, representada en el abandono definitivo de los productores para localizarse en otras áreas de Centroamérica o de la costa Caribe colombiana. Como reconoció uno de los mandos del EPL, «comprendimos que el problema no era mantener una guerra con Fidel, porque había un movimiento social de por medio que ya mostraba signos de cansancio, de no querer más violencia» (Villarraga y Plazas, 1995).

Luego de contactos iniciales entre el EPL y Castaño, éste lanzó en agosto de 1990 la iniciativa de desmovilizar a sus fuerzas, si el EPL era consecuente con los anuncios de incorporarse a la vida civil y utilizar otras formas de lucha diferentes a la violencia. El sorprendente giro parece que fue propiciado, además de las negociaciones entre gobierno y guerrilla, por un inesperado gesto por parte de los guerrilleros que convenció a Castaño de la voluntad de paz de ellos. Una patrulla de milicianos del EPL detuvo a un grupo de escoltas que brindaban protección a una mujer que se desplazaba entre Urabá y Córdoba, en el norte del departamento, sospechando que éstos formaban parte de un grupo de paramilitares. Sólo se enteraron de que la mujer era hermana de Castaño cuando éste se comunicó por radio con un campamento guerrillero en Pueblo Nuevo, para pedir su liberación. El EPL accedió sin contraprestación alguna, lo que facilitó las negociaciones posteriores (Villarraga y Plazas, 1995).

El hecho fue preludio de acercamientos políticos no menos sorprendentes, lo mismo que de transformaciones en los campos relacionales de los actores locales imposibles de imaginar meses atrás. La desmovilización del EPL en Córdoba fue rica en este tipo de experiencias de conciliación entre antiguos enemigos. El anuncio de la distribución de cerca de 16.000 hectáreas a campesinos pobres o víctimas del enfrentamiento armado, y de la organización de Funpacor, fundación que brindaría asesoría técnica y financiera a más de 2.500 familias, además de los recelos, rechazos y críticas que originó, también contribuyó a crear un campo relacional que facilitaría las aproximaciones entre los antiguos rivales. Sin embargo, la debilidad progresiva que caracterizó al EPL, resultado de divisiones internas, de la continuación del enfrentamiento armado y de las agresiones de los frentes de las FARC regionales y de las fuerzas de seguridad en contra de sus militantes, preparó el camino para una paulatina asimilación de una parte de sus militantes en el aparato militar y político de las ACCU.

Sin embargo, esta trayectoria no fue la única posible. Otros resultados no fueron menos reales. La primera elección de gobernadores en 1992 permitió avanzar en una nueva forma de centralización política a partir de la elección de autoridades locales y regionales, de acuerdo con lo ordenado por la nueva Constitución aprobada el año anterior. Esta nueva estructura estatal ofreció oportunidades para un proceso de reconciliación. El hecho también brindó la posibilidad de poner a prueba la verdadera dimensión de la apertura del régimen político. La AD M-19[22], aprovechando el espacio institucional para la elección de gobernador que no existía antes, ofreció a Rodrigo García Caicedo la candidatura de su movimiento a la Gobernación. Conservador alvarista y gerente de la Federación de Ganaderos de Córdoba, García Caicedo había sido un combativo opositor público del antiguo EPL y de la izquierda en general. Se definía como «conservador doctrinario» y fiel admirador de Laureano Gómez, dirigente conservador de mitad de siglo XX y admirador del dictador español Francisco Franco. García Caicedo se distinguió por haber sido un crítico enérgico de los intentos de reforma agraria liberales y de las formas de intervención del Estado central en la región, así como de la corrupción de la clase política de su departamento, mayoritariamente liberal. Álvaro Jiménez y Otty Patiño, ex combatientes del M-19, fueron los emisarios de la propuesta de la AD M-19. «Conversamos de 10 a. m. a 2 a. m. del día siguiente. Tuvimos muy pocas diferencias y las soluciones que proponíamos para el departamento también eran muy parecidas. La charla fue cordial y franca», recuerda García Caicedo[23].

El dirigente ganadero indica que los emisarios de la audaz coalición le insistieron en que «para demostrar sus intenciones de paz, lo habían escogido a él como candidato, para que no hubiera duda. Dijeron que para ellos la paz era más importante que una gobernación»[24]. También le sugirieron, señala García, conseguir el respaldo de Álvaro Gómez para hacer más viable el apoyo de los conservadores de su departamento. Fidel Castaño, luego de intensas reuniones e intercambios con los miembros de la AD M-19, también dio su venia para la alianza, y le dijo a García: «No le voy a hacer campaña, pero me parece muy interesante lo que va a pasar en el departamento»[25]. Finalmente, García obtuvo el respaldo de Álvaro Gómez

—quien «le advirtió que tuviera cuidado con el M-19»— y de un sector de su partido en el departamento, ya que el pastranismo declinó participar en la campaña. El dirigente ganadero aceptó la postulación y durante el discurso de lanzamiento en el Club Campestre de Montería, la justificación de su decisión frente a los críticos fue que «en la Posguerra en Francia, los comunistas habían apoyado a De Gaulle, no porque el general se hubiera vuelto comunista, sino porque los comunistas se habían vuelto gaullistas». La coincidencia electoral de dos sectores tan disímiles calcaba, en parte, las coaliciones de la Asamblea Constituyente de 1991, lo mismo que el antagonista principal: el liberalismo oficialista mayoritario en el departamento.

Desde el punto de vista del EPL, la alianza les proporcionó protección, al neutralizar a los posibles enemigos que quisieron tomar venganza por las acciones de su pasado guerrillero. Sin embargo, las enemistades amenazaron desde muchos bandos, y la asociación con los ganaderos originó la reacción de las FARC y de un sector del EPL, grupos que no participaron en el proceso de desmovilización. En efecto, García Caicedo se opuso a varios intentos por atentar contra la vida de Marcos Jara, comandante guerrillero del EPL oriundo de Córdoba, y ahora activo cuadro de su campaña. Ésta, mientras tanto, se desarrolló con un tono de anticorrupción y anticlientelismo que tenía nombre propio: denunciar los vicios del liberalismo, mayoría electoral de Córdoba. El programa de la campaña hizo hincapié en el servicio a la comunidad, en la honestidad y el rescate del departamento de «la clase política corrupta, la cual se confabula contra el interés público».

García Caicedo perdió por menos de 1.000 votos frente a Jorge Manzur, candidato apoyado por Francisco Jattin, del grupo de políticos que emergió a finales de los años setenta y comienzos de los ochenta, senador liberal de Lorica, en el Bajo Sinú, y según sus críticos, encarnación viva de todos los vicios del clientelismo[26]. El ganadero afirmó que el triunfo fue facilitado por la alianza entre el Ejército, la Policía y los políticos liberales tradicionales, quienes permitieron el fraude en su contra en el área del San Jorge, donde «la supuesta participación electoral fue del 95%»[27]. Desde entonces, dice el ganadero, las relaciones con las Fuerzas Armadas dejaron de ser las mismas, y en ocasiones han sido tensas. García Caicedo sostiene: «Los mandos militares piensan que yo los traicioné. Lo que pasa es que el Ejército está fanatizado, está ideologizado, lo que les impide pensar con claridad».

La experiencia mostró que las posibilidades de reconciliación no sólo dependieron de la voluntad de los actores o de la disposición de aceptar nuevas fuerzas en la arena política por las agrupaciones ya presentes, sino también por la existencia de espacios institucionales, como el electoral, donde los antiguos rivales pudieron interactuar. Es decir, la apertura del régimen y la nueva forma de centralización crearon los espacios para el desarrollo de esos acercamientos. Para García Caicedo, a pesar de no haber ganado, «la campaña fue una pedagogía excelente para acercar antiguos enemigos; lograr esto hubiera sido una labor de toda una vida»[28]. Además, la alianza también evidenció los beneficios y las posibilidades de protección que ese tipo de pactos brindaron a los sectores que hicieron tránsito de la guerrilla hacia la participación política legal. Si bien el proceso quedó trunco y no se desarrolló hasta el punto de una transformación de identidades políticas, como sucedió con la convivencia entre liberales y conservadores durante el Frente Nacional, sí mostró que ese resultado no era un objetivo imposible. Sin embargo, la continuación de las hostilidades armadas y la creciente debilidad de una de las partes, en este caso la del EPL, terminó por abortar el proceso. La ausencia de recursos económicos por parte del EPL y la disolución organizativa que siguió fue un factor que afectó las posibilidades de éxito de la experiencia. La dependencia de una de las partes frente al otro lado de la coalición no fue la mejor solución. Al final, la estrategia que dice «si no puede vencer a su enemigo, únasele» terminó por ser la única posibilidad de sobrevivencia para un sector significativo de los miembros del EPL.

REGRESO DE LA GUERRA Y CONSOLIDACIÓN PARAMILITAR

A pesar de los acercamientos y ensayos para superar el conflicto que la apertura política y los nuevos espacios institucionales permitieron en Córdoba durante 1991-1992, la inercia de la guerra terminó por imponerse. La polarización de identidades entre las ACCU, los grupos guerrilleros que no se desmovilizaron —las FARC y el ELN— y las Fuerzas Armadas se acentuó con mayor determinación, cerrando las posibilidades de crear una nueva «comunidad política» en el valle del Sinú. A pesar de las posibilidades para una mayor participación política ofrecidas por la Constitución de 1991, en la práctica éstas han sido inexistentes por la continuación del enfrentamiento armado y el dominio claro que las ACCU lograron consolidar, con la anuencia de la institución militar. La división del EPL, el saboteo de las FARC hacia el nuevo proceso, la guerra sucia de las fuerzas de seguridad, la indiferencia de las redes de poder clientelistas y del sector privado, las limitaciones del gobierno central y las dificultades de la «reinserción» a la vida civil de los antiguos combatientes, fueron obstáculos más poderosos que los actos de reconciliación (Uribe, 1994). A pesar de que el nuevo gobernador liberal, Jorge Manzur, dio participación al EPL en la primera administración elegida por voto popular, las amenazas y asesinatos en contra de sus antiguos militantes cerraron las posibilidades de consolidación política de este grupo, ahora en la legalidad.

En efecto, cerca de 200 ex combatientes, de los 2.149 desmovilizados del EPL en todo el país, habían sido asesinados por diferentes razones después de dos años de la reinserción (Uribe, 1994). En Córdoba, los acuerdos de paz cobijaron a 349 combatientes del EPL, 30 de la Corriente de Renovación Socialista y 16 del PRT. En este departamento, la mayoría de los guerrilleros eran campesinos entre dieciséis y veinte años de edad sin educación primaria. Por esto, el programa de reinserción mostró bastante interés en proporcionar oportunidades para finalizar primaria y validar bachillerato. Después de tres años de funcionamiento, 34 habían terminado primaria, 27 secundaria, 11 media vocacional y 6 cursaban estudios superiores. En cuanto a proyectos productivos, 18 proyectos rurales, con 152 socios, continuaban operando, aunque 5 de los 18 proyectos urbanos ya habían quebrado para ese entonces (Negrete, 1995).

El programa de reinserción en Córdoba ofreció a algunos de los antiguos guerrilleros oportunidades para «reencontrarse» con la vida civil. Sin embargo, como los espacios geográficos dejados por el EPL fueron ocupados por otras organizaciones guerrilleras, esto llevó a la reactivación del aparato militar de la familia Castaño, ahora bajo el mando de Carlos Castaño, hermano menor de Fidel. Bajo el nombre ACCU, el rearme y reorganización de este grupo incluyó un apoyo social y político más amplio y organizado, y una sofisticación del discurso, acorde con su intención de convertirse en un aparato político-militar similar al de las guerrillas.

El grupo también reafirmó su papel de fuerza contrainsurgente, reemplazando paulatinamente a las fuerzas de seguridad del Ejército, y montando una red de comunicación que sólo en Córdoba ha permitido a 950 fincas ganaderas de la región estar en contacto permanente[29]. Esta forma operativa sirvió de modelo para la propuesta de las cooperativas de seguridad Convivir, sistema de vigilancia rural que el Ejército pretendió ampliar a todo el país, como forma de incluir en las tareas de control político y social a los mismos propietarios, y en general al sector civil de la sociedad, como una modalidad de la «guerra total» contra la subversión. Esta forma de apoyo social a la lucha antisubversiva ha sido una vieja aspiración de las Fuerzas Armadas ante la persistencia del conflicto armado y la incapacidad de la clase política para hallar caminos de solución. Sin embargo, esta estrategia ha expuesto a la población civil a las continuas retaliaciones de las diferentes organizaciones armadas, quienes le reclaman su apoyo bajo la amenaza de convertirse en «objetivo militar».

Al mismo tiempo, este aparato militar surgido en Córdoba y Urabá ha impulsado desde 1994, en su nueva etapa como ACCU, la agrupación bajo una misma sigla y mando de las diferentes autodefensas y paramilitares del país. Carlos Castaño logró conformar un frente político-militar con proyección nacional, denominado AUC, que opera como una avanzada militar anticomunista, en «defensa de la propiedad privada y la libre empresa», organización que ofrece su modelo de seguridad a propietarios de otras regiones del país afectados por la guerrilla y la movilización social. Definidos como una «organización civil defensiva en armas»[30], obligada, según sus comunicados, a asumir su protección frente a la extracción de recursos y amenaza contra la vida por parte de la subversión, justifican la limpieza política por el «abandono del Estado» en sus funciones de seguridad frente a los propietarios. A pesar del cambio operativo hacia formas de autoridad menos arbitrarias en las zonas donde ha logrado consolidar su control, el carácter agresivo y expansivo de su actividad hace que las ACCU sigan siendo asociadas con el paramilitarismo, dimensión que sus jefes tienden a soslayar, en favor de una imagen justificatoria como la de autodefensa, más propicia para su proyecto de restauración del orden rural.

El sólido respaldo de las ACCU en Córdoba lo atestigua la carta que 75 ganaderos enviaron al ministro de Defensa en enero de 1997, por la persecución contra Carlos Castaño y por los anuncios públicos en los que se ofreciecían 500 millones de pesos de recompensa por informaciones sobre su paradero. La carta dice: «Castaño nos quitó el miedo y nos enseñó a pelear contra nuestro enemigo»[31], señalando la transformación del comportamiento político de este grupo social, el apoyo relativo a la autoridad central en esta región del país y la solidez de las lealtades locales y regionales, en contraposición con las nacionales, que han logrado las ACCU. A lo que no hace referencia la carta es que para Castaño el enemigo fundamental ha sido la población civil. Él mismo lo afirma: «En guerra, un civil desarmado es un término relativo. Dos tercios de la guerrilla son miembros desarmados que operan como población civil, y colaboran con la guerrilla» (Castro, 1996).

El número de población desplazada sólo en Córdoba por esta concepción del conflicto y por las represalias de la guerrilla había llegado a cerca de 115.000 personas, aproximadamente el 10% de la población total de este departamento en 1995 (Negrete, 1995). Los asentamientos de refugiados en los alrededores de Montería, Cereté, Montelíbano y otras ciudades menores son de una pobreza extrema, la cual afecta principalmente a niños, jóvenes y mujeres, población catalogada por los organismos estatales como «de alto riesgo social», debido a los fenómenos de prostitución, drogadicción, opresión, abusos y delincuencia a los que están expuestos.

Si bien la extorsión y el secuestro disminuyeron ostensiblemente en el departamento a partir de 1991, primero como resultado del acuerdo regional de paz, luego como efecto de la desmovilización del EPL (Cubides, Olaya y Ortiz, 1995) y finalmente como efecto del modelo de «Estado de seguridad» local implementado, la dimensión político-administrativa del departamento es lamentable. La represión en contra de los grupos llamados a desarrollar una labor crítica y de denuncia en favor de un manejo transparente de la administración pública y del presupuesto oficial, dejó sin fiscalización a los políticos locales. Esta imposibilidad de ejercer control público sobre el funcionamiento del Estado a través de las nuevas oportunidades de la democracia local, convirtieron a las ACCU en parte funcional de la corrupción del departamento. No sin razón Córdoba y Sucre contribuyeron con el mayor número de congresistas vinculados al llamado Proceso 8.000, o sea, la investigación sobre la financiación del Cartel de Cali a la campaña que llevó a la Presidencia al candidato liberal Ernesto Samper (1994-1998) a mediados de los años noventa (Medina, 1997).

El análisis de la disputa social y política en el departamento de Córdoba buscó poner en primer plano los efectos de las instituciones y la intervención del Estado en la constitución de conflictos. A través de la movilización y protesta que éstos generan, este texto puso de relieve la formación y transformación de las identidades y de los comportamientos políticos. En este aparte, el texto utilizó algunos de los elementos del llamado «institucionalismo histórico», el cual reconoce la interacción entre instituciones y actores, y los efectos de los diseños institucionales en las formas del conflicto social (Friedland y Alford, 1991; Putnam, 1993). Por ejemplo, las apreciaciones que indican un cambio de estrategia por parte de la guerrilla —la cual ya no lucharía por una toma directa del poder nacional, como parece que sucedía antes, sino por conquistar el poder local y regional— tienen que ir acompañadas del examen de las oportunidades para la redefinición de objetivos que abrió la reforma de descentralización política y administrativa iniciada a mediados de los años ochenta, y de la dinámica política local que desencadenó.

El capítulo también señala cómo la organización de un aparato armado paraestatal —lo que implica la implementación de un sistema tributario— ha fortalecido identidades locales y regionales alrededor de esa experiencia, en contraste con un debilitamiento de la identificación con las autoridades nacionales con asiento en Bogotá. Éste ha sido el caso de las ACCU, y aunque es claro el papel desempeñado por el narcotráfico en los inicios de esta organización, parece que el peso específico de ganaderos, comerciantes y en general de propietarios aumentó desde 1994, ante la falta de efectividad estatal para ofrecerles protección, llevar a cabo un proceso de pacificación o pactar una incorporación de la guerrilla. El hecho resalta un elemento sobre el cual no se ha hecho suficiente énfasis: que el monopolio estatal de la fuerza organizada es el resultado de un proceso social, y no un factor inherente o un atributo natural del Estado central. Este punto también evidencia que las capacidades del Estado no son fenómenos absolutos, sino relacionales, y dependen de la cooperación o resistencia que ofrezcan los diferentes sectores de la sociedad.

El análisis de los tres períodos mostró la dificultad del Estado central por territorializar su autoridad. Esa soberanía ha sido repetidamente desafiada por sectores subalternos, y más recientemente por élites regionales, hecho en el cual las fuerzas constitucionales han tenido responsabilidad.

Es claro el papel que ha cumplido el narcotráfico en este proceso, aunque no ha sido el único factor, como se ha señalado a lo largo del texto. También hay que reconocer los efectos políticos de las intervenciones del Estado central, las cuales han debilitado la lealtad de esas élites locales a la autoridad en Bogotá, sin fortalecer el apoyo de otros sectores sociales o promover el desarrollo de aliados. Esto supondría una consolidación territorial del Estado más allá de la alianza entre élites centrales y regionales, lo que implicaría una profundización de la democracia local, como se explicó en el Capítulo 2. Igualmente, garantizaría una mayor territorialidad de esa autoridad central.

Finalmente, el acercamiento y alianza electoral de antiguos enemigos políticos y militares presentado en este capítulo indica un camino posible, entre muchos otros, para construir una verdadera «comunidad política» en Colombia. Sin embargo, los resultados de la experiencia señalan las dificultades que enfrentan los procesos de paz parciales, donde no están todos los que tienen que estar, y los efectos de la desproporción de recursos entre los participantes, una vez se ha producido la desmovilización.

Como se demostró para Córdoba en el período 1991-1992, las dificultades son enormes. Se puede lograr una pacificación donde desaparezca una de las partes, bien sea por asimilación o eliminación, pero esto no significa una reconciliación ni la creación de una comunidad política. Para esto se necesita una redefinición de las identidades políticas enfrentadas y la construcción de una cultura pública integrativa desde la misma localidad, la cual facilite la «acomodación» de los grupos en conflicto, y en esto es clave la autoridad central, en particular su organización armada. La dinámica de ataques y represalias de un bando al otro, como la ofensiva militar de las AUC en el Sur de Bolívar, luego el ataque de las FARC al cuartel general de Carlos Castaño en el nudo de Paramillo en diciembre de 1998 y las posteriores represalias de las ACCU sobre la población civil, demuestran que las pretensiones de equilibrios o territorios controlados están lejos de ser una realidad y que la construcción de esas nuevas identidades y relaciones políticas no da espera.

1. *El Tiempo*, 28 de septiembre de 1997, p. 1A.

2. *El Tiempo*, 17 de agosto de 1984, p. 11A.

3. *Ibid.*

4. *El Tiempo*, 23 de noviembre de 1983, p. 8A.

5. La *identidad política* se entiende como la experiencia compartida de una relación social entre actores individuales o colectivos, la cual incluye terceras partes, y en la que al menos una de ellas controla una porción significativa de medios de coerción. Esa experiencia y esos sentidos compartidos van acompañados de una representación pública, generalmente en la forma de una narrativa que refuerza una memoria colectiva. A través de esa experiencia y memoria, grupos e individuos forman una concepción de su posición en un comunidad y de sus lazos con otros. Así, la identidad política, más que una causa estable de la acción colectiva, es un resultado, un proceso cambiante de la interacción entre actores que compiten por poder, por recursos y por dar un significado a la realidad (Tilly, 1996 y 1998; Calhoun, 1991).

6. La cultura política se define como el campo de debate donde confluyen diferentes prácticas e instituciones que compiten por construir un sistema de significados a través del cual el orden político es comunicado, reproducido y experimentado, debate mediante el cual se busca, explícita o implícitamente, redefinir el poder político (Álvarez, Dagnino y Escobar, 1998).

7. *El Espectador*, 9 de enero de 1974.

8. *Ibid.*

9. *La República*, 21 de agosto de 1974.

10. *El Tiempo*, 22 de agosto de 1974.

11. *El Espectador*, 23 y 24 de agosto de 1974.

12. *El Colombiano*, 1 de mayo de 1974.

13. *El Tiempo*, 3 de diciembre de 1974.

14. Entrevista con Rodrigo García Caicedo, gerente de la Federación de Ganaderos de Córdoba. Montería, 11 de agosto de 1997.

15. Fedegan, carta N.º 24, agosto-septiembre, 1988.

16. *Ibid.*

17. Declaraciones del ministro de Justicia, José Manuel Arias Carrizosa, *El Tiempo*, 29 de julio de 1987.

18. Entrevista con Rodrigo García Caicedo, Montería, 11 de agosto de 1997.

19. *Justicia y Paz*, informes trimestrales 1988, 1989, 1990.

20. *Ibid.*

21. *El Heraldo*, 19 de abril de 1990.

22. Agrupación que reunió al antiguo M-19, a la nueva Esperanza, Paz y Libertad y a antiguos miembros del Partido Comunista y de la UP, entre otros.

23. Entrevista con Rodrigo García Caicedo, Montería, 11 de agosto de 1997.

24. *Ibid.*

25. *Ibid.*

26. Entrevista con Germán Bula Hoyos, Bogotá, 1989.

27. *Ibid.*

28. *Ibid.*

29. Revista *Semana*, N.º 669, 28 de febrero de 1995.

30. Documento de las AUC en el que se declaran movimiento político-militar, julio de 1997.

31. *El Tiempo*, 18 de enero de 1997.

CAPÍTULO 4

ALIANZAS INESPERADAS Y COMPETENCIA ARMADA EN URABÁ: TRABAJADORES BANANEROS, EX GUERRILLEROS Y EMPRESARIOS

Una de las movilizaciones más significativa por derechos sindicales, políticos y civiles durante las últimas tres décadas en Colombia ha sido la de los trabajadores bananeros de Urabá, región al norte del departamento de Antioquia cercana a la frontera con Panamá[1]. Estos trabajadores han consolidado una organización de industria, única en el sector agrario colombiano, con cerca de 15.000 miembros afiliados a Sintrainagro, el cual también incluye trabajadores de plantaciones localizadas en otras regiones del país. Esta organización logró un marco común de negociación colectiva para el sector a finales de los años ochenta, y así superó lo que se hacía antes en cerca de 310 convenciones individuales, en negociaciones por finca y sin ninguna sincronización.

Igualmente, Sintrainagro impulsó una importante mejora en las condiciones de vida de este grupo durante los años noventa, lo mismo que en las posibilidades de acceder a centros de poder político local, luego de las reformas de descentralización iniciadas a finales de la década de los ochenta. Y aún más, ese sindicato se ha constituido en uno de los impulsores de la organización de una federación latinoamericana de trabajadores agropecuarios que ya agrupa a un número significativo de los asalariados bananeros de este continente. ¿Cómo se obtuvieron estos logros en medio de un conflicto armado tan feroz como el librado en Urabá en los años ochenta y noventa del siglo pasado, en los que no sólo hubo competencia entre el poder emergente de paramilitares y narcotraficantes y el poder establecido de la guerrilla y su influencia social y política, sino también una enconada rivalidad y enfrentamiento entre el EPL y las FARC, los dos grupos guerrilleros con influencia en la zona? ¿Se puede considerar la nueva situación como el inicio de una trayectoria encaminada hacia la ciudadanía, como lo afirman los actuales dirigentes de los trabajadores y de Esperanza, Paz y Libertad?

Este capítulo aborda estos interrogantes discutiendo primero la noción de ciudadanía en contextos como el de Urabá, para luego describir la interacción estratégica y la competencia entre los diferentes actores armados y no armados de la zona en los últimos 20 años. Después se analiza la forma en que actores sociales constituidos, como los trabajadores bananeros y ex guerrilleros del EPL, se «acomodaron» a las nuevas realidades político-militares de la región surgidas por el amplio uso de la violencia por parte de organizaciones armadas legales e ilegales. Luego, el capítulo presenta los antecedentes históricos, centrados en los años ochenta, la competencia entre las guerrillas del EPL y las FARC y el fortalecimiento sindical durante las negociaciones de paz en este período. El texto sigue con un análisis de la recomposición política regional durante los años noventa y la reubicación del antiguo EPL, ahora convertido en Esperanza, Paz y Libertad, partido legal, y en cierta forma la de los trabajadores bananeros en ese nuevo campo de fuerzas político-militares, y analiza los efectos políticos de la violencia selectiva e indiscriminada sobre la población.

Por último, se discuten el nuevo internacionalismo laboral de este sector de trabajadores y las coincidencias entre empresarios y trabajadores para enfrentar unidos las variantes condiciones del mercado mundial, hecho que también pesó a la hora de los acuerdos y compromisos. El argumento del capítulo resalta lo impredecible de la trayectoria histórica seguida por el conflicto armado en esta región, la relativa incorporación de los trabajadores bananeros al nuevo orden local y el papel de las alianzas o acuerdos con los sectores más poderosos en los procesos de inclusión de sectores subalternos a un orden social particular.

CIUDADANÍA AUTORITARIA Y PROTECCIÓN

Si bien la extensión de derechos ciudadanos a un grupo específico no garantiza de ninguna forma un régimen democrático —los gobiernos autoritarios de Mussolini, Hitler, Franco y Salazar lo mostraron— hay que señalar que durante la vigencia de esos regímenes se crearon lazos de ciudadanía con las poblaciones que según esos caudillos formaban su respectiva nación. Desde este punto de vista, la ciudadanía se considera como una relación social que une a un determinado grupo humano con un Estado. Ese vínculo implica obligaciones mutuas y un sentido de dignidad individual ligado a una inclusión social y a la pertenencia a una comunidad política, la mayoría de las veces nacional (Tilly, 1995; Pécaut, 2000).

En el caso de Urabá, esa relación ha supuesto el trueque de protección, seguridad y un nivel de participación política regional de los trabajadores y sus aliados políticos sin igual en otra región del país. Esto se ha logrado a cambio de lealtad a un orden político-económico regional, así éste haya implicado el destierro o eliminación de una de las fuerzas partidistas más importantes de la región, la UP, coalición de comunistas, socialistas, liberales radicales o progresistas y socialdemócratas[2]. Esta situación se aproxima a la condición de «ciudadanía autoritaria», la cual ocurre cuando una sociedad enfrenta una organización estatal o paraestatal eficiente en el uso de la violencia y la coerción, frente a la cual no tiene mecanismos reconocidos y públicos para controlar o limitar el uso de esa fuerza (McAdam, Tarrow y Tilly, 2001).

El contexto actual en el eje bananero se acerca bastante a esa circunstancia. Las organizaciones que controlan los medios de violencia en las zonas urbanas —las ACCU y las fuerzas constitucionales— pueden hacer uso discrecional o arbitrario de esa fuerza en el momento en que lo consideren necesario —lo mismo que la guerrilla en las áreas rurales—. Esto se encuentra lejos del Estado de derecho, en el que no hay nadie por encima de la ley, y todos los individuos, incluyendo a las autoridades, están sujetos a ella. De forma similar, la posibilidad de conformación de públicos deliberantes y críticos es limitada o reducida a los sectores afines al grupo que controla la violencia organizada. Existe una amenaza latente de usar la fuerza en contra de aquellos que se atrevan a transgredir los límites fijados para la esfera pública. Esa ausencia de «voz» para diferentes grupos y sectores tiene efectos negativos en las posibilidades asociativas y de cooperación civilista de los sectores más pobres o de aquéllos con propuestas de reformas. Por lo tanto, el uso de la violencia está siempre presente, bien sea para mantener o bien para romper ese bloqueo, y su persistencia es casi una invitación al recurso de la fuerza en los asuntos públicos.

También hay que resaltar que esa lealtad generada por las ACCU no es al Estado nacional asentado en la capital, Bogotá, sino a un orden regional surgido de la consolidación de un aparato militar no estatal y de una comunidad política que se define como contrainsurgente. Aunque el resultado actual es inestable, de continuar la dinámica predominante en la última década, el control militar y político que las AUC han logrado en la región bananera se podría fortalecer, y en particular el de las ACCU, la organización más fuerte dentro de ellas. Si esto ocurre, la consolidación de unas identidades políticas anticomunistas es predecible, aunque no es fácil decir qué otros rasgos las definirían.

Ante la poca probabilidad futura de un proceso de paz exitoso entre el gobierno central y las FARC, ese orden particular que está emergiendo en Urabá no parece estar amenazado. Una prolongación de la situación actual, con bloqueos esporádicos por parte de las FARC a las vías terrestres que comunican a Urabá con el centro del país y con interrupción en la actividad económica a través de saboteos de esa misma guerrilla a la transmisión de energía eléctrica a la zona, hace impredecible la dinámica futura de esta región.

De todos modos, no dejan de surgir preguntas alrededor de ese régimen político regional que se ha establecido en Urabá. Las alianzas que las AUC habían consolidado como fuerza antisubversiva y restauradora de la seguridad y el orden regionales habían sido hechas usualmente con élites económicas y políticas amenazadas por la posible legalización de la insurgencia y la movilización social, con sectores de las fuerzas de seguridad estatal, y también con narcotraficantes. Ésta había sido la forma de consolidar su avance en otras áreas del país, como el sur del Cesar, el noreste antioqueño o el Magdalena Medio antioqueño, en perjuicio de la influencia que grupos guerrilleros habían mantenido por décadas en movimientos sociales y administraciones locales. En el Urabá, sin embargo, las coincidencias, pactos o acuerdos tácitos o explícitos parece que incluyeron a Sintrainagro, la organización de trabajadores más importante y consolidada de la región, lo mismo que a Esperanza, Paz y Libertad, antigua organización guerrillera de tendencia maoísta en sus inicios.

En esta configuración política regional actual de Urabá, resultado de la competencia entre un poder armado emergente restaurador del orden y el poder establecido de las guerrillas, junto con la rivalidad política y militar regional entre las mismas fuerzas insurgentes, los trabajadores bananeros y sus aliados políticos lograron los significativos avances mencionados. ¿Cómo considerar esos avances sociales y políticos obtenidos en semejantes circunstancias, más si han sido el resultado de la negación de derechos políticos, civiles y laborales para otros grupos de trabajadores y pobladores urbanos?

INTERACCIONES ESTRATÉGICAS E IDENTIDADES POLÍTICAS

El argumento de este capítulo utiliza dos herramientas analíticas principales. Una, las interacciones estratégicas entre actores sociales. Éstas incluyen el conjunto de presiones ejercidas directa o indirectamente por los protagonistas políticos de un agregado social, con el fin de modificar la organización y el comportamiento de otros protagonistas del mismo agregado, o aun para modificar el agregado como un todo, y en las que cada desplazamiento de un protagonista provoca respuestas más o menos calculadas por parte de los otros. El uso de la violencia es la expresión más obvia de esas interacciones estratégicas (Zolberg, 1980).

Y la segunda, las identidades políticas y su interrelación con redes sociales más amplias. Los cambios en la dinámica entre sujetos colectivos y nuevas redes propician transformaciones en las identidades de aquéllos. Esos cambios de interrelación nos sirven para apreciar las variaciones en las estrategias de los actores, resultado de la interacción política, y no a partir de comportamientos atribuidos a priori. En efecto, el enfoque del trabajo no imputa a los individuos o actores colectivos atributos o comportamientos derivados del grado de desarrollo (moderno/industrial o tradicional/preindustrial) o de la categoría social a la que pertenecen (artesanos, campesinos o esposa de trabajador), sino que tiene en cuenta la localización de los actores en el campo relacional donde están inmersos (Somers, 1993).

Así, la competencia entre el poder emergente de las ACCU y sus patrocinadores, y el de las fuerzas guerrilleras representadas por el EPL y las FARC, y su influencia en movimientos sociales y políticos, característica de la década de los ochenta e inicios de los años noventa en Urabá, se transformó con el debilitamiento militar del EPL y su decisión de legalizarse y aprovechar las oportunidades para hacer política pública. En efecto, luego de las negociaciones entre el EPL y el gobierno en 1990-1991 se desató en la región bananera una enconada competencia entre el EPL, ahora en la legalidad, y las FARC, todavía en armas. La renuncia del EPL a continuar con una línea conspirativa e insurreccional llevó a una disputa entre estas dos agrupaciones por el apoyo de los trabajadores y por la defensa y justificación del camino seguido por cada organización. Esta pugna degeneró hasta el ataque armado a las bases sociales de uno u otro bando, y sólo en Apartadó dejó cerca de 300 trabajadores bananeros muertos de los dos bandos en 1995 (*Alternativa*, 1997; Sandoval, 1997). El enfrentamiento entre estos dos sectores también fue aprovechado por paramilitares y fuerzas de seguridad para eliminar a los que consideraban «auxiliadores de la guerrilla», sin importar el bando al que pertenecieran.

La profundización de la pugna llevó a que el EPL, ahora como movimiento político Esperanza, Paz y Libertad, se acercara a sus antiguos antagonistas —Ejército, empresarios bananeros y paramilitares— y confluyera en una alianza para enfrentar a las FARC y a sus simpatizantes armados o desarmados. Para el sector privado, políticos regionales y fuerzas contrainsurgentes, la coalición con los trabajadores neutralizaba las posibilidades de una mayor perturbación del régimen político local, en caso de una coincidencia de la organización guerrillera aún en armas y de los trabajadores bananeros, o de un proceso de paz exitoso que significara la legalización y asociación en un proyecto unitario de las diferentes tendencias de la izquierda insurreccional. Esa interacción del EPL y del sindicato bananero con redes político-militares y sociales diferentes a las acostumbradas, facilitó el inicio en el cambio de estrategia y luego en el de identidades políticas.

Según lo anterior, este capítulo resalta conceptualmente el carácter cambiante de las identidades políticas tanto de las élites como de los grupos subalternos en un contexto de conflicto armado. En esta perspectiva, las identidades son consideradas más como un proceso en desarrollo, un resultado de la acción colectiva, que como su causa y sustento (Calhoun, 1991). Es decir, la identidad no es una condición estática y preexistente que ejerce una influencia causal sobre la movilización, sino un resultado de la interacción política (Tilly, 1998). El análisis también explora el papel de la movilización colectiva, la intervención estatal y el conflicto armado en la lucha por darles nuevos sentidos a las nociones recibidas de ciudadanía, representación y participación (Dagnino, 1998; Warren, 1993). Así, las identidades públicas, incluida la ciudadanía, son consideradas como relaciones sociales que permanecen abiertas a nuevas interpretaciones y renegociación (Tilly, 1996).

CONFLICTO ARMADO Y ALIANZAS INESPERADAS

Las condiciones actuales de los asalariados del banano en Colombia contrastan con las del resto de trabajadores de este sector en Latinoamérica. Estos últimos se encuentran organizados en sindicatos de base por empresa —cuando existe algún tipo de organización sindical—, tienen ingresos salariales relativamente menores y acceso limitado al poder político institucional. ¿Cuál fue el camino para que los trabajadores bananeros colombianos llegaran a esta situación tan inusual para un grupo que hasta hace 20 años tenía que reunirse clandestinamente, con condiciones de vida lamentables y donde la misma sindicalización era, si no ilegal, considerada subversiva por las autoridades y empresarios? ¿Cómo pudieron obtener semejantes prerrogativas en medio de un conflicto armado tan encarnizado como el de Urabá durante las dos últimas décadas, sobre todo cuando uno de los sectores más afectados por la violencia política fue precisamente el de los trabajadores bananeros?

Contestar estas preguntas es aún más significativo, dados los cambios políticos mencionados en esta región, en los cuales la fuerza electoral mayoritaria a finales de la década de los ochenta y comienzos de los noventa, la UP, fue eliminada del escenario político como resultado de la violencia en contra de sus militantes y simpatizantes. La UP fue un intento nacional por crear un movimiento político legal con la participación de las FARC, resultado de los acuerdos logrados durante las negociaciones de paz entre el gobierno del presidente conservador Belisario Betancur (1982-1986) y las FARC en 1985. Por el contrario, el Partido Liberal, principal rival político de la UP en Urabá, recuperó parte del espacio electoral dejado por la desaparición de ésta, mayoría que la UP le había arrebatado a finales de los años ochenta (Cinep, 1995). En la actualidad el Partido Liberal comparte esa mayoría con Esperanza, Paz y Libertad.

Dos hechos adicionales han hecho aún más complejo el panorama. Uno, la creciente influencia militar y política obtenida por grupos paramilitares contrainsurgentes apoyados por empresarios bananeros, ganaderos, narcotraficantes y fuerzas de seguridad, agrupados en las ACCU; y dos, la aparente coincidencia contrainsurgente entre este grupo de paramilitares y la organización política Esperanza, Paz y Libertad. Esta agrupación tenía desde finales de los años setenta una influencia importante dentro de los trabajadores bananeros y campesinos sin tierra de la zona, lo mismo que las FARC (García, 1996). ¿Cómo fue que el EPL terminó del mismo lado de sus antiguos enemigos para enfrentar a las FARC, en lugar de seguir profundizando la alianza que estas dos organizaciones acordaron en 1987? ¿Cómo asumieron los trabajadores bananeros ese presunto «pacto del diablo» entre «los esperanzados» y los paramilitares?

Arriesgar una respuesta a esos interrogantes es revelador sobre las estrategias de «acomodación» de grupos considerados vulnerables frente a situaciones adversas o frente a rivales más poderosos. De forma similar, una interpretación, así sea provisional, dada la inestabilidad de la situación, nos permitirá entender cómo esas identidades y proyectos radicales fueron asimilados en el nuevo orden establecido por paramilitares, empresarios bananeros y Partido Liberal, con el apoyo de las Fuerzas Armadas, desde mediados de los años noventa, y cómo se han transformado sus utopías y proyectos. Igualmente, un acercamiento a la reciente dinámica sindical permitirá entender el activismo internacional iniciado por esta organización de trabajadores en los últimos años, así como sus respuestas a los cambios en el mercado mundial del banano.

El razonamiento del capítulo sostiene que la «asimilación» de los trabajadores y sus aliados en un arreglo político regional ha tenido un costo para los diferentes sectores que hacen parte de ese acuerdo vigente hoy en Urabá. El texto sostiene que los trabajadores y el sector político que finalmente prevaleció dentro de éstos no sólo han sido «víctimas» de ese orden en formación, sino también han logrado una posición que les ha otorgado ventajas sociales, políticas y económicas, lo mismo que influencia en el carácter de esa concurrencia de fuerzas. Es decir, estos trabajadores y ex guerrilleros han actuado de acuerdo con una memoria, unas utopías y unos proyectos propios, modificados por las circunstancias enfrentadas, pero como sujetos y agentes portadores de derechos con capacidad de decisión. Esto fue facilitado por la alianza estratégica con empresarios legales e ilegales, con sectores del Estado central, como las Fuerzas Armadas, y con políticos regionales ligados al Partido Liberal, agrupación tradicionalmente mayoritaria en esta región, pero que estaba perdiendo las mayorías electorales a favor de la UP a finales de los años ochenta.

De la misma forma, los empresarios bananeros aceptaron la presencia de un sindicato fuerte y con iniciativa propia; los políticos liberales, una organización partidista ligada al sindicato, la cual les compite en el plano de las elecciones locales, y las fuerzas de seguridad, una organización política conformada por ex guerrilleros con poder institucional.

Igualmente, al lograr una coincidencia que incluyera a antiguos guerrilleros y a trabajadores, los políticos tradicionales, los empresarios bananeros, el Ejército y las ACCU bloquearon una posible trayectoria del conflicto armado en esta región, representada por una alianza entre la fuerza insurreccional todavía en armas —las FARC— y los trabajadores bananeros y pobladores urbanos de los barrios pobres del eje. La anterior trayectoria de la dinámica política regional habría sido aún más riesgosa y desestabilizadora para los intereses y proyectos de los partidos mayoritarios, empresarios bananeros y Fuerzas Armadas estatales y paraestatales. Con esta apertura de la coalición de poder regional hacia el nuevo socio representado por los «esperanzados» y los trabajadores bananeros, esa posibilidad se cerró. La coincidencia de filiación partidista entre el gobierno central y las fuerzas políticas locales y regionales —la liberal— fue decisiva en el logro de un espacio para este nuevo miembro del sistema político regional. En esta ocasión la labor de mediación y facilitación de la Consejería de Paz presidencial y sus asesores para hacer posibles esos acuerdos de inclusión sí fructificó.

REVOLUCIONARIOS, TRABAJADORES Y NEGOCIACIONES DE PAZ EN LOS AÑOS OCHENTA

Las condiciones de trabajo y de vida de los trabajadores bananeros en la década de los setenta e inicios de los años ochenta eran lamentables.

> A uno le daban una caja de cartón para que durmiera en la misma empacadora [...] dormíamos como perros, hablando vulgarmente, pero la realidad era ésa. Cuando eso, la jornada era hasta de 18 horas. Nos tocaba a veces desde las 6:00 de la mañana hasta las 12:00 de la noche, para volver al otro día a empezar labores a las 6:00 de la mañana. (García, 1996, p. 105)

El crecimiento de la producción obligó a organizar campamentos o tambos en las mismas fincas, con condiciones de vivienda y posibilidades de vida familiar precarias: no había luz, agua potable ni sanitarios.

> Eso era una humillación allá. Yo trabajaba hasta las 10:00 de la noche; al otro día a las 5:00 de la mañana tenía uno que madrugar, le tocaban la campana. Es decir, uno no conocía la familia porque trabajaba hasta dos meses sin descansar ni el domingo [...]. Nunca le quedaba a uno tiempo para decir: «Voy a estar un domingo con mi familia». (García, 1996, p. 106)

La vida en los campamentos era triste, «hombres solitarios, con sus mujeres y sus familias lejos, y sin ningún tipo de aliciente, perpetuados hasta bien entrados los años ochenta. "Machosolos", los llamaban» (Sandoval, 1997, p. 180)

La producción bananera significó la primera relación laboral para la mayoría de los trabajadores y para muchos propietarios, quienes inicialmente llegaron a la región como colonos. Las dos terceras partes de los primeros eran de raza negra y habían sido campesinos, mineros o pescadores.

> En la primera fase de la industria —años sesenta y setenta— los obreros trabajaban hasta 20 horas diarias, no sabían que les tenían que pagar horas extras, no sabían que después de dos meses tenían derecho a indemnización por despido injusto, no sabían siquiera si había despidos justos o injustos, no sabían que un dominical se pagaba distinto a cualquier otro día [...] la gente tampoco sabía que el derecho a sindicalizarse era un derecho legal. (García, 1996, p. 105)

Este desconocimiento de los términos legales incluía también a parte importante de los mismos inversionistas y propietarios, quienes no conocían el código ni la ley laboral, o los consideraban contrarios a sus intereses o idearios. Así, la relación laboral quedó expuesta desde un principio a la arbitrariedad, a las retaliaciones individuales y, por último, a relaciones de fuerza entre obreros y finqueros.

En este contexto, los derechos de organización sindical se convirtieron en un tema de la agenda social y política, pero que no se debatía en público por el monopolio político de los partidos Liberal y Conservador, resultado del acuerdo bipartidista de 1958 entre estas dos agrupaciones mayoritarias. Esta coalición desarrolló con el tiempo un marcado acento antisindical. A la injusticia social y a la exclusión política, las propuestas de las diferentes agrupaciones marxistas sumaron sus utopías anticapitalistas, las cuales tuvieron asiento en Urabá desde el inicio de la producción de banano en los años sesenta. Por su lado, los proyectos insurreccionales de los grupos guerrilleros prometían la redistribución democrática de la propiedad agraria. Esos cuatro elementos conformaron un ambiente social y político conflictivo en esta región, al cual se sumó el autoritarismo de los inversionistas en la zona. Todo era propicio para la formación de una sólida identidad de clase entre núcleos de trabajadores influenciados por las diferentes corrientes del marxismo.

En efecto, simpatizantes del Partido Comunista fundaron el primer sindicato bananero, Sintrabanano, entre los empleados de la Frutera de Sevilla (United Fruit Company) en 1964. El sindicato también promovía la siembra de banano entre finqueros colombianos. Al enterarse de la existencia del sindicato, la empresa despidió a los obreros, logró que las autoridades los encarcelaran, suerte que también corrieron los dirigentes comunistas de la zona. La pauta general era acudir primero a los despidos, y si esto no bastaba, acudir a las autoridades militares o de policía (García, 1996, pp. 112-115).

Las «listas negras» de trabajadores, los despidos preventivos y la promoción del paralelismo sindical conformaron la respuesta patronal en los años setenta a esos intentos organizativos iniciados por los trabajadores en la década anterior. La composición del régimen político nacional tampoco permitía unas autoridades locales que aplicaran la ley y defendieran los derechos, si no que éstos quedaban al arbitrio de las élites locales, en Urabá en su gran mayoría de filiación liberal. No obstante, la esperanza en el recurso a la legalidad siempre estaba presente. Desde los primeros registros de movilizaciones de trabajadores fue una constante la petición a los poderes centrales por el establecimiento de oficinas de trabajo que resolvieran los conflictos laborales según la ley (García, 1996, p. 109). Esto sólo sucedió a finales de los años ochenta luego de amplios y violentos paros laborales apoyados por los grupos guerrilleros.

La relación entre movimientos sociales y organizaciones armadas ha sido persistente en Urabá desde finales de los años setenta, aunque se conoce poco el carácter de esos nexos y se ha tendido a victimizar a las organizaciones sociales. En el caso de Urabá hay que reconocer las oportunidades para avanzar las agendas que las acciones de los grupos armados les abrieron a los movimientos sociales. Es decir, el uso de la fuerza por la guerrilla no sólo atrajo la esperada invitación a la represión estatal, sino también obtuvo mejoras concretas para los habitantes regionales. En efecto, las guerrillas impusieron a los empresarios la organización sindical y la negociación colectiva en esta región[3], hecho que fue propiciado por la apertura democrática iniciada por el gobierno conservador de Belisario Betancur en 1982. Las negociaciones directas entre la Presidencia y la guerrilla, sin exigir su rendición previa, como reclamaba el anterior gobierno liberal, representaron los primeros pasos de esa apertura.

Ese reconocimiento como actores políticos tuvo consecuencias significativas en las regiones con influencia de los distintos movimientos insurreccionales, como en efecto sucedió en Urabá. La iniciativa presidencial de ofrecerles un espacio de negociación a las guerrillas coincidió con el cambio de estrategia de éstas, que desde inicios de los años ochenta estaban buscando mayor presencia en regiones económicas importantes, lo mismo que influir en los sectores de trabajadores vinculados a esa producción de riqueza. En Urabá fue el EPL el que inició en 1980 la superación de la anterior etapa foquista y agrarista, para vincularse al impulso de la organización sindical de los trabajadores bananeros, a las movilizaciones urbanas por vivienda y servicios públicos y a las invasiones de tierras sin cultivar en pleno eje bananero (García, 1996, pp. 122-123; M. T. Uribe, 1992, pp. 164-214). Sintagro, un sindicato fundado en 1972 por activistas cercanos al Partido Conservador, pero penetrado por el EPL, fue el principal instrumento del activismo sindical y de promoción de una perspectiva clasista.

En diciembre de 1984, cuatro meses después de la firma de los acuerdos de paz entre el EPL y el gobierno en Medellín, se produce la primera huelga de carácter masivo y coordinado en la historia de Urabá: 1.500 trabajadores de 18 fincas bananeras, que cubrían una extensión de 2.000 hectáreas, se declaran en paro indefinido presionando por la negociación de pliegos colectivos. De igual forma, fue la primera vez que el gremio de productores de banano, Augura, inició una campaña conjunta ante una acción sindical (García, 1996, p. 125). Para finalizar el paro, gobierno, empresarios y sindicatos firmaron un acuerdo tripartita, el primero con estas características en la historia de la región. En éste se decide que el Ministerio de Trabajo atenderá las quejas sobre violación a la ley laboral, se establecen los seguros sociales en la zona, de propiedad estatal, para reemplazar el precario servicio médico ofrecido por cada empresario en cada finca, y se garantiza a Sintagro la realización de una asamblea de trabajadores. Las peticiones de los trabajadores llaman la atención por su modestia, en contraste con la desproporción entre los medios usados para obtenerlas, lo cual es revelador de las condiciones de represión laboral y sindical.

En 1985 se pactaron 127 convenciones colectivas que cubrieron 60% del área bananera. La afiliación sindical registró un ascenso inusitado, y llegó a cubrir a casi un 60% de los trabajadores —43% Sintagro y 14% Sintrabanano (Villarraga y Plazas, 1994, p. 205)—.

La tregua entre el gobierno y la guerrilla permitió a los sindicatos actuar a la luz pública por primera vez. Las Fuerzas Armadas tuvieron una actitud tolerante y no se involucraron en los paros o movilizaciones durante los primeros meses. Entonces como cuenta Mario Agudelo, dirigente político del EPL,

> …todo el mundo comenzó a brotar […] llegaban gentes de las fincas a decirnos que allí tenían tantos […] y a los futuros líderes los fuimos conociendo así. Ya no fue como al principio, que teníamos que ir a las fincas de noche, a convencer al compañero. ¡No! Ya empezó la gente a ir a la sede sindical a decirnos vea, vaya a tal finca que tengo reunidos a tantos trabajadores. (García, 1996, pp. 126-127)

Si bien las negociaciones de paz le dieron un espacio a las guerrillas, también fueron una oportunidad para que diversos sectores sociales plantearan públicamente sus demandas y se movilizaran por sus derechos, y los únicos aliados en esta empresa fueron las organizaciones insurreccionales. Éste fue el caso de los trabajadores bananeros. Su desarrollo organizativo encontró un apoyo en las políticas de democratización de la Presidencia, las cuales dieron herramientas políticas para neutralizar por algún tiempo a las élites locales y a las fuerzas de seguridad, abriendo posibilidades para la ampliación del elitista orden local (Ortiz, 1999).

Sin embargo, con el cambio de gobierno del conservador Belisario Betancur al liberal Virgilio Barco (1986-1990) y con el endurecimiento de la posición presidencial, las negociaciones de paz se congelaron y la situación en Urabá se polarizó aún más. Luego de una encarnizada competencia por el apoyo de los trabajadores, Sintagro y Sintrabanano acordaron la unidad de acción, e igual sucedió con el EPL y las FARC, quienes actuaban ahora bajo el nombre de Coordinadora Guerrillera Simón Bolívar, en asocio con otros grupos armados.

> 1986 transcurre entre amenazas y asesinatos, incendio a empacadoras, destrucción de cables-vías, pliegos de peticiones, paros en fincas bananeras reivindicando cuestiones laborales, paros en 120 fincas por «protección a la vida» o en otras 130 como protesta «por el asesinato de un líder sindical», suspensión de embarques y «operaciones tortuga» para presionar por los salarios no pagados durante los días de paros o sabotajes. (Ortiz, 1999, pp. 134-135)

Una situación nada envidiable desde el punto de vista empresarial, del orden y de la seguridad.

MODERNIZACIÓN LABORAL, BARRIOS OBREROS Y CAMBIOS EN LA MOVILIZACIÓN SOCIAL

Con todo, 1987 fue un año significativo en relación con la modernización de las relaciones laborales en Urabá. La creación de la CUT, en 1986, en la que confluyeron conservadores, liberales, comunistas y otras tendencias de la izquierda, después de más de 40 años de división, contribuyó a ese avance. Sintrabanano y Sintagro presentaron una propuesta conjunta de negociación de más de 200 convenciones pertenecientes a igual número de fincas, que consistía en un pliego único para el sector, poniendo sobre la mesa el reconocimiento de hecho de una negociación por rama industrial, situación nunca vista hasta ese momento en el sector privado colombiano (Villarraga y Plazas, 1994, p. 205). Los empresarios, a través de Augura, también se presentaron unificados a la negociación, y aceptaron la negociación colectiva, pero complementada con negociaciones particulares por finca, de acuerdo con la productividad del trabajo en cada una, para «establecer una relación de causalidad entre los resultados del trabajo y su retribución» (García, 1996, p. 136).

La presencia de los delegados del Ministerio del Trabajo y de la CUT revivió la comisión tripartita de 1984, y los resultados fueron un avance importante en el reconocimiento de derechos para los trabajadores: aceptación de los sindicatos como interlocutor legal y legítimo frente a los empresarios y el gobierno; estabilidad laboral, jornada de ocho horas de trabajo, fuero sindical, mejora salarial y desmonte paulatino del sistema de campamentos en las fincas. Esto incluyó el inicio de la financiación de vivienda urbana para los trabajadores y sus familias. Este último hecho, el del traslado de la vivienda de los trabajadores fuera de las fincas hacia los casos urbanos, fue clave para los futuros cambios de estrategia y objetivos del EPL en los años noventa, ahora ya como Esperanza, Paz y Libertad.

A la par de la movilización sindical por el reconocimiento y la mejora en las condiciones materiales, la presión colectiva por la tierra urbana, la vivienda y los servicios públicos se expresó en el Movimiento de Recuperadores de Tierra y el Movimiento de Pobladores.

Apartadó, Chigorodó y Turbo fueron escenarios de invasiones masivas de baldíos o haciendas por trabajadores bananeros o pobladores pobres a lo largo de la década de los ochenta e inicios de los años noventa. En Apartadó una invasión de 1.200 familias dio origen a los barrios El Concejo y Policarpa Salavarrieta en 1982. En Chigorodó otra invasión de 1.500 familias sentó las bases para los barrios José Antonio Galán y 10 de Enero, en 1984 (Uribe, 1992). De 1985 a 1990 la ola de toma de tierras se expandió por Urabá. En Turbo y Currulao trabajadores bananeros, campesinos sin tierra y pobladores pobres se apoderaron de las tierras que pertenecían a Coldesa, un consorcio colombo-holandés para la siembra de palma africana, y de más de 2.500 hectáreas pertenecientes a las haciendas Honduras, La Negra, Punta Coquitos y Puerto César (Sandoval, 1997).

La última gran toma de tierras de la región ocurrió en la hacienda La Chinita, de propiedad de Guillermo Gaviria —gobernador de Antioquia secuestrado por las FARC en el primer semestre del año 2002 y asesinado por este grupo cuando el Ejército intentó su rescate en mayo de 2003—; en ese momento, 2.500 familias dieron origen al Barrio Obrero en febrero de 1992 (Sandoval, 1997). Estas movilizaciones eran organizadas y coordinadas por los movimientos políticos radicales, lo cual «significó el tránsito de la lucha por lo individual [vivienda] a la lucha por lo colectivo [espacio público]» (Uribe, 1992, p. 186). A la invasión seguía el reparto de lotes, el ordenamiento territorial de las calles, áreas libres para parques, zonas verdes y búsqueda de legalización de títulos. El nivel de convergencia social en esta forma de crecimiento urbano condujo a un alto grado de organización social con cooperativas múltiples, asociaciones de productores, grupos precooperativos y empresas comunitarias donde el espíritu cívico y ciudadano tuvo un contexto fértil para el desarrollo, terreno en el que Esperanza, Paz y Libertad se afianzó en el futuro.

El cambio espacial de la vivienda tendió a estabilizar a las familias de los trabajadores y a demandar mayor responsabilidad de éstos, al tiempo que la opinión de las compañeras o esposas empezó a tener mayor peso en las decisiones que afectaran ese nuevo entorno privado en formación[4]. Ese nuevo hábitat —con el cambio de los campamentos en las fincas a los barrios obreros en los cascos urbanos— amplió las preocupaciones de los trabajadores, quienes incluyeron los servicios públicos, la educación, la salud y la recreación en su agenda, con lo cual involucraron directamente al Estado en sus demandas —bien sea a escala nacional, departamental o municipal— sin limitarse únicamente a las exigencias laborales frente al sector empresarial[5]. Al mismo tiempo, la redistribución de la tierra rural, reivindicación clave del pasado campesino de esa fuerza de trabajo (Ramírez, 1997, pp. 42-45) perdió fuerza como motor de su actividad social y política.

A pesar de los acercamientos descritos, los asesinatos de líderes sindicales y negociadores no cesaron en 1987. Desde el inicio de las negociaciones en la primera semana de febrero hasta la firma del primer acuerdo en abril, 24 directivos fueron muertos por sicarios, y la sede de Sintagro fue destruida con una bomba por segunda vez. En septiembre de ese año, el número de sindicalistas asesinados sumaba 40, y el eje de la discusión de los trabajadores con el gobierno y los empresarios de desplazó al tema de los derechos humanos y a la responsabilidad estatal en estos hechos de violencia (García, 1996, pp. 136-137). Mientras a escala nacional se polarizaban las posiciones entre la guerrilla y el gobierno, en Urabá los llamados a la «insurrección parcial» en 1987 o a un «levantamiento popular» en 1988 hechos por las direcciones nacionales de la guerrilla no fueron bien recibidos por sectores de los militantes y activistas regionales, quienes querían consolidar los logros obtenidos desde 1984, lo mismo que contribuir a un clima de garantías políticas que permitiera el respeto a la vida, la búsqueda del bienestar social y el desarrollo regional (Villarraga y Plazas, 1994, pp. 205-206).

Las consecuencias de la participación sindical en los intentos insurreccionales fue la suspensión de la licencia legal para actuar en nombre de sus afiliados y el incremento de la militarización de la región, a través de la creación de la jefatura militar de Urabá, establecida en 1987, en la cual el comandante militar reunía no sólo poderes militares, sino también políticos y civiles (Botero, 1990, pp. 180-189; M. T. Uribe, 1992, pp. 251-256). A pesar de esto, los dirigentes sindicales idearon un recursivo mecanismo legal para recuperar la personería jurídica y poder representar a los trabajadores en la renegociación de cerca de 300 convenciones colectivas en igual número de fincas en 1989, fusionaron Sintagro y Sintrabanano en una nueva entidad sindical llamada Sintrainagro, siguiendo el ejemplo de la CUT en el país, lo cual también formalizaba la alianza de los viejos antagonistas regionales representados por las dos grandes líneas del comunismo internacional: la soviética y la china-albanesa (Ramírez, 1997, p. 97).

El resultado de las nuevas negociaciones consolidó el papel sindical, y la negociación colectiva para el sector quedó establecida. Esto no significó la ausencia de movilización, aunque sí un cambio en el uso de la presión armada, y con esto, de los objetivos insurreccionales. Mario Agudelo, uno de los dirigentes políticos del EPL señala:

> Cuando se presentó la huelga de 1989, vimos que combinar la acción guerrillera con el conflicto social no era lo mejor. Entonces trabajamos al revés, buscamos darle plena identidad al conflicto en sí mismo y espacio al movimiento social. El interés nuestro era impedir que otros factores externos, como el de la acción guerrillera, se vincularan al movimiento. Pensamos que era lo más conveniente porque evitaba tensiones; era evitar agregar nuevos enemigos o nuevos factores en contra del movimiento. (Villarraga y Plazas, 1994, pp. 389-390)

Ante la negociación sindical del segundo semestre de 1989, la dirigencia del nuevo Sintrainagro quería distensionar la situación política de la región, ya que el Estado, empresarios bananeros y élites locales habían dirigido una represión feroz para responder a los desafíos de la guerrilla, de los trabajadores y de los invasores de tierras urbanas y rurales.

> Tratamos de darle un manejo diferente al conflicto y logramos llevar a que ciertas autoridades empezaran a presionar a Augura para que transcurriera una negociación […] sabíamos que había un objetivo claro de Augura, que era el de resistir al sindicato, golpearlo y arrebatar una serie de reivindicaciones […] la experiencia nos fue enseñando a cambiar la visión; la de distensionar, la de abrir espacios de concertación y la de dar un diálogo; iniciar un diálogo y la posibilidad de una tregua unilateral. (Villarraga y Plazas, 1994, pp. 389-390)

Las posibilidades de una crisis regional surgida por el retiro del capital empresarial de la zona, como en efecto estaba ocurriendo, y su traslado a Centroamérica y otras regiones del país, causó un impacto apreciable en la dirección regional del EPL y de los trabajadores. Mario Agudelo indica: «Vimos el peligro real de desaparición de la zona bananera, el debilitamiento del potencial de obreros y el ajuste de cuentas contra nosotros, si eso se daba» (Villarraga y Plazas, 1994, pp. 389-390). A la búsqueda de una concertación con autoridades y empresarios, y a la eliminación de la presión armada para la negociación laboral, se sumó una propuesta de «salvación de la región y la defensa de la producción bananera». Esto significaba un gran cambio porque implicaba una causa común con los empresarios e inversionistas, archienemigos de los trabajadores, de acuerdo con el esquema revolucionario y clasista del EPL.

Mario Agudelo señala:

> Planteamos la posibilidad de aliarnos con empresarios bananeros, alrededor de las consignas sobre problemas de desarrollo económico, problemas de tipo social y frente a los derechos humanos [...] Fue una decisión nuestra. No estuvo precedida de una decisión de la dirección nacional. (Villarraga y Plazas, 1994, pp. 391)

Esta dinámica descrita en el cambio de estrategias y de objetivos de los revolucionarios del EPL en Urabá aclara muchos de los interrogantes sobre la futura desmovilización de este grupo guerrillero y de la forma como los trabajadores bananeros participaron en la recomposición política regional ocurrida en los años noventa. Por su lado, los propietarios de las fincas bananeras dieron señales de alguna responsabilidad social y política, así como también de una capacidad estratégica. Además de aceptar el pacto social ofrecido por el EPL, el sector bananero hizo el aporte inicial de 23 millones de pesos para un fondo de paz en 1991, organizado en asocio con la Gobernación de Antioquia (Ramírez, 1997, p. 64). Los recursos de este fondo facilitarían la reinserción de los ex guerrilleros del EPL. El paso de simples finqueros a empresarios bananeros estaba en proceso, aunque una verdadera responsabilidad social y fiscal con la región, además de respeto al pluralismo político aún estaba por verse.

Un punto que vale la pena resaltar es la diferencia en el tipo de inserción regional entre el EPL y las FARC. Mientras que el primero, a pesar de ser una organización con cubrimiento nacional, tenía su principal frente y su Estado Mayor en Urabá y regiones aledañas; el segundo grupo, por el contrario, tenía presencia en la región con el V Frente, pero su Estado Mayor y sus fuerzas más importantes estaban localizadas en el sur del país (Ortiz, 1999). A la hora de decisiones sustanciales, para el EPL era definitivo el sentimiento y opinión de la población local, en particular de los sectores vinculados con la exportación de banano. Mientras tanto, para el frente de las FARC pesaban más las determinaciones de su Estado Mayor, ubicado fuera del área, y menos las opiniones de los diferentes sectores sociales regionales. Por ejemplo, el tema de la redistribución de la tierra fue dejado de lado por el EPL, ya que despertaba oposición no sólo dentro de los propietarios bananeros, sino del poderoso sector ganadero, mientras que este punto continuó siendo prioritario en la agenda de las FARC. Así, estas diferencias en la localización del Estado Mayor y de agenda resultaron ser definitivas en los diversos caminos seguidos por cada organización insurgente.

LÓGICA DE PROTECCIÓN Y DESLIZAMIENTOS

La desmovilización del EPL en Urabá en marzo de 1991, su reinserción a la vida civil como el movimiento Esperanza, Paz y Libertad y el papel de los trabajadores bananeros en este proceso fue objeto de un sangriento enfrentamiento con las FARC, el otro grupo insurgente con influencia y presencia en la región. La competencia entre estas dos agrupaciones se dio a través de las milicias armadas de cada una de ellas —Comandos Populares de los primeros y Milicias Bolivarianas de los segundos— y de aparatos armados regulares cuyo blanco principal fueron civiles desarmados, además de la competencia electoral de las redes políticas legales afines o coincidentes con una misma agenda política en cada uno de los bandos.

Un caso paradigmático que involucró las diferentes caras organizativas que tomó esa competencia fue la masacre en la finca La Chinita, invasión organizada por Esperanza, Paz y Libertad en febrero de 1992. El candidato de la UP a la Alcaldía de Apartadó para el período 1992-1994, Nelson Campo Núñez, había hecho de la urbanización y construcción de vivienda popular en este terreno la base de la campaña que lo llevó a ser alcalde. La invasión a los terrenos de La Chinita organizada por el grupo rival cuando apenas comenzaba la administración de Campo, además de arrebatarle a éste su programa de gobierno, lo dejó sin cómo responderle a sus votantes y con posibilidades reducidas para aumentar su influencia electoral. En este contexto general de competencia ocurrió la masacre.

La Fiscalía General de la Nación acusó a Campo de ser el autor intelectual del hecho en el que 35 simpatizantes de los «esperanzados» fueron asesinados por las FARC. El alcalde no pudo terminar su mandato porque fue condenado a seis años de prisión como responsable intelectual de los asesinatos y del delito de rebelión (Sandoval, 1997). Si bien la matanza fue vista como una represalia directa de las FARC por la muerte de 17 militantes del Partido Comunista a manos de los Comandos Populares en diciembre de 1993, el hecho también tenía un claro origen electoral y de competencia política, y no era sólo una represalia armada entre organizaciones ilegales.

Así, la dinámica política desatada por la legalización del antiguo grupo insurgente y la reacción que despertó en su rival en el campo insurreccional y en los competidores políticos en el campo legal, se volvió aún más compleja por la creciente influencia de grupos paramilitares contrainsurgentes a lo largo de la década de los noventa en la región y por la «guerra sucia» que la acompañó. Si bien las mortíferas consecuencias de ese enfrentamiento están bien documentadas (Cinep, 1995; Comisión Andina de Juristas, 1994; Defensoría del Pueblo, 1992; Fundación Progresar, 1996), lo mismo que algunas reflexiones sobre los primeros años de la reinserción (Uribe, 1994), es poco lo que se conoce acerca de los análisis de los «esperanzados» sobre la forma y resultados de esa reincorporación a la vida civil, la explicación de sus relativos éxitos electorales en las elecciones locales de octubre de 2000 y los efectos de esas alianzas en la práctica sindical de los trabajadores bananeros.

Una de las primeras dudas o preguntas que surgen es qué relación tuvieron con los aparatos armados, en especial con el Ejército constitucional y los grupos paramilitares. Mario Agudelo, uno de los estrategas de la reinserción de los «esperanzados» indica que la desmovilización les abrió el escenario político «para la lucha democrática y la búsqueda de la justicia social», pero esto implicó aceptar la institucionalidad del país, y con ello, su Ejército y el monopolio de las armas por el Estado. Por eso, ante las agresiones presumiblemente de las FARC en contra de los dirigentes, activistas y trabajadores simpatizantes del EPL, «lo primero que se hizo fue buscar un acercamiento con el Ejército y diseñar un esquema de seguridad para la población, en particular para las comunidades con influencia del EPL, y para esto propusimos crear puestos militares en las comunidades de alto riesgo»[6].

La queja más generalizada entre los guerrilleros reinsertados era que «las masacres eran anunciadas y la Fuerza Pública no prestaba atención a las advertencias». Según Agudelo, esto sucedió en las masacres de las fincas Bajo del Oso, Osaka y Las Cunas en 1995, donde desconocidos asesinaron a cerca de 50 trabajadores simpatizantes de Esperanza, Paz y Libertad. La última finca estaba ubicada a 10 kilómetros de una base militar en el municipio de Carepa. Para Agudelo, a la Fuerza Pública «le interesaba más cuidar las vías, en especial la de Medellín, que a la misma población». Con la llegada del general Rito Alejo del Río como comandante de la XVII Brigada del Ejército, con sede en Urabá, a finales de 1995, «la relación entre las comunidades y el Ejército se fortaleció», indica Agudelo, «y ésta se volvió más espontánea, mientras que era más compleja con el DAS, el Ministerio de Defensa, el programa de Reinserción o el Ministerio de Gobierno»[7]. La razón de ese acercamiento entre los «esperanzados» y el Ejército fue favorecida por la decisión del general Rito Alejo del Río de proteger las áreas donde habitaban los ex guerrilleros de los ataques de otros grupos armados.

Sobre los paramilitares, Agudelo indica que «cuando ellos les plantearon a los empresarios la propuesta de pacto en 1988-1989, no había paramilitares en la región, y el contexto de la propuesta era la consolidación de la paz, y no el conflicto armado, como ocurre ahora». Además, Agudelo argumenta que la propuesta de concertación que ellos hicieron llevaba implícito el que los conflictos laborales se definían en la mesa de negociación entre empresarios y trabajadores, sin interferencia de los actores armados.

El pacto social con los empresarios significó que el tema laboral salió de las manos de la guerrilla, del Ejército o de los paramilitares, porque ya no había necesidad de recurrir a ellos, lo que demuestra que la construcción de espacios democráticos, de concertación, contribuye a la reconstrucción de la institucionalidad del país. Además, cuando firmamos el pacto social con Augura en 1991, todavía no había autodefensas en Urabá.[8]

Recientes estudios sobre la violencia en las guerras civiles indican que en éstas hay pocos enfrentamientos entre combatientes, pero mucha actividad en la cual los civiles tienen un papel prominente. Esa actividad se refiere a las dinámicas de la guerra y la violencia para hacer cambiar las lealtades y la canalización de recursos de un lado a otro de los bandos enfrentados (Kalyvas, 2000). Una vez la violencia se escala, la sobrevivencia es la prioridad de los grupos afectados, y sus preferencias políticas e identidades son redefinidas por la dinámica de la violencia. Los análisis de los conflictos armados en Sudán y Mozambique señalan que las perspectivas políticas de una población sometida a altos niveles de violencia son muy dependientes de la fuerza organizada y presente alrededor de ella (Kalyvas, 2000). Esto tiene que ver con la construcción de un orden político, social y económico una vez se monopolizan los medios de violencia organizada; este orden tiene que ver más con dinámicas de autoridad y obediencia, que con justicia o democracia.

Esta situación no es extraña a lo sucedido en Urabá entre finales de los años ochenta y comienzos de los noventa, cuando aún no se había desatado el enfrentamiento entre las FARC y los «esperanzados». Precisamente en este período se realizaron las primeras tres elecciones de alcaldes y los equilibrios políticos regionales se rompieron a favor de la UP; de ahí la reacción que suscitó este hecho. En efecto, la tasa de homicidios por 100.000 habitantes osciló en Apartadó entre 500 y casi 900 muertos entre 1986 y 1991, cuando el promedio nacional estaba variando entre 51 y 92, y ya representaba una cifra escandalosa que despertaba estupor en las organizaciones de derechos humanos y aun en el gobierno central; en Chigorodó la tasa varió entre 200 y 640 para el mismo período; en Turbo la variación fue entre 250 y 370 homicidios por 100.000 habitantes durante los mismos años, y en Carepa la oscilación de la tasa fue entre 111 y 361 (Ortiz, 1999). En estas condiciones es explicable que la lógica de la sobrevivencia y la protección frente a la violencia cumpliera un papel importante en la defección, cambio de bando, o simple neutralización de las propuestas de transformación más radicales en la región. Esto se hizo más evidente a mediados de los años noventa, cuando llegó la segunda campaña paramilitar en la región.

NO A LA REVOLUCIÓN, SÍ A LA CIUDADANÍA

Los trabajadores, ex guerrilleros, activistas políticos y sociales que decidieron quedarse en Urabá tuvieron que enfrentar una difícil y riesgosa situación, dado lo incierto de los acuerdos entre civiles y aparatos armados y la ausencia de control público eficaz de esas organizaciones por la sociedad. Agudelo sostiene que cuando los paramilitares llegaron a la zona bananera, alrededor de 1996, también quisieron convertirse en árbitros de las relaciones laborales, como antes habían sido las guerrillas. «Nosotros nos opusimos, y los empresarios también, logrando que respetaran los acuerdos para erradicar la presión armada de las disputas laborales»[9]. Igualmente, en la negociación colectiva del primer semestre del año 2000, hubo amenazas de huelga de los trabajadores, quienes fueron acusados de pretender alterar la paz de la región. A esto, Sintrainagro respondió que «no se podía hablar de democracia en Urabá, si el derecho a la huelga estaba prohibido»[10].

Finalmente, la negociación llegó a un consenso y no hubo necesidad de hacer una prueba de fuerzas, pero la tensión evidenció las posibles fisuras de esa convergencia. Si bien la violencia en contra de los dirigentes sindicales ha disminuido radicalmente en Urabá, no ha sucedido lo mismo en el departamento de Magdalena, la otra zona productora de banano en Colombia. En enero de 2001 fue asesinado el presidente de la filial de Sintrainagro en este departamento. Con este caso suman 20 los dirigentes asesinados en esta filial desde su creación en 1991[11]. En esta región ser sindicalista todavía significa tener la muerte cerca.

Sin embargo, para los «esperanzados» y los dirigentes sindicales lo más significativo ha sido «el cambio de concepción en todos los fenómenos». Los sindicalistas indican que el modelo de antes era insurreccional, polarizaba y conducía a la violencia entre empresarios y trabajadores, y entre éstos y los administradores. Guillermo Rivera, presidente de Sintrainagro, dice que «esa cultura de rebeldía, de anarquía, llevaba a no cumplir el reglamento, a cobrar sin trabajar, actitudes que ganaron espacio dentro de los trabajadores»[12]. En este contexto, el referente social de los trabajadores era la guerrilla, porque no había un sentido de futuro, y sin éste no podía haber sentido de pertenencia social, ni tampoco institucional, explica Agudelo.

Además, «el trabajador era reducido al salario, a la estabilidad, sin tener en cuenta toda su dimensión humana, es decir, su vivienda, su familia, su región»[13]. Con el Pacto Social se acordó un fondo de seguridad social y en 1993 los Seguros Sociales —institución del Estado— hicieron presencia en Urabá. Esto acabó con el servicio médico ofrecido por las fincas y con los conflictos sobre desacuerdos en diagnósticos y el otorgamiento de incapacidades y medicamentos. De igual forma, para la financiación de la vivienda urbana y la eliminación de los campamentos en las fincas se acordó una cuota empresarial por caja exportada, con lo que «se le devolvió la dignidad al trabajador, y en especial a su familia; y se ayudó a que los trabajadores se sintieran con derechos como personas, como individuos, y no sólo como un factor de producción»[14]. En opinión de Agudelo, «lo que estamos construyendo es otro referente, uno más cercano a la ciudadanía. La verdadera revolución en Urabá es la construcción de ciudadanía. Pasamos de ser súbditos a empezar a sentirnos ciudadanos»[15].

SINDICALISMO SOCIAL E INTERNACIONALISMO LABORAL

A pesar de la violencia, el desplazamiento y la tensión regional, la dirigencia de los trabajadores bananeros que permaneció en Urabá ha desplegado una notable actividad internacional para solidificar su posición y mejorar sus condiciones de vida —o convertirse en ciudadanos, como expresan sus dirigentes— en ese contexto desfavorable para la movilización colectiva. Sintrainagro ha contado con solidaridad internacional de sindicatos daneses, finlandeses y españoles, además de la asesoría de la UITA, la cual está buscando agrupar a los trabajadores agroindustriales, de plantaciones y de la industria de alimentos en una federación internacional. En concreto, la Federación de Trabajadores Daneses, en asocio con el gobierno de ese país, financió durante casi un lustro un programa de formación de líderes sindicales. Algo similar hizo el Centro de Solidaridad Sindical de Finlandia, por medio de la Escuela Nacional Sindical-Antioquia. Así, la educación es una de las prerrogativas más destacadas logradas por Sintrainagro en la última década. Mensualmente tienen entre 40 y 50 permisos sindicales por dos días y con todos los gastos pagados para cursos de capacitación laboral[16].

Por su lado, la Unión Sindical Española financió parte de la construcción de un colegio de 450 cupos en el barrio La Chinita, en Apartadó, para hijos de trabajadores y pobladores de este barrio. Esto es lo que algunas corrientes europeas denominan «sindicalismo social». Tradicionalmente las organizaciones sindicales han estado de espaldas a los problemas de las comunidades donde viven si éstos no tienen que ver directamente con el ámbito laboral. «Lo que se está impulsando es que los sindicatos vayan más allá de los problemas laborales y enfrenten las necesidades de la sociedad», dice Guillermo Rivera.

En concreto, se ha fomentado que los líderes obreros también sean líderes políticos. Así es como los candidatos asociados con Sintrainagro o con Esperanza, Paz y Libertad ganaron las dos alcaldías más importantes, de las cuatro en juego en el eje bananero en las elecciones de octubre de 2000. En Apartadó fue elegido como alcalde Mario Agudelo, antiguo dirigente del EPL, y en Turbo, Aníbal Palacio, antiguo dirigente nacional de la CUT y ex senador de los «esperanzados» en los inicios de los años noventa. En Apartadó, además, obtuvieron 5 de los 12 asientos del Concejo Municipal[17]. Igualmente, el activismo internacional tampoco ha sido ajeno a los curtidos dirigentes de Sintrainagro, quienes han llevado el liderazgo en la organización de una coordinadora de sindicatos de trabajadores bananeros de América Latina. La primera reunión fue realizada en Costa Rica en 1993, donde participaron trabajadores del país anfitrión, de Colombia y de Honduras. Un año después, estos países constituyeron en Guatemala la Coordinadora de Sindicatos Bananeros, con la participación adicional de sindicatos de Nicaragua, Guatemala, Panamá, Ecuador y Belice. Los objetivos que se han trazado son los de respeto a los derechos humanos, al derecho laboral y a los convenios de la OIT.

La experiencia de los sindicatos es que cuando se presentan crisis en la industria bananera —generalmente saturación de los mercados—, los empresarios nacionales tienden a violar las convenciones, como resultado de los bajos precios pagados por las comercializadoras internacionales[18]. Éste es el riesgo de la abolición del sistema de cuotas por parte de la Comunidad Europea y de la implantación del sistema llamado «primer llegado, primer atendido», que en la práctica favorece a países como Ecuador. En este país las libertades sindicales son nulas en la práctica, según los dirigentes de Sintrainagro, y por esta razón tiene costos laborales menores: un trabajador gana entre dos y tres dólares diarios, en promedio en ese país, mientras que en Colombia o Costa Rica un trabajador gana cinco dólares diarios[19]. Ecuador fue el único país latinoamericano que aceptó las reglas del juego de la Comunidad Europea, las cuales eliminaron las cuotas por países y liberaron el precio por caja de banano al juego de la oferta y la demanda. Si bien este sistema de comercialización no prosperó por la presión de los países productores, en cualquier momento la Comunidad Europea puede forzar su reactivación.

Las conversaciones iniciales entre la Coordinadora de Sindicatos Bananeros y las tres mayores comercializadoras internacionales de banano —Chiquita, Delmonte y Dole— buscaron acuerdos para que éstas demanden el respeto de los derechos laborales y sindicales a los países vendedores. En concreto se firmó un convenio con Chiquita para acabar con la persecución sindical en Panamá, y se está negociando otro para estimular la sindicalización y la negociación colectiva en Ecuador. Aquí hay una dificultad adicional para la puesta en práctica de los acuerdos de la OIT, porque en este país el Estado es propietario de plantaciones bananeras y coincide con los empresarios privados en el interés por no aplicar los tratados internacionales.

Si se mira regionalmente el tema de los derechos laborales y sindicales, hay interés entre los empresarios de los países con legislaciones más avanzadas —Colombia y Costa Rica— para unificar esa legislación, de tal forma que todos los países productores tengan una estructura de costos laborales similar y no haya ventajas comparativas en este aspecto para los países con sindicalización débil. Esto podría explicar el apoyo de los empresarios colombianos al internacionalismo laboral promovido por Sintrainagro.

Finalmente, los sindicatos bananeros planean ampliar su radio de acción a la producción de caña de azúcar y palma africana, y con el apoyo de la OIT y la UITA piensan iniciar un proceso similar al del banano, aunque esta propuesta aún está por desarrollarse. Hasta la fecha, lo común de las organizaciones sindicales dentro de los países exportadores de productos o materias primas agrícolas de Latinoamérica han sido los sindicatos de base. Éstos son pequeños, dispersos y débiles, y a lo que se quiere llegar es a los sindicatos de industria, dice Guillermo Rivera. En este punto, «los trabajadores bananeros colombianos somos los más avanzados, y hemos pagado un precio muy alto por esto», concluye el presidente de Sintrainagro.

Esas alianzas internacionales entre Sintrainagro y sindicatos progresistas europeos, lo mismo que el activismo laboral de Sintrainagro más allá de las fronteras regionales de Urabá, parecen contradecir las evidentes limitaciones de las agendas públicas locales, asociadas con objetivos que dan prioridad a la seguridad y el orden, contexto en el cual este sindicato tiene que operar. ¿Cómo entender ese aparente contraste? Conociendo las capacidades estratégicas de los dirigentes de Sintrainagro y sus aliados, no se puede descartar que ese activismo internacional haya sido utilizado para contrarrestar el relativo aislamiento del sindicato en el escenario sindical nacional y para construir aliados y soportes frente a eventuales cambios en la dinámica política nacional, como efecto de un eventual y cada vez más lejano proceso de paz entre el gobierno y las FARC. De la misma forma, esos vínculos internacionales le podrían dar a Sintrainagro una relativa autonomía frente a los poderes dominantes locales que tiene que enfrentar. Debido a la violencia a la que han sido sometidos estos trabajadores, su historial de lucha y su proyecto de abandonar las estrategias insurreccionales armadas, en favor de una más conciliatoria, han conseguido importantes apoyos internacionales para este sindicato, aunque éstos no son incondicionales y mantienen un ojo vigilante y desconfiado sobre la evolución de sus alianzas locales.

Al analizar el conflicto en la región de Urabá, el presente capítulo planteó una perspectiva más compleja de una realidad regional que ha tendido a ser descalificada y mostrada en blanco y negro. El que una fuerza paramilitar contrainsurgente, como las ACCU, haya ganado preponderancia política y militar en la región de Urabá no debe inhibir el análisis de las formas de integración o «acomodación» de los diferentes sectores sociales a esas nuevas realidades. El argumento del texto quiere rescatar la agencia histórica de grupos como los trabajadores bananeros y sectores como el de los «esperanzados», quienes no han sido sólo «víctimas» de un proceso histórico o de una fuerza más poderosa, sino también forjadores y beneficiarios de un orden social que aún está en transformación. Lo interesante es analizar cómo esos proyectos e identidades radicales se han integrado con grupos o sectores a los cuales consideraban totalmente antagónicos apenas hace doce años, y la dinámica que condujo a esa coincidencia.

Esto nos lleva a reflexionar sobre la imposibilidad de atribuir comportamientos a grupos específicos, de acuerdo con clasificaciones previas, sin analizar los contextos relacionales en los que esos grupos están actuando. Esto es claro en el caso de los trabajadores bananeros de Urabá y de los «esperanzados», quienes en una década pasaron de ser considerados como los habitantes de la «esquina roja» de la América Latina y la vanguardia insurreccional colombiana, a ser parte de un proyecto regional de restauración de «la ley y el orden», en muchos aspectos de corte autoritario. Lo más probable es que antes no eran tan revolucionarios como las autoridades los acusaban, ni hoy tan reaccionarios como sus antagonistas les reprochan. Más bien, estos sectores han actuado de acuerdo con los cambios en los contextos relacionales en los que han tenido que desenvolverse.

No deja de ser sorprendente que los revolucionarios de hace una década hayan optado hoy por el impulso a la formación de ciudadanía, y que ésa sea la forma de narrar su experiencia actual.

El respeto a la legalidad, cooperación y solidaridad, asociadas con el concepto de ciudadanía, no puede desligarse de la violencia y muerte a las cuales han sido sometidos los habitantes de una región como la de Urabá en los últimos 25 años. Además, hay que recordar también la lucha democrática a la que hace referencia la ciudadanía, en la cual parecen estar interesados los trabajadores de Urabá, lo mismo que Esperanza, Paz y Libertad. Su relativo éxito en las elecciones de alcaldes del año 2000 así lo demuestra.

Qué tan emancipatoria o democratizadora sea la participación de los trabajadores bananeros y sus aliados en este tipo de proyectos, está por verse, lo mismo que el tipo de gestión que lleven a cabo los nuevos alcaldes y concejales elegidos con su apoyo. Además, uno de los elementos constitutivos del ser ciudadano es la independencia y autonomía en relación con las decisiones públicas, lo mismo que la posibilidad de disenso frente a las políticas oficiales, punto que está pendiente en el caso de Urabá. Por lo pronto, ser parte de esa coincidencia de fuerzas políticas ha permitido a los trabajadores y a sus aliados escalar posiciones que hasta hace una década les estaban vedadas, a riesgo de exponerse a la muerte.

La posibilidad de que este grupo de trabajadores, activistas y políticos radicales termine siendo cooptado por la coalición de poder en Urabá es alto. Sin embargo, también hay que tener presente que este mismo grupo humano ha protagonizado una de las más notables movilizaciones por derechos y reconocimiento en las últimas décadas en Colombia, y su recorrido no se puede descalificar de un plumazo. Si bien es cierto que en un contexto de conflicto armado como el de Urabá, las ganancias del EPL se vieron ensombrecidas por la negación de derechos, y aun de la vida, de la UP y grupos cercanos a ella, lo mismo que por el desplazamiento y sufrimiento de miles de pobladores, el análisis ha permitido ver el proceso político y el juego estratégico que llevó a este resultado, así como mostrar que esta salida no fue inevitable, sino que otro pudo ser el desenlace.

El capítulo también discutió los dilemas enfrentados por activistas laborales y políticos en sus luchas por emancipación en un entorno autoritario y violento. Lo primero que hay que resaltar es la pérdida del monopolio de la fuerza organizada por parte del Estado colombiano, la llegada de unos empresarios de la coerción representados por las ACCU y su proyecto de restauración del statu quo amenazado y el consiguiente colapso del Estado de derecho, con innegable responsabilidad de las fuerzas constitucionales. En estas circunstancias, la lógica de la protección y sobrevivencia se impuso, y los alineamientos fueron obligatorios so pena de exponerse a retaliaciones como la muerte o el destierro. El análisis presentado ha permitido observar que la trayectoria seguida por el conflicto regional pudo haber seguido otro camino. Sin embargo, el contexto nacional de fracaso de las negociaciones de paz con el grupo guerrillero más fuerte, las FARC, la rivalidad política y militar regional entre éstas y el EPL, y el carácter más regional de este último frente al más nacional de las FARC, confluyeron para delinear un recorrido de alianzas que por desgracia ha prolongado la guerra y acentuado la polarización regional.

Algo que sí representa una verdadera novedad, al menos para el sindicalismo colombiano, es el nuevo internacionalismo laboral en el sector bananero y el protagonismo de los trabajadores de Urabá. Si bien ésta es una actividad reciente, también representa una respuesta a las nuevas formas de funcionamiento de los emporios comerciales de la fruta, lo mismo que un resultado de la asesoría y coordinación de organizaciones internacionales para impulsar la aplicación de normas mínimas de la legislación laboral en el país, de acuerdo con la OIT. Aunque los resultados de este nuevo tipo de colaboración también están por verse, es muy posible que llevarán beneficios para los trabajadores de los países con menor desarrollo de la legislación laboral y sindical. Sin embargo, como la prolongada, conflictiva y sangrienta movilización de Sintrainagro lo demuestra, esas ganancias no llegarán por sí solas.

NOTAS

1. El eje bananero, como se le conoce a esta zona agroindustrial, genera cerca de 18.000 empleos directos y unos 5.000 indirectos, en una superficie de aproximadamente 30.000 hectáreas sembradas de banano, repartidas en 409 fincas pertenecientes a 310 propietarios. Las exportaciones anuales producen aproximadamente 350 millones de dólares (Cinep, 1995) y colocan a Colombia en el tercer lugar mundial entre los exportadores, luego de Ecuador y Costa Rica. El eje está compuesto por los municipios de Apartadó, Chigorodó, Carepa y Turbo.

2. Entrevista personal a Gloria Cuartas, alcaldesa de Apartadó, centro del eje bananero, durante el período 1995-1998, Bogotá, 26 de octubre de 2000.

3. Entrevista personal a Antonio Madarriaga; Medellín, 12 de julio de 2000.

4. Entrevista personal a María de Agudelo, Medellín, 12 de julio de 2000.

5. Entrevista personal a Mario Agudelo, Medellín, 12 de julio de 2000.

6. *Ibid.*

7. *Ibid.*

8. *Ibid.*

9. *Ibid.*

10. *Ibid.*

11. *El Tiempo,* 26 de enero de 2001.

12. Entrevista telefónica a Guillermo Rivera; Medellín, 12 de octubre de 2000.

13. Entrevista personal a Mario Agudelo; Medellín, 12 de julio de 2000.

14. *Ibid.*

15. *Ibid.*

16. Entrevista personal a Norberto Ríos; Medellín, 12 de julio de 2000.

17. *Ibid.*

18. Entrevista telefónica a Guillermo Rivera; Medellín, 12 de octubre de 2000.

19. *El Tiempo,* 13 de octubre de 2000.

CAPÍTULO 5

LAS ACCU, EL GENERAL DEL RÍO Y LA CRECIENTE TASA DE HOMICIDIOS EN URABÁ

Si bien es claro que una propuesta de concertación regional de los trabajadores a los empresarios no significó un acuerdo formal con los paramilitares, hay que considerar que el general Rito Alejo del Río, aliado o protector de los «esperanzados», fue retirado de la Comandancia de la XVII Brigada del Ejército, en Urabá, en 1998, y removido del servicio activo en 1999, por sospechas de ser tolerante frente a los grupos paramilitares[1]. Igualmente, Guillermo Rivera, presidente de Sintrainagro en ese entonces, fue uno de los oradores en el acto de desagravio al general Del Río y al general Fernando Millán. Este acto fue organizado, entre otros, por Augura, por el ex secretario de gobierno de Antioquia, Pedro Juan Moreno; por el periodista Plinio Apuleyo Mendoza; por el político conservador Miguel Santamaría Dávila, y por Fuerza Colombia, luego de que el presidente Andrés Pastrana (1998-2002) decidió el retiro de estos dos generales por su presunta colaboración o promoción de grupos irregulares armados[2].

Fuerza Colombia es una organización política del antiguo comandante de las Fuerzas Armadas, general Harold Bedoya, quien renunció en 1997 por petición del presidente Ernesto Samper (1994-1998), luego de que el alto oficial hiciera críticas públicas a las políticas presidenciales para enfrentar el problema de los campesinos

cocaleros del sur del país. El evento de desagravio a los dos generales fue realizado en el Hotel Tequendama de Bogotá en mayo de
1999, uno de los más prestigiosos y antiguos de la capital, y convoca-
do bajo el lema *El país que no se entrega,* para dar a entender que las
negociaciones de paz con la guerrilla eran una claudicación ante
ésta. Entre los conferencistas estelares de la noche estuvieron el
entonces ex gobernador liberal de Antioquia Álvaro Uribe Vélez y
el abogado conservador Fernando Londoño Hoyos. El ahora presidente Uribe Vélez (2002-2006) coincidió en la Gobernación de
Antioquia con el período del general Del Río como comandante
de la XVII Brigada del Ejército, en Urabá, mientras que Londoño
es ministro de Gobierno y Justicia durante el inicio del período presidencial del político liberal antioqueño. Las paredes del Salón Rojo
del Hotel Tequendama fueron decoradas con pendones que decían «Ni guerrilleros ni paramilitares, la ley» y «Ni izquierda, ni derecha, Colombia»[3].

MILITARIZACIÓN Y AUMENTO
DE LA VIOLENCIA POLÍTICA

Las ACCU fueron fundadas en 1994 y su consolidación como
fuerza contrainsurgente en Urabá coincidió con la elección de Al-
varo Uribe Vélez (1995-1997) como gobernador de Antioquia y su
promoción de las cooperativas de seguridad Convivir. Al mismo tiempo, el general Del Río fue nombrado comandante de la XVII Brigada del Ejército con sede en Carepa a finales de 1995. En este marco,
la competencia armada entre el poder emergente de las ACCU y las
FARC se agudizó, lo mismo que entre los nuevos competidores por
el poder institucional local, como la UP y las antiguas élites políticas
y económicas. Los equilibrios políticos estaban en juego y la rivalidad no fue sólo electoral. Los grupos que buscaron ampliar la comunidad política y encontrar un lugar en ella también perturbaron
los balances de poder regional y fueron víctimas de la violencia selectiva. Este período ha sido precisamente el más violento en la historia de Urabá: «Se pasó de algo más de 400 [homicidios] en 1994,
a más de 800 en 1995, a más de 1.200 en 1996 y se bajó a algo más
de 700 en 1997 y a cerca de 300 en 1998» (Dávila, Escobedo, Gaviria
y Vargas, 2001, p. 161). Luego de seis meses de gobierno de Uribe

Vélez en Antioquia ya se presentían los resultados de la política de seguridad del nuevo gobernador; el senador conservador antioqueño Fabio Valencia Cossio acusó al mandatario regional de aplicar un modelo radical de orden público que «ha incrementado los homicidios en un 387% en el Urabá, y está auspiciando el paramilitarismo con las cooperativas de seguridad Convivir»[4].

La tasa de homicidios por 100.000 habitantes osciló alrededor de 500 en esos años en los cuatro municipios del eje bananero, cuando el promedio nacional estaba cercano a los 60, y esto era motivo de desconcierto y alarma nacional e internacional (Dávila, Escobedo, Gaviria y Vargas, 2001, p. 161). La región fue declarada «Zona Especial de Orden Público» en junio de 1996, con amplias atribuciones para las Fuerzas Militares, las cuales fueron inoperantes frente al avance de los paramilitares, la eliminación sistemática de sectores de oposición cercanos a la UP, al Partido Comunista y aun de reinsertados del EPL, todos los cuales, según los hechos, no estaban incluidos en el concepto de *seguridad de la ciudadanía* que maneja la Fuerza Pública. Mientras ocurría este desangre, el secretario de gobierno departamental, Pedro Juan Moreno, se jactaba de su modelo de «autoridad fuerte» con el cual buscaba pacificar el departamento (Sandoval, 1997, p. 305).

En mayo de 1996 el coronel del Ejército Alfonso Velásquez, segundo comandante de la XVII Brigada con sede en Urabá y jefe del Estado Mayor, envió un reporte a la Dirección del Ejército sobre el comportamiento del general Del Río en relación con los grupos paramilitares. El coronel Velásquez antes de estar en Urabá había comandado el Bloque de Búsqueda en contra del Cartel de Cali y fue el responsable del hallazgo y allanamiento de las oficinas de Guillermo Palomari, considerado el contador de esa organización. Allí se encontró la documentación que dio origen al Proceso 8.000 y que puso en jaque al gobierno del presidente liberal Ernesto Samper (1994-1998), luego de que se informó sobre la contribución de aproximadamente seis millones de dólares del narcotráfico a la elección del candidato liberal. A juicio del coronel Velásquez no existía en el general Del Río «un convencimiento de que la delincuencia organizada (llamada por la gente de la región paramilitares) es también un peligroso factor de desorden público y violencia en Urabá»[5]. El coronel Velásquez fue retirado del servicio en diciembre del mismo año por faltas en contra del compañerismo, el servicio y la subordinación, mientras que el general Del Río permaneció en el cargo un año más[6].

El mismo Departamento de Estado de los Estados Unidos hizo un enérgico pronunciamiento en contra del general Del Río y la libre operación de los grupos paramilitares en regiones bajo control militar en el reporte sobre los derechos humanos en Colombia de 1998 (Departamento de Estado, 1999). Este hecho provocó la decisión del presidente Andrés Pastrana de retirar a Del Río del servicio, junto con el general Millán, también mencionado en el informe. A pesar de que ganaderos y bananeros de la región calificaron al general Del Río como «el pacificador de Urabá», el papel de las ACCU fue definitivo en ese resultado (Dávila, Escobedo, Gaviria y Vargas, 2001, p. 161).

La mortífera efectividad de los paramilitares para cortar no sólo los lazos urbanos de la guerrilla, sino para eliminar a sectores de oposición y al liderazgo de los movimientos sociales en regiones bajo control de las Fuerzas Armadas, mostró que esas fuerzas constitucionales se habían convertido en un factor más de violencia, en lugar de ser uno de los pilares del Estado de derecho (Dávila, 1998, p. 161). Al menos en Urabá, la discutida gestión del general Del Río, representante de la autoridad militar del Estado central en la zona, no contribuyó a la reconciliación política, y sí a la polarización, violencia y desplazamiento de población.

LOS ANTECEDENTES: PRIMERA ELECCIÓN DE ALCALDES Y MRN

La facilidad con la que Fidel Castaño y sus comandos avanzaron en su carrera de la muerte desde el norte de Urabá hacia la zona bananera es pasmosa para una región supuestamente militarizada durante diversos períodos desde los años ochenta hasta el presente. Los primeros reportes indican que Castaño comenzó a operar en Urabá en 1987, cuando además de los asesinatos selectivos de dirigentes políticos de izquierda, sindicalistas y activistas sociales, esos grupos irregulares introdujeron las masacres como un elemento nuevo en su repertorio de acción (Ramírez, 1997, pp. 132-133). Este modo de operación coincidió con el inicio de las elecciones de alcaldes y fue efectivo en eliminar el liderazgo de los grupos surgidos de los acuer-dos de paz entre la guerrilla y el gobierno, y en desbandar a sus acti-vistas y simpatizantes en las regiones donde tenían posibilidad de romper los equilibrios políticos regionales, como en Urabá.

En efecto, el 3 de marzo de 1988, diez días antes de las primeras elecciones de alcaldes en la historia de Colombia, 42 personas fue-ron asesinadas en diferentes acciones en los municipios del eje ba-nanero: 21 obreros del banano en Currulao, municipio de Turbo, varios de ellos activistas sindicales y miembros de los comités de negociación obrero-patronales; 7 personas, que habían sido reteni-das por el Ejército dos días antes, aparecieron muertas con ácido en sus rostros, 2 de ellos estudiantes de secundaria y miembros del con-sejo estudiantil; 9 personas en Apartadó y otras 5 en Carepa. Este día fue llamado «el viernes negro» por los habitantes de la zona (CAJ, 1994, pp. 70-71). El mes siguiente, en Punta Coquitos, Tur-bo, otros 9 trabajadores bananeros fueron muertos y 16 poblado-res de un barrio de invasión desaparecidos; se especula que una vez muertos fueron arrojados al mar desde un bote.

El procurador delegado para las Fuerzas Militares solicitó la re-moción de dos oficiales y un suboficial del Batallón Voltígeros, con sede en Carepa, a quienes encontró cómplices en el asesinato de los 21 trabajadores bananeros en Currulao, en las fincas Honduras y La Negra. Dice el informe que los miembros del Batallón colaboraron de manera activa en el suministro de nombres e información clasifi-cada a los asesinos, permitieron la presencia de civiles en allana-mientos ilegales a las fincas un mes antes de las masacres, y «peor aún, los oficiales tenían información acerca de la organización de la matanza y no hicieron nada para detenerla» (Americas Watch, 1994, p. 36). De los asesinatos también fue acusado el alcalde de Puerto Boyacá, Luis Rubio, reconocido dirigente de los grupos de auto-defensas del Magdalena Medio, además de Fidel Castaño[7].

El clima político en Urabá era de alta tensión por el contexto electoral de la primera elección de alcaldes, en la cual la UP obtuvo la Alcaldía de Apartadó, el municipio más importante, y mantuvo la mayoría electoral obtenida en la elección de cuerpos legislativos un par de años antes. Además, el ambiente de la región estaba polarizado por el deslizamiento del poder de las manos de las antiguas élites locales y regionales hacia la UP y sus aliados, y de ahí el surgimiento de ese empresariado de la coerción representado por la familia Castaño y asociados. Los sindicatos bananeros habían logrado por fin el reconocimiento para representar a los trabajadores, una negociación colectiva para la industria y no por finca individual, además de incremento salarial y mejoras en las condiciones de trabajo. Igualmente, las organizaciones políticas de izquierda habían promovido masivas invasiones de tierra en predios urbanos, prometiendo soluciones de vivienda financiadas en parte con la exportación de banano, todo con el apoyo armado de la guerrilla, en medio de una militarización extrema, y a pesar de la feroz represión de los paramilitares.

Fidel Castaño, en asocio con sectores del Ejército y la Policía, había aplicado un sistema de terror similar en el noreste antioqueño desde inicios de la década de los ochenta, antes de su llegada a Urabá. En 1983 fue acusado de participar en la muerte de 22 campesinos en los límites entre los municipios de Remedios y Segovia y ya operaba como informante del Batallón Bomboná, ubicado en este último municipio (Ramírez, 1997, p. 128).

En 1986 cubría sus actividades bajo el membrete del movimiento MRN, y vale la pena hacer un breve análisis de estos antecedentes. El surgimiento del MRN coincide con la creación de la UP en 1985, agrupación que en el primer año de participación electoral (1986) obtuvo 14 congresistas, 14 diputados y 350 concejales en todo el país, hecho que fue reconocido con la autorización presidencial para nombrar 23 alcaldes pertenecientes a este nuevo grupo en diferentes zonas del país[8]. La UP ganó la Alcaldía de Segovia y de Remedios en la primera elección de alcaldes en marzo de 1988, a pesar de la violencia y amenazas en su contra.

Sin embargo, el dominio de los paramilitares de Castaño fue cuestión de meses, luego del ataque del 11 de noviembre de 1988 por hombres armados de ese grupo. Éstos recorrieron el centro de Segovia en tres camperos, asesinaron a 43 personas y dejaron 50 heridos, con la total pasividad de la Policía y el Ejército (Ramírez, 1997, pp. 130-31). Este último contaba con 154 efectivos y equipos de transporte, los cuales permanecieron inmóviles en el Batallón

Bombóná a pesar de que los tres camperos en los que se movilizaron los paramilitares circundaron sus instalaciones luego de la matanza. Así lo certificó un informe de la Procuraduría General de la Nación[9] tres semanas más tarde: «La carretera serpentea la base militar en un largo trecho y es visible desde el primer puesto de vigilancia y fue por ésta por donde ingresaron y salieron los maleantes», sin que fueran advertidos por el oficial a cargo y las tropas a su mando[10].

Aunque es más aberrante el caso de la Policía. El Comando estaba ubicado a 100 metros del bar Jhony Kay, donde hubo el mayor número de muertos y, como si fuera poco, uno de los automotores en el que los sicarios se movilizaron pasó sin inconveniente alguno frente a la Estación. El oficial de la Policía a cargo, en lugar de defender a la población, se atrincheró en el Comando «a pesar de que los criminales se pasearon muy cerca para cometer sus despropósitos y, además, sólo cuando éstos abandonaron el poblado, el oficial y restantes miembros de la Policía salieron de su refugio para supuestamente defender la ciudadanía atacada»[11]. El oficial se justificó diciendo que el Comando estaba bajo fuego, y que él dio aviso por radio al batallón del Ejército. El informe de la Procuraduría indica que el mayor a cargo del Batallón Bombóná también se atrincheró con sus efectivos «a pesar de que no estaban siendo atacados y sí habían recibido información de la agresión de la Cárcel Municipal y del puesto de Policía»[12].

Tanto el mayor del Ejército como el capitán de la Policía fueron acusados de negligencia en el cumplimiento de su deber, pero las personas muertas, la cantidad, el momento del hecho y los antecedentes hacen pensar más en una «limpieza política» en contra de la UP, una de las nacientes agrupaciones partidistas resultado de las negociaciones de paz, que en una simple ineptitud de las autoridades armadas locales. El informe de la Procuraduría es contundente y sostiene que el asalto tuvo dos fases:

> Una orientada específicamente contra algunos destacados militantes y simpatizantes de la Unión Patriótica a quienes buscaron en sus casas para matarlos. La otra, aparentemente indiscriminada apuntala a los partidos tradicionales socavando con el terror colectivo las amplias mayorías de la Unión Patriótica y esbozándose como una forma

ejemplar de castigo, por las inclinaciones políticas hacia las que tiende decididamente la región.[13]

Los investigadores de la Procuraduría establecieron que las dos semanas anteriores a la masacre ocurrieron hechos que presagiaban la matanza. Los comunicados del MRN en los que sentenciaban a muerte a los militantes de la UP se intensificaron con anuncios de que «limpiaron a Puerto Berrío de tanto títere comunista» y barrerán «del noreste tanta escoria marxista»[14]. La aparición de algunos *graffiti* en las paredes del pueblo en los que decía «Segovia te pacificaremos MRN» y «Comunistas asesinos» coincidió con patrullajes de la Policía y el Ejército, en los cuales los oficiales al mando gritaron consignas en contra de la UP. El día de la masacre los escoltas policiales de la alcaldesa de la UP y de varios de los concejales fueron retirados.

En 1996, investigaciones de la Fiscalía General de la Nación confirmaron no sólo el papel protagónico de Fidel Castaño en esta masacre, sino que implicaron también a los coroneles Hernando Navas Rubio y Alejandro Londoño, este último, comandante del Batallón Bomboná y ausente durante la masacre por incapacidad médica, según el expediente, además de otros dos generales con mando de tropa en el Magdalena Medio (Ramírez, 1997, p. 131). También colaboraron en la matanza las autodefensas de Puerto Boyacá, y según uno de sus integrantes detenido, las máximas autoridades militares de la región estuvieron implicadas en el hecho[15]. De acuerdo con el testimonio de este miembro de las autodefensas, el objetivo era «ablandar al pueblo de Segovia» porque «era un fortín de la guerrilla, ahí operaban el ELN y las FARC y tenían sus milicias»[16]. El declarante indica:

> Por un lado estaba «Rambo» o sea Fidel Castaño presionando que por qué no se le metía el diente allá, y por el otro el coronel X de la XIV Brigada de Puerto Berrío y el coronel Y del Batallón Bomboná. Tuvimos dos reuniones con ellos, en la última nos dijeron: «Ustedes meten las narices en todas las partes menos en Segovia. ¿Qué pasa que allá hace lo que quiera la guerrilla y ustedes pasándolos por la galleta?».[17]

Con la masacre el poder emergente de Castaño y sus asociados se hizo sentir en contra de las posibilidades de nuevos equilibrios políticos que favorecieran a los que estaban intentando ser parte de la comunidad política. Uno de los beneficiados con «el ablandamiento» de Segovia fue el congresista liberal César Pérez, por la época presidente de la Cámara de Representantes, quien tenía su base electoral en la región, diezmada por la competencia electoral de la UP. Pérez fue vinculado por la Fiscalía a la investigación como uno de los autores intelectuales de la masacre, revelando la reacción de las élites locales y regionales en contra de la apertura política y de las políticas de paz. La confluencia de políticos regionales afectados por los nuevos competidores, sectores de las Fuerzas Armadas radicalizados y dedicados a «eliminar comunistas» y esos poderes emergentes representados por Fidel Castaño y asociados era un hecho.

Lo que sorprende es la docilidad de los mandos militares y de policía frente a individuos y grupos fuera de la ley, su coincidencia en un anticomunismo y antirreformismo tan estrecho y violento, y la falta de herramientas o voluntad del Estado central para hacer valer su autoridad. Cuatro meses antes de la matanza, las autoridades nacionales habían reaccionado al unísono en contra de las aseveraciones de Amnistía Internacional sobre vínculos institucionales entre las Fuerzas Armadas y los «escuadrones de la muerte»[18]. Desde inicios de los años ochenta la explicación de esas relaciones como «casos aislados» se había convertido en un lugar común, indicando la vulnerabilidad de la organización armada en los contextos regionales donde afinidades ideológicas, coincidencias estratégicas o simple interés económico han facilitado la colaboración entre individuos y grupos de las Fuerzas Armadas y organizaciones por fuera de la ley.

LA SERRANÍA DE ABIBE
Y LA CONSOLIDACIÓN ESTRATÉGICA

Antes de ampliar su radio de acción a Córdoba y Urabá en 1987, Fidel Castaño, su hermano menor, Carlos, y varios familiares y trabajadores de sus fincas recibieron entrenamiento militar con el Ejército en Puerto Berrío, Magdalena Medio antioqueño, e hicieron contacto con los grupos de autodefensas del área y de Puerto Boyacá (Castro, 1996, pp. 156-157). Luego de este período la sucesión de masacres a uno y otro lado de los municipios del norte de la serranía de Abibe es aterradora. La serranía divide el Urabá antioqueño del valle del Sinú en el departamento de Córdoba. La Comisión de Superación de la Violencia de 1991 contabilizó al menos 18 masacres entre marzo de 1988 y diciembre de 1990 en la vertiente derecha de la serranía, o sea sólo en Córdoba. Una de las más sangrientas ocurrió en Mejor Esquina, municipio de Buenavista, a medio camino entre Segovia y Montería, donde 36 personas fueron asesinadas, incluyendo jóvenes, adultos, ancianos, una mujer y un niño. Luis Rubio, alcalde de Puerto Boyacá, también fue responsabilizado de esta masacre, lo mismo que Fidel Castaño[19].

En Pueblo Bello, corregimiento de Turbo, Antioquia, ubicado en la ladera izquierda de la serranía, 42 campesinos fueron desaparecidos a comienzos de 1990, presumiblemente por los comandos de Fidel Castaño, de los cuales la Policía encontró 20 cuerpos enterrados en una fosa común en Las Tangas, finca de la familia Castaño ubicada en el municipio de Valencia, Córdoba, a mediados del mismo año[20]. De acuerdo con el EPL, esta acción fue en represalia por un golpe de esta organización a los comandos de Castaño:

> Nosotros logramos controlar unos 15 kilómetros de la carretera que va de Turbo a San Pedro de Urabá, por los lados de El Limón. Esa área la tuvimos por espacio de siete meses. Las veces que el Ejército intentó entrar por ese lado, no pudo. Tuvimos combates duros en esa zona y también le dimos duro a Fidel Castaño. Allí cogimos a Quijano, su segundo, y a otros cinco responsables. Los ajusticiamos. Fidel no reaccionó inmediatamente, pero luego vino la horrible desaparición de 42 personas en Pueblo Bello. Con Castaño no fue solamente cuestión de ganado, sino parte de esa compleja guerra que ocasionó decenas de muertos, en la que cayeron de parte nuestra y de parte de ellos. Castaño quería a Turbo como trampolín para llegar al otro lado del golfo, al Chocó, donde el narcotráfico también estaba comprando tierras.[21]

La violencia en contra de campesinos en las áreas rurales y de dirigentes y activistas en las zonas urbanas del norte de la serranía de Abibe era parte de la competencia entre las ACCU y el EPL. Al golpear la base social del EPL en la región, además de debilitar a los insurgentes, también se evitaba que este grupo ganara influencia institucional a través de la elección de alcaldes y concejales, luego de una posible desmovilización. Al mismo tiempo, los nuevos propietarios rurales consolidaban su poder emergente. En efecto, el asesinato de dirigentes y activistas de la izquierda legal y de los supuestos o reales «auxiliadores de la guerrilla» fue acompañado por una masiva compra de tierras en la zona por parte de miembros y asociados del Cartel de Medellín, como lo ejemplifica el caso de Arboletes, donde una sola compañía liderada por los hermanos Ochoa, confesos y juzgados miembros del Cartel, compró 48 grandes haciendas ganaderas entre 1981 y 1989 (Cubides, Olaya y Ortiz, 1995).

Adquisiciones similares o menores también ocurrieron en otros municipios del área ubicados tanto en Antioquia como en Córdoba. Por ejemplo, Elkin Mena, conocido como «El Negro» y uno de los jefes de la extinta banda de sicarios La Terraza, de Medellín, colaborador del grupo Pepes y antiguo «gatillero» de Pablo Escobar, pasaba por finquero cuando visitaba sus propiedades entre los municipios de Valencia y Tierralta en Córdoba, antes de ser muerto por Carlos Castaño a petición de «ciudadanos honestos de Medellín» (Aranguren, 2001). Fidel Castaño ya era un acaudalado propietario del Alto Sinú, en el municipio de Valencia, a finales de los años ochenta, y así lo demostró al ceder temporalmente a campesinos cerca de 6.000 hectáreas de las mejores tierras ganaderas de Córdoba como parte de su contribución a la desmovilización del EPL y los prospectos de paz en este departamento[22].

Al iniciarse la década de los noventa y luego de la desmovilización del EPL, Fidel Castaño y sus asociados obtienen un amplio control en las dos vertientes del norte de la serranía de Abibe y del norte de Urabá. Los municipios donde ejercen mayor influencia son San Pedro de Urabá, en Antioquia, Valencia y Villanueva, en Córdoba, todos sobre la serranía. En la zona plana costera, los municipios donde el poder de narcotraficantes y paramilitares es más notorio son San Juan de Urabá y Arboletes, en Antioquia, y Canalete, en Córdoba (Comisión de Superación de la Violencia, 1992, p. 35). La muerte de Fidel Castaño a comienzos de 1994[23], la creación de las ACCU en los meses siguientes y el liderazgo de Carlos Castaño en la recién creada estructura militar, indicaron una nueva etapa en el proyecto antisubversivo y antirreformista, ahora con mayor y más amplio apoyo social de sectores empresariales, ganaderos y propietarios rurales.

El debilitamiento militar del EPL en Córdoba antes de su desmovilización en 1991, lo mismo que la desarticulación de coaliciones políticas radicales y de movimientos sociales tuvo una clara intención de proteger el statu quo político, o los reacomodamientos regionales surgidos con las inversiones del narcotráfico, como sucedió en el noreste antioqueño y el Alto Sinú. Este modelo de pacificación fue una buena carta de presentación de las recién creadas ACCU para los empresarios bananeros y ganaderos de Urabá. El gerente de Augura en ese momento, el ex ministro de Justicia liberal Juan Manuel Arias Carrizosa, había sido un defensor vehemente del derecho de autodefensa y de la promoción de agrupaciones civiles con este fin por el Ejército, a pesar de los vínculos con narcotraficantes y grupos de sicarios de algunas de ellas. Su posición en el gobierno del presidente Virgilio Barco (1986-1990) se hizo insostenible luego de la racha de asesinatos de dirigentes de la UP en 1987, y tuvo que renunciar a su cargo, de donde pasó a dirigir el gremio bananero.

Para Carlos Castaño, por su lado, el debilitamiento de las FARC en Urabá no era sólo un problema de los cuantiosos recursos que esta guerrilla recolectaba dentro de las fincas exportadoras, sino también de seguridad para los territorios consolidados por las ACCU en la serranía de Abibe: «Por vivir tan tranquilos [las FARC] en esa zona se les facilita programar incursiones a territorios nuestros» (Castro, 1996, p. 230). Para las ACCU era importante disputarles esos recursos de la zona bananera a las FARC, crear un anillo de seguridad en torno a los territorios consolidados y al hábitat de los miembros del Estado Mayor, cerrar vías de abastecimiento de armas y municiones, así como evitar la permanencia en el poder institucional local de sectores políticos con afinidades o coincidencias con la agenda política de la guerrilla. La competencia entre el poder emergente de las ACCU y el de las FARC en esta región estaba planteada. La contrainsurgencia, es decir, el ataque a la población civil supuestamente base social de la guerrilla, o con puntos coincidentes con la agenda política de ésta, era el objetivo, y los miembros de las recién creadas ACCU ya habían acumulado fuerzas, experiencia y aliados suficientes y poderosos para este tipo de empresas.

EL PLAN RETORNO, LAS ACCU
Y EL CONSENSO DE APARTADÓ

El año 1994 fue decisivo para la trayectoria seguida por la dinámica política y del conflicto armado durante el resto de la década en Urabá. Tres procesos analíticamente diferentes pero íntimamente unidos en la realidad estaban en marcha. El primero, la decisión de poderosos grupos de inversionistas y bananeros de recuperar el control político y el orden público en Urabá, como condición para enfrentar las circunstancias adversas del mercado internacional del banano. El precio de no hacerlo, según este sector, era entrar en una crisis terminal o su traslado a otra región del país o a Centroamérica con los costos y riesgos del caso, además de la aceptación de una derrota a manos de las FARC. Ese retorno también significó la salida de miles de habitantes de la región, frente al riesgo de ser asociados con la guerrilla, la UP, el Partido Comunista o algún otro grupo de izquierda regional, los cuales mantenían una significativa influencia social y política desde la década de los setenta.

El segundo, la expansión de los grupos paramilitares de Córdoba y el norte de Urabá hacia el eje bananero y la creación de las ACCU como el inicio de un proyecto contrainsurgente con pretensiones nacionales. Con un fuerte apoyo de inversionistas, propietarios, finqueros y comerciantes del área, además de sectores del mismo Estado, el reto del proyecto era crear orden y seguridad para dar paso a la estabilidad económica necesaria para la recuperación de la agroindustria bananera. Castaño lo expresó claramente: «Los señores bananeros eran los que fortalecían económicamente a la guerrilla y yo no podía prohibirles que le dieran plata si yo no estaba allí para decirles: "No les den, que yo respondo"»[24]. Además, las ACCU también tenían el desafío de corroborar una vía de pacificación diferente a un proceso de paz con la guerrilla, para convencer de los resultados de ese camino a los escépticos frente al uso de la fuerza como una forma de solución del conflicto armado. La alternativa eran los riesgos y peligros de una negociación en pie de igualdad entre el gobierno y la insurgencia que bien podría terminar en un mayor enfrentamiento o en una situación desfavorable para los sectores sociales, los grupos políticos y los intereses económicos considerados adversos al proyecto de la guerrilla.

Y el tercer proceso en marcha fueron los intentos de las diferentes facciones políticas locales para llegar a acuerdos, lograr convivencia y eliminar la violencia política del municipio. En este contexto se ubica el Consenso de Apartadó o el Acuerdo Unidad por la Paz entre 12 grupos políticos del municipio para elegir a Gloria Cuartas como candidata única a la Alcaldía para el período 1995-1997. El obispo del momento, monseñor Isaías Duarte Cancino, fue importante en el Acuerdo y en fortalecer esta línea de convivencia local. En el Consenso participaron movimientos cívicos y cristianos, comerciantes, deportistas, representantes del movimiento de negritudes, además de Esperanza, Paz y Libertad y sus rivales, el Partido Comunista y la UP (Sandoval, 1997). El Acuerdo representó un esfuerzo importante de las fuerzas políticas locales por mantener un espacio de convergencia y diálogo democrático, pero fue perdiendo aire y vigencia en la medida en que no tuvo un apoyo decidido de la Gobernación de Antioquia, del gobierno nacional ni de otras instituciones del Estado. Es decir, no tuvo aliados en otras instancias de poder que lo apoyaran, y sí enemigos poderosos. Mientras tanto, el proyecto de las ACCU y asociados se consolidó y avanzó hacia el eje bananero.

Para despedir 1994, las recién creadas ACCU hicieron circular un panfleto en la serranía de Abibe y en Urabá en el que amenazaban a los ganaderos, comerciantes, abarroteros y transportadores de la región, y en particular a los de Tierralta, Montería y San Pedro de Urabá sobre sus tratos con la guerrilla. Decía el volante:

> Estos auxiliadores no son otra cosa diferente a inescrupulosos compinches reducidores que se prestan al sucio juego de la legalización del «botín de guerra», producto de abigeato, saqueos, atracos, robos y extorsiones por parte de los bandoleros que se consideran subversivos.[25]

Además, advertían que de continuar en sus actividades, actuarían de forma drástica contra de ellos. El siguiente paso fue Necoclí, donde ocurrieron 130 asesinatos, hubo 122 desaparecidos, y cerca de 1.037 familias —aproximadamente unas 8.500 personas— fueron desplazadas de sus parcelas durante el primer trimestre de 1995, de acuerdo con el informe de la Personería

Municipal a la Procuraduría del departamento y a la Defensoría del Pueblo (Ramírez, 1997, p. 134).

Entre tanto, otros dos dirigentes de Sintrainagro fueron muertos a mediados de marzo de 1995 en Apartadó, uno perteneciente a la UP y el otro a Esperanza, Paz y Libertad. El hecho creó fisuras en el Consenso y acusaciones mutuas sobre responsabilidad, además de un paro general en las fincas bananeras. La alcaldesa Gloria Cuartas convocó la Comisión Verificadora de los Actores Violentos de Urabá, conformada por delegados de la Diócesis de Apartadó, la Defensoría del Pueblo, la Procuraduría General de la Nación, el Cinep y el gobierno departamental. La tarea de la comisión era verificar la existencia de los diferentes grupos armados en Urabá y las violaciones de los derechos humanos cometidas por esas organizaciones y por agentes del Estado[26]. La sospecha era que había interés en romper la convergencia lograda en el Consenso y en la administración de Cuartas, lo mismo que en polarizar la situación y reducir todo margen de maniobra para los que apoyaban negociaciones de paz o diálogos regionales.

El ministro del Interior, Horacio Serpa, instaló la Comisión Verificadora en Apartadó el 25 de abril de 1995, mientras el gobernador de Antioquia, Álvaro Uribe, instaló el día siguiente la Comisión de Facilitación para la Paz de Antioquia, con asesores de la talla del ex presidente de Costa Rica y Premio Nobel de la Paz Óscar Arias; Roger Fisher, del Centro de Resolución de Conflictos de la Universidad de Harvard, y Joaquín Villalobos, antiguo comandante guerrillero del frente Farabundo Martí, de El Salvador[27]. Además de la tensión entre el gobernador Uribe y la alcaldesa Cuartas, el contraste de los dos escenarios también reveló preocupaciones diferentes entre el gobernador Uribe y el ministro Serpa en relación con la violencia política en Urabá. Si bien el gobernador anunció que aplazaba la creación de las cooperativas de seguridad Convivir en esta región, como contribución para apaciguar los ánimos, los hechos de violencia de los tres años siguientes —los más violentos en toda la historia de Urabá— indicaron que los resultados de su gestión en este aspecto fueron trágicamente negativos, lo mismo que los del gobierno central.

En efecto, el 18 de mayo de 1995 el Consenso de Apartadó pidió una tregua a los actores armados, dado que la ola de asesinatos no paraba. La respuesta de las ACCU fue clara:

> No creen justo que se les pida que abandonen su lucha contrainsurgente y que dejen la población civil a merced de los frentes guerrilleros [...] en el momento actual no están en posibilidad de abandonar la defensa de los comerciantes, ganaderos, transportadores, bananeros y pobladores de Urabá. Sus comandos sólo desaparecerán cuando en la región desaparezcan los secuestros, las extorsiones, los atracos, las vacunas.[28]

En plata blanca, esto también representó una tendencia a la homogeneización política y no sólo protección de propietarios y sectores pudientes. El asesinato o destierro de médicos, profesionales, tenderos y propietarios de cantinas y pequeños negocios, acusados de auxiliar a la guerrilla, prestarle algún servicio, pagarle vacuna o hacer activismo social se intensificó por los rumores de masacres y la circulación de listas con los nombres de los futuros muertos. Mientras tanto, los líderes de las ACCU convocaban reuniones con bananeros, transportadores y grandes comerciantes para convencerlos de que cesaran los pagos a la guerrilla, y en su lugar los hicieran a las ACCU (Sandoval, 1997)[29].

El 24 del mismo mes los alcaldes de los municipios más importantes de Urabá y la serranía de Abibe —Apartadó, Chigorodó, Arboletes, Valencia, San Pedro de Urabá, Vigía del Fuerte, Mutatá, Ungía, Carepa, Tierralta y Turbo— visitaron la Casa de Nariño y se reunieron con altos funcionarios del gobierno para discutir medidas especiales y contrarrestar la creciente violencia en la región, sin mayores resultados[30]. Los asesinatos seguían creciendo. La propuesta de diálogos regionales entre sectores de la sociedad local y los grupos armados que operan en la zona comenzó a discutirse entre los sectores políticos, pero no recibió apoyo del gobierno central. El ministro del Interior, Horacio Serpa, en reunión con sectores civiles de Urabá indicó:

> El gobierno nacional no avalará un diálogo directo entre los representantes de la sociedad de Urabá con miembros de grupos paramilitares y guerrilleros para una eventual pacificación de la región [...]

el diálogo directo entre paramilitares y guerrilla significaría la repartición de ese territorio entre las FARC y Fidel Castaño.[31]

Esta afirmación contrastaba con la enconada y sangrienta competencia entre las ACCU y las guerrillas agrupadas en la Coordinadora Guerrillera Simón Bolívar, lideradas por las FARC. Esta última estaba desarticulando las redes de apoyo urbano de las FARC en la región, al tiempo que organizaba y coordinaba las redes propias. Las FARC iniciaron una campaña denominada «dignidad guerrillera», para recuperar el terreno perdido, y declararon «objetivos militares» a las instituciones, organismos o personas que prestaran ayuda a los paramilitares, los trabajadores de las fincas donde operan sus bases y a los campesinos que les vendieran sus productos[32]. La competencia entre paramilitares y guerrilleros estaba al rojo, pero todavía faltaba lo peor.

La violencia continuó y a finales de agosto el gobernador Uribe Vélez propuso la presencia de fuerzas especiales militares para Urabá, similares a los Cascos Azules de las Naciones Unidas, con el fin de controlar a las organizaciones armadas al margen de la ley. «La veeduría internacional es un mecanismo que no se puede descartar para la región», sostuvo el entonces gobernador[33]. Aunque la propuesta inicial no era clara sobre si lo que se quería era una fuerza internacional o una veeduría, esta última fue respaldada por la alcaldesa de Apartadó, Gloria Cuartas, en una de las pocas ocasiones en que las dos autoridades coincidieron en temas de paz. Entre tanto, la Comisión Verificadora convocada por el Consenso de Apartadó, luego de casi tres meses de trabajo recolectando testimonios e información, indicó en su reporte final que todos los actores armados de la zona, sin excepción, habían sacrificado a la población civil por el interés en el control territorial y el dominio político en la región. Sin embargo, el pronunciamiento más duro fue en relación con el comportamiento de las Fuerzas Armadas. Dice el informe:

> ...la acción de las autodefensas de Urabá y Córdoba no es independiente del Ejército en el sector rural. Por el apoyo recibido tanto de los propietarios de las fincas como del Ejército Nacional, por el testimonio de los desplazados, podemos deducir que ha existido un verdadero proyecto de las autodefensas en zonas de alta concentración de la tierra en pocas manos, como lo es el norte de Urabá [...]

Con testimonios fidedignos podemos afirmar que ha habido entrenamientos y visitas de miembros del Ejército en los campamentos de estas agrupaciones, hay igualmente evidencias de cómo la Policía permite labores de seguimiento, de patrullaje, de interrogatorio de estos particulares armados, sin actuar en contra de ellos. Es vergonzoso reconocer que en Carepa juegan billar juntos, miembros de la Policía y de las autodefensas. Éstas son una organización privada, que incluye ejército entrenado, instituciones legales como fundaciones sin ánimo de lucro e infraestructura orgánica administrativa para pago de nómina y para dar seguridad a las familias de los componentes o miembros.[34]

La iniciativa del gobernador Uribe de organizar una veeduría internacional había quedado en suspenso, pero fue retomada por grupos de derechos humanos y por recomendaciones de gobiernos europeos a las Naciones Unidas para denunciar sobre violaciones de derechos humanos. En marzo de 1996 la ONG europea Pax Christi y el obispo de Rotterdam, Adriano van Luyn, visitaron el país, y en vista de la dramática situación observada, solicitaron a la ONU un relator especial para los derechos humanos, con especial énfasis en Urabá. El reporte de la comisión de Pax Christi señaló que «los grupos armados ilegales actúan con toda libertad en la zona, donde las instituciones armadas estatales son incapaces de garantizar la seguridad y en ocasiones son cómplices». Sobre las posibilidades de una veeduría como la solicitada por el gobernador Uribe Vélez, la comisión manifestó que «en cuanto la guerra continúe y las partes en conflicto no muestren disposición a negociar, el alcance de esa presencia internacional es necesariamente limitado»[35].

El general Harold Bedoya, comandante de las Fuerzas Militares en ese momento, terció en el debate:

> Si el conflicto de Urabá se internacionaliza a través de una veeduría internacional o con la presencia de tropas extranjeras, Colombia correría el riesgo de perder esa rica región del país, debido a que existen extraños intereses europeos que buscan quedarse con la zona [...] Colombia no necesita de ningún veedor internacional para los derechos humanos.[36]

Ésta era una clara respuesta de rechazo a las veedurías europeas o de Naciones Unidas sobre la situación en Urabá. Las posiciones iniciales del gobernador Uribe hacia la internacionalización del conflicto para humanizar la guerra y facilitar una negociación, fueron criticadas por el general Bedoya, quien sostuvo que esa forma de internacionalización podría conducir a un mayor debilitamiento de las Fuerzas Armadas y de la soberanía nacional. Augura señaló que «antes que tropas extranjeras había que fortalecer al Ejército de Colombia, inclusive por encima de la inversión social, porque sólo el mantenimiento del orden público permite la producción» (Sandoval, 1997, p. 228). Así, paulatinamente, el gobernador Uribe empezó a dar un mayor énfasis al fortalecimiento de las Fuerzas Militares y al tema de la seguridad para la inversión privada. Entre tanto, el número de asesinatos llegaría aproximadamente a 1.200 en la zona bananera en 1996, la cifra más alta de toda su historia, y la tasa promedio de homicidios por 100.000 habitantes alcanzaría proporciones trágicas, con un registro superior a 500 (Dávila, Escobedo, Gaviria y Vargas, 2001).

ALCALDÍA DE GLORIA CUARTAS, DEFENSA DE LA VIDA Y PERSECUCIÓN

La candidata única a la Alcaldía de Apartadó para el período 1995-1997 fue elegida sólo con cerca del 20% del potencial electoral del municipio. Es decir, el 80% de los votantes habilitados no participó en su selección. Además, como la candidata no era de la zona, sus conexiones con la sociedad civil local no eran sólidas, hecho que acentuó aún más la debilidad de su mandato frente a los actores armados de la región, lo mismo que frente a la gobernación de Antioquia, el Estado central y otros actores institucionales, como el Ejército, con los que tuvo polémicas y enfrentamientos, y de los cuales también sufrió persecuciones. No obstante estas limitaciones y obstáculos, la alcaldesa Cuartas hizo de la defensa de la vida y la paz la principal bandera de su mandato, lo cual la ubicó en el centro del huracán que azotaba a Urabá a mediados de los años noventa.

Cuartas era el cuarto alcalde elegido por voto en Apartadó, y la suerte corrida por sus predecesores, todos apoyados por la UP, no hacía presagiar un final feliz. El primer alcalde elegido en 1988, Ramón Castillo, salió del país luego de ser amenazado, y a su regreso fue asesinado en las calles de Manizales (Sandoval, 1997). Diana Cardona, elegida en 1990 con una clara mayoría sobre los otros candidatos, también fue muerta en las calles de Medellín en 1991. Su padre, Álvaro Cardona, conocido militante de la UP, fue asesinado en 1996 en Apartadó. Las autoridades nunca encontraron a los responsables de estos hechos. Con estos antecedentes, Nelson Campo ganó las elecciones en 1992, y fue así el tercer alcalde consecutivo elegido con apoyo de la UP. Fue acusado de rebelión y de ser el autor intelectual de la masacre de la finca La Chinita en 1993, en el marco de la competencia político-armada entre las FARC y los antiguos guerrilleros del EPL, lo mismo que entre la UP y el nuevo movimiento político de los «esperanzados». El alcalde Campo fue condenado a seis años de cárcel y no pudo terminar su período (Sandoval, 1997). En este contexto, la candidatura de Gloria Cuartas fue acogida por no estar comprometida con ningún movimiento partidista en particular, lo cual fue una ventaja para el acuerdo electoral, pero una desventaja a la hora de gobernar. Las políticas y los resultados del mandato de Cuartas no tenían dolientes diferentes de ella, la Diócesis de Apartadó —principal impulsora del consenso— y personajes o sectores con poco peso político.

La coincidencia de la alcaldía de Cuartas con el avance de las ACCU sobre el eje bananero expuso a la alcaldesa a innumerables amenazas, hostigamientos, a un plan de cerco y aislamiento y a una guerra de nervios sin precedentes en contra de una autoridad municipal, en un contexto de militarización extrema, primero, y de declaración de Zona Especial de Orden Público por los gobiernos nacional y departamental, después. A pesar de esas medidas extraordinarias, las ACCU no tuvieron dificultad para llegar a Apartadó a mediados de 1996, luego de una carrera de la muerte desde el norte del golfo de Urabá iniciada a comienzos del año anterior. Precisamente en la celebración de la Semana por la Paz en agosto de 1996, organizada desde finales de los años ochenta por el Programa por la Paz de la comunidad de los jesuitas cada año en todo el país, los hombres de las ACCU llegaron al extremo de decapitar a un niño en un acto que contaba con la presencia de la alcaldesa Cuartas.

En efecto, el 21 de agosto en la escuela La Cadena, de Apartadó, cerca de cien niños estaban formando en el patio para escuchar a la alcaldesa cuando dos jóvenes armados entraron por la zona de juegos de la escuela. Luego de pintar en las paredes propaganda a favor de las ACCU, uno de ellos tomó al niño César Augusto Rivera, lo golpeó en el estómago y después le cercenó la cabeza. Meses después la alcaldesa afirmó:

> No podría creer lo que había visto, porque era ver cómo le caía el cuerpo de la cabeza [...] Lo que más tristeza me dio cuando estaba en el salón [escondida con los niños y profesores mientras ocurría una balacera luego del asesinato del estudiante] era pensar que los niños se fueran a alejar de mí. Era otra amenaza. Los únicos que me saludaban en la calle. Los únicos que paraban el carro, que me hablaban, que sentía afecto de ellos [eran los niños]. (Sandoval, 1997, p. 18)

Al salir del escondite y cuando la balacera disminuyó, la alcaldesa y su conductor vieron el carro del despacho destruido por las balas, y cuando alguien gritó que podría haber una granada en los restos del campero, corrieron de nuevo para protegerse. En ese momento soldados que se aproximaban a la escuela le gritaron a Cuartas «guerrillera hijueputa», sin ninguna consideración por la dignidad del personaje ni por los incidentes recién sucedidos (Sandoval, 1997, p. 21).

La responsabilidad del hecho originó una controversia entre la alcaldesa Cuartas y el general Rito Alejo del Río, comandante de la XVII Brigada del Ejército, con sede en Carepa, quien había asumido el mando desde diciembre de 1995. Al hacer la denuncia por la muerte del niño Rivera, la alcaldesa indicó que el Ejército no había actuado, que no era imparcial y, además, que no creía en la versión del general, quien declaró ante la prensa que el ataque había sido efectuado por la guerrilla (Sandoval, 1997, p. 21). El general Del Río respondió con una demanda por calumnia en contra de la alcaldesa y quedó evidenciado el enfrentamiento entre la autoridad civil y la militar en el municipio. La divergencia sobre lo sucedido en la escuela La Cadena fue otro episodio de las reiteradas discrepancias entre la alcaldesa y el general Del Río en relación con el respeto a la población civil, los derechos humanos y las posibilidades de la solución del conflicto armado por la vía negociada. El coronel Alfonso Velásquez, segundo comandante de la XVII Brigada del Ejército con sede en Carepa y jefe del Estado Mayor de la Brigada, reportó en un informe a sus superiores de mayo de 1996 quejas similares a las de la alcaldesa Cuartas, sin mayores efectos.

El no cerrar filas con el Ejército le costó a Cuartas ser investigada por el delito de rebelión. De acuerdo con los testigos sin rostro que declararon ante la Fiscalía regional con sede en la Brigada del Ejército en Carepa, la alcaldesa recolectaba fondos de la comunidad ilegalmente para sus viajes al exterior, colaboraba con información para secuestros y extorsiones y promovía la realización de paros en reuniones donde se planeaban acciones de las FARC (Sandoval, 1997). Los testigos eran informantes del Ejército y las denuncias no avanzaron por inconsistencia de las pruebas. Sin embargo, la sombra de la duda sobre la relación de Cuartas con la guerrilla quedó en el ambiente y era utilizada por sus oponentes en momentos de discusión acalorada. Un ejemplo fueron las acusaciones del secretario de Gobierno de Antioquia, Pedro Juan Moreno, en contra de Cuartas, quien la sindicó de ser vocera de la guerrilla en una reunión con funcionarios de todo el departamento. Con esto Moreno buscaba descalificar los reclamos de la alcaldesa sobre parcialidad de la Fuerza Pública, la inconveniencia de las cooperativas de seguridad Convivir y el marginamiento del despacho municipal de las decisiones sobre las políticas de seguridad para la zona bananera. Éstas eran tomadas por la Gobernación y la Brigada sin ninguna consulta con la Alcaldía. El secretario Moreno no tuvo ningún recato en hacer esa afirmación en público, enfrente de las autoridades departamentales, incluyendo al mismo gobernador Uribe[37].

RUPTURA DEL CONSENSO DE APARTADÓ, RETIRO DE LA UP Y DE LOS COMUNISTAS Y DESPLAZAMIENTO DE POBLACIÓN

El asedio en contra de la alcaldía de Gloria Cuartas también incluyó a sus funcionarios, aunque las amenazas de muerte en este caso sí se cumplieron. En efecto, parte de la guerra de nervios en contra de Cuartas y su administración fueron los rumores sobre órdenes de asesinato y atentados a la alcaldesa, rumores muchas veces propagados por la misma Fuerza Pública. Como las amenazas no produjeron el efecto deseado, es decir, la huida de Cuartas, los interesados la emprendieron en contra de los funcionarios de la

Alcaldía. El primero fue el secretario general, Édgar Mauricio Plazas, ingeniero industrial y hermano de un desmovilizado del EPL, asesinado a bala en octubre de 1995 en las puertas del Centro Administrativo Diana Cardona, sede de la Alcaldía y bautizado así en conmemoración de la alcaldesa muerta en 1991. El año siguiente fueron 15 los funcionarios de la administración municipal que cayeron baleados en las calles de Apartadó. «A las amenazas de perder la propia vida, se unió la soledad en la que se fue quedando la alcaldesa» (Sandoval, 1997, p. 220). El efecto de esas muertes en la población fue que la presencia de Cuartas en lugares públicos empezó a ser vista como una amenaza, e incluso el simple saludo pasó a ser considerado como algo riesgoso para conocidos y amigos.

Paralelo a ese hostigamiento a la alcaldesa, proseguía implacable la persecución a todo lo que tuviera que ver con la UP o el Partido Comunista, en medio de una militarización extrema. El gobernador Uribe Vélez declaró la región como Zona Especial de Orden Público bajo el mando del general Del Río el 24 de junio de 1996, previa consulta con el presidente Samper y en uso del decreto de Conmoción Interior declarado por el gobierno nacional. La medida no hizo sino agudizar los asesinatos, la crisis humanitaria y el desplazamiento de población. Paradójicamente, bajo esas medidas extremas de militarización de la vida pública, las ACCU se consolidaron como una fuerza paraestatal y contrainsurgente, siendo la población civil el principal blanco, y el electorado de la UP y el Partido Comunista fueron dispersados o expulsados de la región. En efecto, 1996 ha sido el año en el que mayor número de homicidios ha ocurrido en la región en toda su historia, con más de 1.200, y el año siguiente la tasa de muertes intencionales se calculó en cerca de 500, siete veces más alta que el promedio nacional, ya de por sí de los más altos del mundo (Dávila, Escobedo, Gaviria y Vargas, 2001).

Esta tragedia humanitaria ocurrió sin una muestra de responsabilidad de las autoridades militares o policiales regionales, encargadas de la seguridad y con instrumentos legales de excepción para facilitar sus actividades; tampoco hubo una posición clara del gobierno departamental o nacional de condena e intervención para detener la «limpieza política». El segundo comandante de la Brigada XVII del Ejército, coronel Velásquez, quien fue llamado a calificar servicios por sus críticas al comandante de la Brigada, general Del Río, indicó que era necesario que «su principal índice de gestión en Urabá —el del Ejército— no sea las bajas enemigas que se producen, sino que aumente la protección de la población civil [...] Si se sigue considerando que el principal índice de gestión es las bajas que se produzcan, la estrategia está equivocada»[38].

Una imagen reveladora de esa persecución es el barrio Bernardo Jaramillo, bautizado así en homenaje al antiguo congresista de la UP elegido por la región bananera y candidato presidencial de esta alianza asesinado a principios de 1990 en Bogotá. Cerca de 8.000 personas habitaban el barrio en los inicios de la década de los noventa, era un centro importante de actividad política, cultural y económica local y uno de los fortines electorales de la UP. Este movimiento había conseguido apoyo municipal para los diferentes proyectos económicos y sociales en este barrio dada su influencia en el Concejo y en la Alcaldía, lo mismo que recursos del gobierno e instituciones del orden nacional. A mediados de 1997 la situación del barrio Bernardo Jaramillo era la de un pueblo fantasma. Aproximadamente mil casas y lotes fueron desocupados por sus habitantes y lo que antes habían sido tiendas y cooperativas ahora eran locales vacíos o en ruinas, algunos de ellos con pintas amenazantes en las paredes como «Gusano, ya estás lleno de gusanos, AC de U», refiriéndose a militantes de la UP o a presuntos miembros de la guerrilla[39]. Un estudio de la Alcaldía indicó que para mitad de 1997 cerca de 300 establecimientos comerciales habían cerrado en Apartadó como consecuencia de violencia y amenazas (Sandoval, 1997, p. 240).

El desplazamiento de población empezaba a afianzarse como un hecho innegable en la región. El 18 de junio de 1996 campesinos de más de 28 veredas de las zonas rurales de Apartadó y Turbo iniciaron un éxodo al casco urbano de Apartadó, para denunciar atropellos de las Fuerzas Armadas y pedir reparación por los daños y perjuicios causados en sembrados y viviendas durante operativos militares, planes de protección en contra de los grupos paramilitares, garantías para retornar a los territorios abandonados y apoyo para la producción y comercialización agrícola[40]. Aproximadamente mil marchantes entre mujeres, jóvenes, niños y hombres adultos se congregaron en el coliseo de Apartadó por cerca de un mes esperando una respuesta del Ministerio del Interior (Sandoval, 1997, p. 247). La contradictoria e ineficaz reacción oficial y el desenlace del éxodo mostró una vez más la distancia entre las violentas realidades regionales y la lenta legalidad burocrática de la capital.

El éxodo campesino y el asesinato el 22 de junio de Arsenio Córdoba, concejal de la UP, precipitaron las medidas extraordinarias de orden público y la jefatura militar en la región dos días después. La decisión del gobernador Uribe Vélez ahondó las diferencias con la alcaldesa, quien vio pasar gran parte de sus prerrogativas como autoridad local a manos de la Brigada del Ejército. Sólo hasta la primera semana de julio una comisión mixta de la Presidencia, la Oficina del Alto Comisionado para la Paz, el Programa Nacional de Desplazados, la Defensoría, la Procuraduría y la Gobernación llegaron para escuchar a los refugiados. El general Del Río desconoció los motivos del éxodo y las quejas de los campesinos, declaró que sus impulsores eran las FARC y que las únicas amenazas de las que tenían información en la Brigada eran de la guerrilla hacia los campesinos que no participaron en la movilización. La alcaldesa Cuartas respondió que los muertos de los que hablaban los campesinos eran reales y que no importaba quién había organizado el éxodo, sino que había seres humanos sufriendo y era necesario hacer algo con urgencia (Sandoval, 1997, pp. 248-249). A pesar de la descalificación del comandante de la Brigada, los delegados del gobierno nacional, incluido el Ejército, firmaron un acuerdo y nombraron una Comisión de Verificación para su cumplimiento. El general Del Río ofreció un batallón para acompañar el retorno de los campesinos, pero éstos respondieron: «No hacen falta más militares sino que los que ya hay nos respeten» (Sandoval, 1997, p. 248).

A pesar de los acuerdos firmados y de la Comisión de Verificación, el desenlace no pudo ser más dramático. Los combates entre Ejército y guerrilla continuaron, las incursiones de los paramilitares también, y los participantes en el éxodo no tuvieron más remedio que refugiarse en San José de Apartadó, o viajar a Turbo, Medellín o Montería[41]. El 18 de agosto fue asesinado Bartolomé Cataño, concejal de la UP y líder comunal de San José de Apartadó, el segundo concejal muerto de esta agrupación en dos meses. Los dos líderes del éxodo, Gustavo Loaiza y Juan González, ambos firmantes del acuerdo que permitió el retorno inicial, fueron asesinados el 7 de septiembre (Sandoval, 1997, pp. 245-249). Y todo esto en la Zona Especial de Orden Público a cargo del general Del Río. El dolor y la zozobra de los afectados no tenían lugar en las declaraciones del general Bedoya, comandante de las Fuerzas Armadas, para quien sólo existían objetivos estratégicos y no familias en estado de indefensión: «Quienes se oponen a las zonas especiales de orden público, defienden los intereses de los narcotraficantes o de los subversivos»[42].

El clima de terror que acompañó a la zona de orden público a mediados de 1996 acentuó la crisis del consenso que eligió a Gloria Cuartas a la Alcaldía, coalición que con dificultad se había mantenido hasta entonces, a pesar de las diferentes presiones e intereses en contra de su continuidad. El asesinato de dos concejales de los cuatro que eligió la UP en 1995 precipitó, primero, la renuncia de los dos concejales sobrevivientes, y luego, de los dirigentes de Sintrainagro afiliados a esta agrupación (Sandoval, 1997, p. 239). Se retiraba así del escenario político y sindical una de las fuerzas políticas más importantes y con mayor trayectoria en la región. La posibilidad de alianzas de gobierno local que plantearan la discusión pública sobre el pago de impuestos de industria y comercio a las arcas municipales por el sector bananero quedó reducida sustancialmente. La falta de responsabilidad con el desarrollo regional por parte de los empresarios bananeros y su economía de enclave había sido uno de los temas más difíciles de discusión entre las fuerzas de oposición ahora en el gobierno municipal y el gremio exportador desde el inicio de la elección de alcaldes en 1988.

Un año después, cuando las ACCU consolidaron su presencia en los cascos urbanos del eje bananero y sus alianzas locales, enviaron una carta al presidente Ernesto Samper, al gobernador de Antioquia, Álvaro Uribe Vélez, y al gobernador de Córdoba, Carlos Vuelvas, anunciando que consideraban adecuada la forma como «la sociedad organizada y la empresa privada han concebido la conformación de las Cooperativas de Vigilancia y Seguridad Rural (Convivir)», y que suspendían sus acciones ofensivas en Urabá y Córdoba ante el retroceso de la guerrilla[43]. En el mismo comunicado indican:

...la tranquilidad que hoy se respira en Urabá, y la entrada en funcionamiento de las Convivir, crea un clima para que retornen los empresarios y los ganaderos, nosotros por nuestra parte, cumplida nuestra misión en la región buscaremos abrir nuevos frentes de trabajo, en otros lugares donde la guerrilla asola la población con el secuestro, la extorsión y el boleteo.[44]

Las ACCU señalaron su disposición para «participar en la construcción de una verdadera paz» en la región, y convocaron al Estado para que en forma concertada con el sector privado diseñe un plan integral de desarrollo para Urabá. El secretario de Gobierno de Antioquia, Pedro Juan Moreno, resaltó cómo este grupo ha respondido a los llamados del gobierno y han estado dispuestos al diálogo, y que «lo único que quieren es que la guerrilla deje vivir en paz»[45]. Ni una palabra en relación con las reducidas posibilidades de democratización, justicia social y lucha contra la corrupción, o el fortalecimiento de los Estados locales y el desarrollo regional a partir del pago de impuestos de los inversionistas del banano. El limitado orden local había sido restablecido, y neutralizados los riesgos democratizadores de las negociaciones de paz y la apertura política.

1. *El Tiempo*, 29 de abril de 1999, p. 6A. El general Del Río fue finalmente exonerado de los cargos por la Fiscalía a finales de 2002, hecho que motivó protestas nacionales e internacionales de organizaciones de derechos humanos en contra del fiscal Luis Camilo Osorio y de su gestión al frente de este organismo. Human Rights Watch, con sede en Washington, incluso publicó un reporte específico sobre el trabajo del fiscal Osorio, en diciembre del 2002, en el cual indica que la capacidad de la Fiscalía para investigar y perseguir a los responsables de violaciones a los derechos humanos se ha deteriorado significativamente, en particular en lo que tiene que ver con altos oficiales de la Fuerzas Armadas y con los líderes de los grupos paramilitares (HRW, 2002).

2. *Ibid.*

3. *Ibid.*

4. *El Tiempo*, 30 de agosto de 1995, p. 6A.

5. Revista *Semana*, 30 de julio de 2001.

6. *El Tiempo*, 10 de enero de 1997, p. 5A.

7. *El Tiempo*, 24 de noviembre de 1988, p. 5C.

8. «Informe del Defensor del Pueblo para el gobierno, el Congreso y el Procurador General de la Nación, Estudio de caso de homicidios de miembros de la Unión Patriótica y Esperanza, Paz y Libertad», Defensoría del Pueblo, 1992.

9. El procurador en ese momento era el político liberal Horacio Serpa Uribe.

10. *El Mundo*, 7 de diciembre de 1988, p. 14A.

11. *Ibid.*

12. *Ibid.*

13. *Ibid.*

14. *Ibid.*

15. Véanse las declaraciones de Alonso de Jesús Baquero, alias «El Negro» o «Vladimir», *El Tiempo*, 1 de septiembre de 1996.

16. *Ibid.*

17. *Ibid.*

18. *El Mundo*, 5 de mayo de 1988, p. 9.

19. *El Tiempo*, 4 de octubre de 1988, p. 10A.

20. *El Tiempo*, 9 de agosto de 1991, p. 8A.

21. *El Tiempo*, 25 de noviembre de 1994, p. 6A.

22. *Ibid.*, p. 8A.

23. De acuerdo con su hermano Carlos, el mayor de los hermanos Castaño fue muerto en combate con la disidencia del EPL que no participó en la desmovilización de 1991, la cual siguió operando en la serranía de Abibe hasta finales de 1996. La fecha de la muerte de Fidel puede ser el 6 de enero de 1994 (Aranguren, 2001).

24. *El Tiempo*, 29 de septiembre de 1997, p. 1A.

25. *El Tiempo*, 8 de enero de 1995, p. 19A.

26. *El Tiempo*, 8 de septiembre de 2002, p. 8E.

27. *El Tiempo*, 14 de julio de 1995, p. 17 A.

28. *El Colombiano*, 19 de mayo de 1995, p. 11A.

29. *El Tiempo*, 28 de septiembre de 1997, p. 1A.

30. *El Colombiano*, 24 de mayo de 1995, p. 8A.

31. *El Tiempo*, 27 de julio de 1995, p. 8A.

32. *El Tiempo*, 22 de marzo de 1995, p. 7A.

33. *El Tiempo*, 30 de agosto de 1995, p. 6A.

34. *El Tiempo*, 8 de septiembre de 1995, 8E.

35. *El Colombiano*, 7 de abril de 1996, p. 14A.

36. *El Nuevo Siglo*, 13 de abril de 1996, p. 11.

37. Revista *Alternativa*, N.º 11, 15 de junio-15 de julio de 1997.

38. *El Tiempo*, 10 de enero de 1997, p. 5A.

39. *Newsweek*, 2 de junio de 1997, p. 16.

40. Informe de trabajo de la Comisión Verificadora de los acuerdos suscritos entre el gobierno nacional y los campesinos que ocuparon el coliseo de Apartadó, Cinep, mimeo, julio de 1996.

41. Revista *Alternativa*, N.º 11, 15 de junio-15 de julio de 1997.

42. *El Espectador*, 27 de junio de 1996, p. 5A.

43. *El Tiempo*, 10 de mayo de 1997, p. 13A.

44. Revista *Alternativa*, N.º 11, 15 de junio-15 de julio de 1997.

45. *El Tiempo*, 10 de mayo de 1997, p. 13A.

CAPÍTULO 6

FRAGMENTACIÓN Y TENSIONES ENTRE CIVILES Y MILITARES, Y ENTRE EL CENTRO Y LA REGIÓN

La decisión del presidente conservador Andrés Pastrana de concluir las negociaciones de paz con las FARC en febrero de 2002 y la elección del candidato liberal Álvaro Uribe Vélez como nuevo presidente en mayo del mismo año, cerraron un ciclo de 20 años de intentos de paz por la vía negociada en Colombia, o al menos un ciclo en el discurso político que tenía como eje la incorporación pactada de la guerrilla al sistema político. La propuesta del presidente Uribe le dio un viraje de 180 grados a la estrategia estatal, al hacer hincapié en el fortalecimiento del Estado, la autoridad y el respeto a la ley, en reemplazo de una eventual negociación con la guerrilla. Ésta pide una negociación en pie de igualdad, o como si fuera similar a un Estado. Ante esto, el presidente Uribe ha reaccionado indicando que en Colombia «hemos tenido muy poca autoridad y mucho poder irregular», y que diálogo y autoridad no se contraponen (Uribe Vélez, 2000, p. 53), refiriéndose al abierto desafío al Estado constitucional hecho por las FARC en la zona desmilitarizada del Caguán, otorgada a este grupo insurgente por la administración anterior.

En las dos décadas de acercamientos entre gobierno y guerrillas iniciados por el presidente conservador Belisario Betancur en 1982, el conflicto armado se agravó y las dos guerrillas de significación que permanecieron activas —las FARC y el ELN— crecieron y por lo menos la primera se fortaleció. Además, una diversidad de actores armados irregulares y contrainsurgentes emergieron, opuestos a las negociaciones de paz y agrupados en las AUC, unos, o en organizaciones menores, otros. ¿Qué sucedió con las Fuerzas Armadas constitucionales en esos 20 años, durante los cuales la razón de su existencia —o sea el monopolio de la fuerza organizada— fue gravemente cuestionada por la consolidación de esos competidores armados contraestatales y paraestatales? ¿Cómo asumió la organización militar esos intentos de incorporación negociada de la guerrilla a la comunidad política? ¿Qué efectos en el ámbito subnacional propiciaron las tensiones y desacuerdos entre el poder civil y el militar sobre esos acercamientos entre gobierno y alzados en armas a escala nacional?

Sin duda, las negociaciones de paz con la guerrilla constituyeron el proceso político más importante de las dos últimas décadas del siglo XX en Colombia, período en el cual ocurrieron importantes cambios institucionales, en el régimen político y en el mismo Estado, como resultado directo o indirecto de esas negociaciones o de su fracaso. En este capítulo se presenta un análisis de las tensiones, crisis y transformaciones de las Fuerzas Militares y del área de seguridad en relación con los acercamientos entre gobierno y guerrilla, y de los efectos de esos intentos por redefinir la comunidad política en las alianzas, coaliciones o concurrencias para la defensa de intereses, motivaciones o visiones de mundo en el ámbito subnacional. El apoyo directo o indirecto de sectores estatales y del sector privado a grupos de autodefensa primero, y a grupos paramilitares después, ha estado en el centro de las dinámicas políticas desatadas por las negociaciones de paz entre gobierno y guerrilla desde 1982. Ahora que esa posibilidad de negociaciones se ha cerrado y no se vislumbran condiciones políticas en el futuro cercano para reanudarlas, la desmovilización de algunos de los núcleos más importantes de los grupos paramilitares y de autodefensa parece previsible, y en esa dirección se han encaminado los acercamientos entre el comisionado de paz, Luis Carlos Restrepo, y algunos de los líderes de esas agrupaciones[1].

NEGOCIACIONES DE PAZ Y FUERZAS MILITARES: SALTO AL VACÍO EN LAS REGIONES

La transformación estatal o descentralización, las negociaciones de paz con la guerrilla y la apertura política iniciada a principios de la década de los ochenta de la centuria pasada coincidieron con uno de los momentos más tensionantes de la Guerra Fría y con la polarización surgida del conflicto centroamericano, hechos que enmarcaron en la disputa Este-Oeste las oportunidades de democratización que ofrecieron esos cambios. Esto resaltó la dimensión ideológica del contexto, en detrimento de las peticiones por justicia social, reconocimiento político y reformas que los sectores movilizados armados y no armados pusieron en la discusión pública. En este contexto, las Fuerzas Militares colombianas, formadas y entrenadas en el marco de la Guerra Fría para combatir al «enemigo interior», se convirtieron en un opositor formidable a los intentos de reconciliación y ampliación del sistema político iniciados por el presidente Belisario Betancur en 1982 (Dávila, 1998; Leal, 1994a y 1994b).

La tensión entre el Ejecutivo y el estamento militar, situación que llegó a veces a un evidente enfrentamiento entre Presidencia y Fuerzas Armadas, ha sido una constante hasta hoy cuando de conversaciones de paz entre insurgencia y gobierno se trata. Esa diferencia de apreciaciones entre estas dos agencias estatales configuró un *path dependency*[2] que ha limitado los intentos de paz y reducido las posibilidades de solución política al conflicto.

El episodio más reciente de esa tensión fue la renuncia del ministro de Defensa, Rodrigo Lloreda, en mayo de 1999, debido a desacuerdos con la decisión presidencial de prolongar la zona desmilitarizada para las FARC. Esto sucedió en un contexto de ambigüedades sobre el ejercicio de la autoridad en la zona otorgada a esta guerrilla y el uso que se le dio (Leal, 2002), y la silla vacía dejada por Manuel Marulanda, jefe de las FARC, en el inicio de la mesa de diálogo entre el gobierno y la guerrilla en San Vicente del Caguán en enero de 1999. La ceremonia contó con asistencia del presidente Andrés Pastrana e invitados nacionales e internacionales, incluido el antiguo presidente Belisario Betancur, quienes se quedaron esperando al jefe de las FARC (Téllez, Montes y Lesmes, 2002). Esta agrupación justificó el plantón temiendo un atentado en contra de la vida de su dirigente y como presión para que el gobierno se comprometiera a una campaña frontal contra los grupos de autodefensas y paramilitares.

La renuncia del ministro Lloreda sucedió pocas semanas después de que la Presidencia ordenara el retiro de dos generales acusados de promover grupos paramilitares, decisión controvertida dentro del estamento militar. Además, esta determinación vino acompañada de la elaboración de una lista de altos oficiales de las Fuerzas Militares que podían estar involucrados en investigaciones por supuestos vínculos con esos grupos irregulares, y a los cuales eventualmente habría que «descabezar». La lista fue elaborada por la Procuraduría a pedido del asesor de paz, Víctor G. Ricardo, luego de una solicitud de las FARC (Téllez, Montes y Lesmes, 2002). En solidaridad con el ministro renunciante, la plana mayor de las Fuerzas Armadas amenazó con pedir la baja del servicio: 17 generales, encabezados por el comandante del Ejército, y más de 100 coroneles y mayores, además de otros oficiales y suboficiales. También se especuló sobre amenazas de posibles deslizamientos de oficiales y soldados bajo su mando hacia los grupos paramilitares y de autodefensas[3].

Esa rivalidad abierta, y a veces soterrada, por el manejo del orden público y la política frente a la rebelión armada en momentos de reformismo político, ha sido parte del contexto en el que se han desarrollado los grupos paramilitares y de autodefensas. Desde 1982 cada gobierno que se ha apartado de lo que piensa el alto mando militar en ese momento ha tenido que enfrentar conatos de insubordinación y rupturas con la institución militar, que se han solucionado con destituciones o renuncias. En el gobierno del conservador Belisario Betancur (1982-1986) sucedió con el ministro de Defensa, general Fernando Landazábal. En el período del presidente liberal Virgilio Barco (1996-1990) ocurrió con el ministro de Defensa, general Rafael Zamudio. Durante el gobierno del también liberal Ernesto Samper (1994-1998) el altercado fue con el comandante de las Fuerzas Armadas, general Harold Bedoya.

Esa tensión entre las Fuerzas Militares y la Presidencia, y la ambigüedad resultante en la subordinación/autonomía militar[4] frente al gobierno civil y sus políticas de paz, han sido el terreno fértil en el cual se ha dado la confluencia regional de los sectores sociales y políticos descontentos con una negociación política con las guerrillas. Ese conflicto por autonomía/subordinación entre Presidencia y Fuerzas Militares —en particular el Ejército— tuvo efectos inesperados a escala subnacional. La inconformidad militar por las políticas de paz del Ejecutivo llevó a la organización armada a buscar apoyo para sus puntos de vista entre las élites regionales hostigadas por la extracción de recursos y amenazas de las guerrillas, y además acosadas por la movilización social de grupos que presionan por reformas e inversión estatal. Esto fue un hecho durante el inicio de las negociaciones entre gobierno y guerrilla en la primera parte de los años ochenta y luego de la nueva Constitución de 1991, como se analizó en los casos de Córdoba y Urabá.

En efecto, la sensación de traición sentida por la alta oficialidad y grupos de poder local como resultado de la negociación creó un espacio de confluencia para estos dos sectores (Behar, 1985; Romero, 1999). Élites regionales y organización militar coincidieron en su oposición a las políticas de paz durante el gobierno de Belisario Betancur, y desde entonces esa confluencia ha sido definitiva para los resultados de los intentos de reconciliación que han pretendido ir más allá de la mera desmovilización y reinserción de los guerrilleros, como se ha demostrado con las FARC y el ELN. Esa concurrencia regional, sumada a la inversión de narcotraficantes en la compra de predios rurales y propiedades urbanas a todo lo largo y ancho del país, evolucionó con variaciones locales hacia el fenómeno paramilitar y de autodefensas del presente.

Esa «alianza funcional»[5] entre grupos de poder local, sectores de las Fuerzas Armadas y narcotraficantes en contra de las guerrillas y las organizaciones sociales que apoyaron las negociaciones de paz, se fortaleció aún más con las reformas de descentralización política y administrativa iniciadas a mediados de los años ochenta. En efecto, el balance del poder político local se vio amenazado. Había una posibilidad real de que antiguos guerrilleros o candidatos de los frentes electorales de la izquierda con aprobación, respaldo o simpatías de la guerrilla —Unión Patriótica, Frente Popular y A Luchar, entre otros— ganaran alcaldías y rompieran el monopolio local y regional de los partidos Liberal y Conservador, como resulta-

228 Paramilitares y autodefensas, 1982-2003

do del proceso de paz, por un lado, y de la nueva estructura estatal que permitía la elección de mandatarios municipales, por el otro.

Esto puso al rojo vivo la disputa por el poder político y burocrático local en 1988, 1990, 1992 y 1995, años de las cuatro primeras elecciones locales y de los mayores índices de violencia. Esta situación fue dramática en las regiones con agudos conflictos sociales y movimientos populares organizados, y además con influencia regional de la guerrilla.

En los capítulos anteriores se analizaron los casos de Urabá, Córdoba, noreste antioqueño, Magdalena Medio, pero no hay que olvidar el piedemonte llanero de la cordillera Oriental. Precisamente en estas zonas se constituyeron los centros donde se desarrollaron los núcleos paramilitares, en su gran mayoría regiones bajo tutela de las redes políticas afines al Partido Liberal y con tendencia a tener economías basadas en la gran propiedad territorial o con una alta concentración de la tierra (Cubides, 1995). Esas redes partidistas además de percibir el riesgo político, eran cortejadas por los emergentes y poderosos jefes del narcotráfico, quienes venían adquiriendo tierras rurales y urbanas en las zonas de conflicto social y armado desde finales de la década del setenta (Reyes, 1997; Romero, 1995). En estas regiones ha sido donde se han presentado los casos de abierta colaboración entre sectores o individuos de las Fuerzas Militares y las AUC o grupos afines, como se registró en los capítulos anteriores y se constata en los diferentes reportes sobre derechos humanos desde hace dos décadas (Amnistía Internacional, 1980; HRW, 2001, 2002; Departamento de Estado, 1999; CCJ, 1997).

CONSTITUCIÓN DE 1991: DESMILITARIZACIÓN CONFLICTIVA DEL ÁMBITO CIVIL

Mientras se dio ese proceso de radicalización y alinderamiento regional, en el cual los sectores más beligerantes de las Fuerzas Armadas encontraron apoyo y respaldo, en el plano nacional ocurría lo contrario en términos de prestigio y reconocimiento. Ese mayor protagonismo de la institución militar en el funcionamiento del régimen político desde mediados de los años setenta, la expuso al escrutinio y crítica de la opinión pública nacional e internacional. Así, desde el inicio de las negociaciones entre gobierno y guerrilla en

1982, esos intentos de ampliación democrática y de respeto por derechos civiles y humanos fueron acompañados por un renovado interés de la academia, intelectuales, sectores de los dos partidos tradicionales, periodistas y público en general, por el manejo del orden y seguridad interna. Igualmente, sectores de la rama judicial y de la sociedad civil denunciaron las reiteradas violaciones de derechos humanos y atropellos en contra de opositores políticos, activistas de izquierda, sindicalistas, defensores de los derechos humanos o de la misma población por parte de las Fuerzas Militares, lo que también condujo a investigaciones disciplinarias y penales[6].

La mayor injerencia de la Presidencia en los temas militares, de defensa y seguridad, lo mismo que la discusión pública sobre la amplitud de la jurisdicción militar en la vida civil, abrieron un espacio de debate sobre las competencias y prerrogativas otorgadas a las Fuerzas Armadas por la legislación de estado de sitio casi permanente desde los años sesenta (Gallón, 1979, 1983). Esa discusión fue otra cara de la intensa presión democratizadora y de afirmación de derechos civiles y humanos durante la década de los ochenta. La observancia de esos derechos era ambigua e irregular. Muchos de ellos habían sido negados en la práctica por la política de orden público y por el tratamiento militar a las demandas sociales y de ampliación de la democracia durante el régimen del Frente Nacional (1958-1974) y su prolongación formal e informal en años posteriores.

Los intentos por recuperar para el sector civil del Estado la jurisdicción sobre el orden público y por defender los derechos del ciudadano fueron garantizados por la Constitución de 1991, la cual fue redactada por una asamblea elegida por voto universal. Esta Asamblea Constituyente reunió un amplio abanico de fuerzas políticas, entre las cuales los constituyentes elegidos por la lista presentada por el M-19, grupo guerrillero desmovilizado, representaron un tercio del total (Dugas, 1993). Este movimiento despertó una gran expectativa por su tránsito a la vida legal y logró canalizar por un par de años una parte significativa del descontento social frente al régimen liberal-conservador, recibiendo el apoyo de sectores del sindicalismo, de la Iglesia católica, otras iglesias cristianas y grupos de oposición al bipartidismo y de defensa de los derechos humanos. En este contexto de cambio y reconciliación, hubo una coincidencia entre estas tendencias políticas nuevas y sectores reformistas de los partidos tradicionales para limitar la competencia sobre la vida civil del ámbito militar.

Sin embargo, esa afirmación de derechos iba en desmedro de la jurisdicción militar, y fue considerada por los altos mandos como una reducción de sus instrumentos para el control de la subversión (Salcedo, 1999). Esto tuvo como efecto inesperado el reforzamiento de las alianzas contrainsurgentes regionales y la creación de un terreno de confluencia con sectores del narcotráfico. El «síndrome de la Procuraduría» se le llamó entre oficiales y suboficiales al temor surgido por las posibles consecuencias legales de «hacer cumplir la Constitución». En efecto, ha sido común en el medio militar decir que «estamos en Cundinamarca [departamento en el centro del país del cual Bogotá es la capital], y no en Dinamarca», para presionar por una «legislación de guerra» que les devuelva las facultades perdidas a finales de la década de los ochenta y comienzos de la de los noventa, lo que a juicio del alto mando les facilitaría el control del orden público.

La ausencia de una excepcionalidad jurídica que ampare legalmente unas prácticas militares que desconozcan derechos individuales y colectivos ha sido la razón aducida por el Ministerio de Defensa para explicar la ineficacia militar frente a la guerrilla, e indirectamente, el crecimiento de una demanda por seguridad privada, o sea por los grupos paramilitares[7]. En este contexto la propuesta de seguridad democrática del presidente Uribe junto con las zonas especiales de rehabilitación y consolidación hacen hincapié en prerrogativas judiciales para las Fuerzas Armadas y sus cuerpos de seguridad, en contravía de la tendencia iniciada con la Constitución de 1991, cuando existían grandes expectativas por una solución negociada al conflicto armado.

Las tablas 6.1 y 6.2 dejan ver importantes tendencias en la jurisdicción militar sobre diferentes áreas de seguridad pública, las cuales indican una conflictiva desmilitarización de esos dominios en favor de un manejo civilista y democrático[8], el cual ha sido enérgicamente resistido y criticado por las autoridades militares en las regiones con conflicto y movilización social e influencia de la guerrilla, como se observó en el caso de Urabá, Córdoba y Magdalena Medio en los capítulos anteriores.

TABLA 6.1 Cambio en prerrogativas militares en Colombia, 1974-2002

Función del Ejército	1974-1981	1982-1990	1991-1997	1998-2002
En coordinación del sector de defensa	Alta	Alta	Moderada	Alta-moderada
En el sistema judicial	Alta	Alta-moderada	Moderada	Moderada
En autonomía potencial en disturbios y rebeliones internas	Alta	Alta	Alta-moderada	Alta-moderada
En la institución policial	Alta	Alta	Moderada	Moderada-baja
En servicios de inteligencia	Alta	Alta	Alta-moderada	Alta-moderada
En criterios para promociones	Alta	Alta	Alta-moderada	Moderada
En recepción de ayuda y entrenamiento externo	Moderada	Moderada	Baja	Alta
En control sobre actividad económica	Industria militar ligera, importación y venta nacional de armas y municiones	Industria militar ligera, importación y venta nacional de armas y municiones	Industria militar ligera, servicios de seguridad, importación y venta nacional de armas y municiones	Industria militar ligera, servicios de seguridad, importación y venta nacional de armas y municiones

Fuente: Dávila, 1998; García-Peña, 1995; Leal, 1994a, 1994b; Reyes, 1990; Torres, 1986.

El juzgamiento de civiles por militares fue una de las primeras prerrogativas que enfrentó a una gran oposición de la sociedad civil con importantes grupos de la rama judicial en la década de los ochenta, hasta que finalmente fue incluida como prohibición constitucional en 1991. La reforma de la Policía en 1993 otorgó mayor independencia de las Fuerzas Militares, aunque aún la Policía sigue siendo parte del Ministerio de Defensa. Desde la década de los noventa, el titular de esta cartera es un civil nombrado por el presidente, cuando antes era el oficial activo de mayor antigüedad. Las promociones ya no son prerrogativa interna de las Fuerzas Militares, sino son supervisadas por la Presidencia y bajo una mirada vigilante de la sociedad civil, de ONG internacionales y aun del mismo gobierno de los Estados Unidos. Un área sobre la cual se ha progresado, pero no lo suficiente, es la de los servicios de inteligencia, que todavía están bajo fuerte influencia militar y los intereses corporativos de este sector. La ausencia de discusión amplia y en el Congreso sobre los temas de defensa y seguridad es aún notable, y más cuando el presupuesto para defensa llegó a 3,6% del PIB en 1998, el más alto de América Latina[9], y se espera que esa participación haya seguido aumentando con el Plan Colombia y el programa de la seguridad democrática del presidente Uribe.

TABLA 6.2 CAMBIOS INSTITUCIONALES EN EL SECTOR DE DEFENSA,
1974-2002

	1974-1981	1982-1990	1991-1997	1998-2002
Función del Congreso en el sector de defensa	Baja	Baja	Baja-moderada	Moderada
Nivel del Ministro de Defensa	Oficial de mayor graduación	Oficial de mayor graduación	Civil nombrado por el presidente	Civil nombrado por el presidente
Militar activo en el gabinete	Ministro de Defensa	Ministro de Defensa	Ninguno	Ninguno

Fuente: Dávila, 1998; García-Peña, 1995; Leal, 1994a, 1994b; Reyes, 1990; Torres, 1986.

Un tema sobre el cual existía poca información y debate hasta el inicio de la implementación del Plan Colombia en el año 2000, es el de la ayuda y entrenamiento internacional, en este caso el de la asesoría militar de los Estados Unidos (IEPRI, 2001). Esto es importante dados los efectos de ese apoyo sobre el comportamiento de la institución militar frente a la población, el medio ambiente y sobre los intereses geopolíticos del Estado colombiano, como está sucediendo con las fumigaciones de los cultivos ilícitos en el sur y otras regiones del país, con efectos importantes sobre miles de campesinos, sus medios de subsistencia, el hábitat amazónico y la presencia militar estadounidense en un territorio considerado estratégico para su futuro por los países limítrofes.

Además, este tema de la ayuda y asesoría es importante porque la identidad y la cohesión interna de las Fuerzas Armadas en América Latina se han constituido no sólo en relación con el contexto interno, sino con gran influencia del sistema internacional, como se demostró durante el enfrentamiento Este-Oeste, la Guerra Fría y la proliferación de gobiernos militares en la región. Esto significa que en la actualidad se estarían moldeando una identidad, unas afinidades y una agenda dentro de las fuerzas favorecidas por el Plan Colombia, que además de las declaraciones de respeto a los derechos humanos, también podrían estar convirtiéndose en el punto de apoyo para las estrategias unilaterales de los Estados Unidos en la región amazónica (Restrepo, 2001), y eso es lo que preocupa a los países vecinos, en particular a Brasil.

Una de las prerrogativas que han generado más polarización entre civiles y militares es la de la amplitud del fuero militar, por el cual delitos cometidos por miembros de las Fuerzas Armadas en actos del servicio son juzgados por tribunales militares. Este privilegio, que invoca el espíritu de cuerpo, ha servido para proteger de sanciones administrativas y penales a miembros de las instituciones castrenses acusados de violar la ley. Esa tensión entre el estamento militar, por un lado, y sectores de la rama judicial y de la sociedad civil, por el otro, por la jurisdicción para juzgar los delitos cometidos por miembros activos de las Fuerzas Militares, ha sido el terreno de una agria disputa desde finales de los años setenta, en particular cuando las acusaciones tienen que ver con violaciones de los derechos humanos. Los controles que difícilmente el sector judicial ha logrado imponer al ejercicio de la actividad militar desde finales de los años ochenta han sido considerados por los altos mandos como graves limitantes de su deber constitucional por mantener el orden público, en especial en un período de enfrentamiento armado (Salcedo, 1999).

Esa tensión ha tenido importantes repercusiones operacionales dentro de las Fuerzas Armadas, y con frecuencia es aducida por las Fuerzas Militares como generadora de baja moral dentro de sus miembros, responsable de la poca efectividad para combatir a la guerrilla a pesar de los crecientes recursos e, indirectamente, propiciadora del desarrollo de los grupos paramilitares. En el más reciente episodio por recuperar las funciones de policía judicial perdidas a finales de los años ochenta, el ministro de Defensa Luis Fernando Ramírez presentó un paquete de reformas para «fortalecer la capacidad operativa» de las Fuerzas Militares. La reforma incluía la ampliación de la jurisdicción militar en el área de seguridad pública. El ministro la justificó indicando que «en la medida en que fortalezcamos a las Fuerzas Militares y de Policía con más herramientas jurídicas para actuar, menos violaciones de derechos humanos tendremos en Colombia». Ramírez agregó que «lo que ha ocurrido es todo lo contrario, les quitamos herramientas, les quitamos facultades, les quitamos autoridad, con lo que llevamos a que los militares se crucen de brazos y entonces surja la justicia privada»[10].

Como era de esperarse, la propuesta del ministro Ramírez fue recibida con enorme escepticismo por las ONG de derechos humanos, columnistas de la prensa y sectores de oposición en el parlamento, a pesar de las aclaraciones de que las nuevas facultades tendrían una supervisión estrecha de la Procuraduría y la Fiscalía. Hay que señalar que durante el período 1991-1997, precisamente después de la finalización de la Guerra Fría, la ayuda y asesoría militar de los Estados Unidos a las Fuerzas Militares estuvo en su punto más bajo, debido al registro de violaciones de derechos humanos de la institución armada y a la importancia de este tema en la agenda del gobierno demócrata del presidente Bill Clinton, quien reemplazó en 1992 a la administración republicana encabezada por George Bush. Conviene recordar también que el inicio de ese lapso coincide con el nombramiento del primer civil como ministro de Defensa en 37 años, y con una mayor injerencia de la Presidencia en materias de seguridad, financiamiento y organización de las Fuerzas Armadas. Esto vino acompañado de un mejoramiento salarial y de seguridad social significativo para la oficialidad, y un aumento importante en la partida militar, la cual llegó al 30% del presupuesto anual del gobierno central. Paradójicamente, estos años —especialmente hacia el final del período— también coincidieron con una de las más agudas crisis institucionales de las Fuerzas Militares de las últimas décadas (Leal, 2002) y, precisamente, con el desarrollo y consolidación de las AUC como organización con cubrimiento nacional.

MILITARES EN LA DÉCADA DE LOS NOVENTA: A LA DEFENSIVA Y HUÉRFANOS DE LIDERAZGO

La difícil situación institucional de la década de los noventa se puede asociar a la ausencia de vínculo con un liderazgo internacional fuerte que ofreciera motivaciones ideológicas, políticas y éticas para justificar una misión dentro de la conflictiva y dividida configuración nacional colombiana —como existió en su momento durante la Guerra Fría—. Además, esta falta de norte se agravó frente a la pérdida de prerrogativas en favor de un poder civil crítico de las Fuerzas Militares, pero que tampoco ofrecía un liderazgo. En este contexto, sectores significativos de las Fuerzas Armadas optaron por continuar operando en las regiones con la misma lógica de la confrontación Este-Oeste, considerándose como la encarnación de la nación frente a unas negociaciones de paz que no creían convenientes. En esa misma perspectiva otros sectores de la población civil fueron definidos como un «enemigo interior», al igual que lo habían hecho en el pasado, sin importar el cambio en la nueva agenda internacional, sin explorar posibilidades de reconciliación y, más grave aún, sin prestar atención a las credenciales de los compañeros de ese viaje contrainsurgente. Valdría la pena reflexionar sobre la responsabilidad que les cabe a las administraciones del Partido Liberal en esa ausencia de liderazgo político. No en vano la dirección del Estado recayó en ese partido durante el período 1986-1998, 12 años en los cuales se desarrollaron y consolidaron las diferentes organizaciones paramilitares como fenómeno nacional, y en el cual ese partido también tuvo amplias mayorías parlamentarias.

Hay que considerar que esa búsqueda de autonomía de las Fuerzas Militares frente a la Presidencia y el poder civil en materia de negociaciones con la guerrilla ha estado respaldada por esa resistencia de las élites regionales a las políticas de paz —y en general a las intervenciones del Estado central que conlleven responsabilidades sociales o ciudadanas como extinción del latifundio, respeto a derechos y libertades laborales, de asociación y civiles, pago de impuestos sobre propiedad rural o actividades agroindustriales, etc. (Bejarano, 1988)— y al apoyo de este sector a la política de «mano dura» favorecida por algunos sectores en el Ejército (Romero, 1999). Sin embargo, también hay que reconocer los efectos de la bipolaridad internacional durante la Guerra Fría; el inicio de las conversaciones de paz en 1982 da una imagen clara. Si las condiciones internas no favorecieron la iniciativa del presidente Betancur en ese entonces, aún menos lo hizo la situación internacional. La Guerra Fría estaba en su momento más intenso en los años ochenta.

En Centroamérica, la administración Reagan apoyó abiertamente a la oposición armada al régimen sandinista, a la contrainsurgencia en El Salvador y Guatemala, y protegió con vehemencia su patio trasero en el Caribe. El presidente Reagan llamó «luchadores por la libertad» a la Contra nicaragüense, un término que ofreció a los sectores más duros de las Fuerzas Militares colombianas una justificación política y moral para sus llamados a que propietarios, ganaderos, comerciantes y afectados por la acción predadora de la guerrilla asumieran su propia defensa, pero delegándola en manos de empresarios de la coerción y sus grupos paramilitares. Estos sectores dentro de la sociedad y el Estado necesitaban justificar su violencia en contra de reformadores, activistas sociales y radicales, y así responder a las acusaciones de violación de los derechos humanos. Lewis Tambs, embajador estadounidense en Colombia a comienzos de los años ochenta contribuyó a enmarcar a los insurgentes como criminales comunes, acuñando el término «narcoguerrilla», el cual aludía en ese momento al papel de los alzados en armas como mediadores entre traficantes de drogas y campesinos cultivadores de coca.

Las negociaciones de paz de los años ochenta indicaron la dificultad para crear una nueva comunidad política, ampliar el concepto de nación a grupos marginados y excluidos y redefinir el sistema bipartidista. Esos intentos de paz revelaron lo inflexible de las identidades moldeadas durante el prolongado conflicto armado en el marco de la Guerra Fría. El caso de las Fuerzas Armadas durante la década de los ochenta reveló cómo sus identidades se forjaron en relación con los actores políticos internos, la fragilidad institucional en los contextos regionales y locales y la consiguiente penetración de intereses particulares e ilegales, y también en relación con el contexto internacional. Las negociaciones indicaron que las Fuerzas Armadas, como un todo e individualmente, respondían y se sentían interpeladas no sólo frente a sectores sociales y políticos locales y nacionales, sino también frente a actores internacionales, en este caso el gobierno republicano de los Estados Unidos. La asimetría de las relaciones entre los Estados Unidos y un país como Colombia ha indicado que no sólo la política internacional de un país pequeño está limitada, sino también su política interna: un proceso de reconciliación nacional como el colombiano ha sido a la vez nacional e internacional.

Los obstáculos para fortalecer el Estado nacional y sus instituciones a través de la redefinición de la comunidad política en la década de los ochenta, revelaron la profundidad de los intereses, imágenes y representaciones favorecidos por el Frente Nacional y la Guerra Fría, y su hondo entrelazamiento en la cultura política colombiana. El hecho de que sectores de las Fuerzas Armadas, apoyados por élites regionales y narcotraficantes convertidos en terratenientes, confrontaran las políticas de paz de la Presidencia develó la intensidad del antagonismo. Pocos anticiparon la magnitud del proceso desatado por esa reacción y las implicaciones que tendría para las posibilidades futuras de reconciliación y pacificación.

En efecto, la ausencia de liderazgo democrático y civilista fue reemplazada por la perspectiva contrainsurgente que se desarrolló en los primeros grupos de autodefensa del Magdalena Medio en asocio con oficiales del Ejército y propietarios acosados por la guerrilla, y luego propagada por los grupos paramilitares de Fidel Castaño (Medina, 1990; Castro, 1996). El MRN, primero, luego las ACCU, y finalmente las AUC darían cuerpo, organización y dientes a esa visión para la cual la única forma de derrotar a la insurgencia y romper sus vínculos e influencias en los movimientos sociales y políticos era la guerra irregular o «guerra sucia».

En esta perspectiva, el enemigo fundamental ha sido la población civil. Esta vía de solución del conflicto armado convirtió en «objetivo militar» a cualquier individuo que las autodefensas o paramilitares consideraran sospechoso, lo cual no es difícil en la lógica de blanco o negro de los enfrentamientos armados. Sin sorpresa, las FARC y el ELN han ido lentamente asumiendo una visión similar en algunas regiones, pero desde el bando contrario, y actuando de la misma forma. Otro término acuñado por esa manera peculiar de entender la crítica y el disenso es el de «parasubversivo», que era cualquiera en desacuerdo con las AUC y sus diferentes componentes. La romería de intelectuales, profesores universitarios, periodistas o simples activistas de derechos humanos o sindicalistas exilados o en un silencio forzado por las acusaciones de «parasubversivos» creció drásticamente desde 1996, y se suma a los dos millones de desplazados por el conflicto en los últimos seis años y a la crisis de violación de derechos humanos evidente desde los años ochenta del siglo pasado.

En ausencia de ese liderazgo civilista, la perspectiva contrainsurgente colonizó significativos sectores de las Fuerzas Armadas, lo que se ha reflejado en la persistente relación observada en los ámbitos local y regional entre unidades del Ejército y grupos paramilitares en varias zonas del país, lo mismo que algunas de las coincidencias ideológicas y operativas entre estos dos aparatos armados[11]. En la década de los noventa, esa confluencia entre individuos y grupos de las Fuerzas Militares y los diferentes grupos de las AUC coincidió con una serie de derrotas militares de importancia infligidas por las FARC al Ejército, las cuales llegaron a sumar 16 entre 1996 y 1998, y ubicaron a ese grupo en una posición negociadora de privilegio que se reflejó en las concesiones logradas por las FARC en la mesa de negociaciones de 1998 (Ospina, 2002). Esas derrotas ocurrieron como resultado de una dispersión del Ejército a lo largo y ancho de la geografía siguiendo la expansión del fenómeno guerrillero, frente a una táctica de concentración temporal de fuerzas de la guerrilla para golpear a las unidades militares en inferioridad de número[12].

Lo que no se pudo hacer en el campo de batalla llevó a algunos sectores de las Fuerzas Militares a buscarlo por métodos irregulares, sin establecer ni mantener una posición ética y moral superior. Si bien las Fuerzas Militares han sido uno de los sostenes del Estado y del fragmentado régimen bipartidista, por momentos se han constituido también en un obstáculo institucional para la consolidación de una democracia más pluralista y una salida negociada al conflicto (Dávila, 1998). En efecto, los hechos más significativos en este aspecto durante el final de la década de los noventa, y tal vez los más recientes, tuvieron que ver con el retiro de tres comandantes de brigada entre abril y agosto de 1999, acusados de promocionar grupos paramilitares o permitir el ataque de éstos a poblaciones desarmadas en dos de las zonas más fuertes de enfrentamiento contra la guerrilla. Se trata del general Rito Alejo del Río, comandante de la XVII Brigada, con sede en Urabá; el general Fernando Millán, comandante de la V Brigada, con sede en Bucaramanga, y el general Alberto Bravo, sucesor del anterior en la misma jurisdicción. Este último fue sordo a las advertencias de algunas ONG sobre el ataque inminente de paramilitares a la población civil en Norte de Santander, inoperancia que dejó más de un centenar de civiles asesinados en una semana en la región del Catatumbo[13].

Para el general Bravo las voces de alarma no eran creíbles, porque de «las ONG de derechos humanos no se puede esperar nada que no sea tergiversación», y a su amparo «voceros y manipuladores, como apéndices de la guerra, se constituyen en principal soporte político de las criminales organizaciones al margen de la ley»[14]. A pesar de que los altos mandos han reiterado que no hay una política institucional de apoyo a esas organizaciones armadas, la repetición de hechos similares hace pensar que como resultado de las coincidencias ideológicas y de adversario puede existir una tendencia dentro de las Fuerzas Militares que mantiene viva esa relación y que, de paso, desacredita a toda la institución al mostrar unos miembros que violan la misma ley que dicen defender.

PARAMILITARES Y AUTODEFENSAS EN LA DÉCADA DE LOS NOVENTA: RECONOCIMIENTO POLÍTICO

En medio de la crisis de referentes y de la insuficiencia táctica de la organización militar en los años noventa, de unas prerrogativas disminuidas y sectores civiles críticos de la institución, de la crisis del gobierno Samper, el Proceso 8.000 y la honda división entre dirigentes políticos y económicos, los grupos paramilitares consolidaron una organización nacional, las AUC, lo mismo que dominio territorial en Urabá, secciones importantes de la costa Caribe y Magdalena Medio, para no citar los del piedemonte llanero en la cordillera oriental y el sur del país. Si bien los antecedentes de estas agrupaciones se encuentran en la represalia de narcotraficantes en contra del secuestro y extorsión de la guerrilla en los inicios de los años ochenta, allí no se agota su naturaleza. Estos grupos evolucionaron hacia un proyecto antisubversivo con apoyo y colaboración de elites locales y sectores de las Fuerzas Militares a finales de la década de los ochenta y comienzos de la de los noventa, para luego consolidar a su alrededor un movimiento de restauración y defensa del statu quo rural desde mediados de los años noventa.

Esta «fuerza civil antisubversiva»[15], como Carlos Castaño llamaba a su organización, logró neutralizar los intentos de reforma que pudieran afectar las estructuras de poder y riqueza en ese sector. Ese orden rural redefinido por las inversiones del narcotráfico fue hondamente amenazado por los intentos de modernización política y reformismo social impulsados desde la Presidencia, especialmente por los presidentes Belisario Betancur (1982-1986) y Andrés Pastrana (1998-2002), pertenecientes al Partido Conservador. Estos dos presidentes abrieron las negociaciones de paz con la guerrilla, en particular con las FARC, y pusieron sobre el abanico de posibilidades políticas un eventual acuerdo sobre una agenda de reformas redistributivas, las cuales tendrían un hondo impacto en la distribución de la propiedad y poder rural.

El énfasis en la oferta de seguridad al analizar el fenómeno de los empresarios de la coerción, además de oscurecer el proceso político alrededor de su surgimiento y consolidación, fue acompañado de otros cambios en las narrativas alrededor de las negociaciones de paz durante los años noventa. Si bien el centro de la discusión iniciada hace dos décadas era el acceso a recursos materiales y reconocimiento público para sectores considerados desposeídos o excluidos, 20 años después ese debate estaba más cerca de la protección y seguridad para los propietarios y empresarios afectados por el secuestro y la extorsión. Ese cambio en el discurso público a finales de la década de los noventa llegó acompañado de un crecimiento numérico de la organización paramilitar, la tendencia a la unificación en un único mando de los diferentes grupos esparcidos en el territorio y una innegable capacidad estratégica y de liderazgo de su máximo jefe, Carlos Castaño, quien tuvo la vocería indiscutida de estos grupos hasta mediados de 2001. Él logró dar voz a los opositores de las negociaciones de paz con las FARC y el ELN y, además, hizo públicas las objeciones del estamento militar, amordazado por la prohibición para deliberar en público sobre los asuntos de gobierno.

Castaño logró crear una imagen de vengador y justiciero entre los sectores pudientes frente a las arbitrariedades y secuestros de las guerrillas, avalando explícitamente el statu quo y convirtiéndose en el oponente estratégico de aquéllas, incluso por encima de la organización estatal. El jefe de las AUC hizo aún más patente la división entre las élites políticas de los partidos Liberal y Conservador en lo relativo al camino para obtener la paz, y la ausencia de liderazgo en el Partido Liberal, agrupación mayoritaria en el Congreso, pero semiparalizado por la penetración del narcotráfico y la corrupción. En este contexto, no fue difícil que sectores de las Fuerzas Militares decidieran cooperar con las AUC. Esa fragmentación y ausencia de rumbo en el Estado ha sido precisamente lo que el liderazgo del presidente Uribe ha querido cambiar, con una estrategia riesgosa de polarización y profundización del conflicto armado en el corto plazo.

Autodefinido como «el representante de la clase media», el jefe de las autodefensas mostró una efectividad mortífera en la lucha contrainsurgente, asesinando a los que él consideraba «auxiliadores de la guerrilla», ganándose no sólo el apoyo de quienes tendrían algo que perder en un eventual proceso de paz con éxito —ganaderos, latifundistas, sectores de las Fuerzas Armadas, gamonales locales y grupos del narcotráfico—, sino también despertando admiración en sectores de la población urbana por su lucha en contra del secuestro y la extorsión, y supuestamente por la libertad, la cual, en la concepción de Castaño, en ninguna forma significa también democracia. Al ser uno de los opositores más férreos a las negociaciones entre el presidente Andrés Pastrana y las FARC y el ELN, Castaño ganó audiencia pública, hasta el punto que los mismos funcionarios del gobierno mostraron preocupación. El ministro de Defensa de la administración Pastrana, Luis Fernando Ramírez, luego de un debate en el Congreso sobre los vínculos de las AUC con las Fuerzas Armadas, ganaderos y hombres de negocios, aseguró: «Me parece grave que Castaño tenga tanta adhesión en el país»[16].

Hasta el año 2000, las AUC, estuvieron conformadas por seis grupos: además de las ACCU, estaban las Autodefensas Campesinas de los Llanos Orientales, las Autodefensas Campesinas de Cundinamarca, las Autodefensas Campesinas de Casanare, las Autodefensas Campesinas de Santander y Sur del Cesar y las Autodefensas Campesinas del Magdalena Medio. Sin embargo, existen otros grupos menores con lazos más tenues con el mando central de las AUC. En el año 2000 se organizó un frente nuevo en el Valle del Cauca, pero no fue claro si era una avanzada de las ACCU o si tenía estructura y base regional autónoma. De acuerdo con volantes repartidos en Cali, este frente estaba compuesto en sus mandos altos y medios por miembros retirados de las Fuerzas Militares.

Como se ha analizado, las ACCU constituyen el sector más importante y consolidado dentro del abanico de empresarios de la coerción esparcido por el territorio nacional, es el que ha ejercido el liderazgo y, además, es el único que ha tenido presencia nacional. Hasta hace poco el Estado Mayor de las AUC estaba compuesto por un miembro de cada una de las seis autodefensas que la componían, aunque las ACCU tenían un representante adicional. Desde finales de los años noventa, el Bloque Norte de las ACCU, dirigido por Salvatore Mancuso, tuvo un desarrollo que sobrepasó al resto de esa organización, llevándolo a rivalizar con Carlos Castaño por el liderazgo de las AUC, y de las mismas ACCU. Como dice Castaño:

> Con su ingreso a la autodefensa [a finales de los años 80] en la costa Atlántica se ganó «estatus social». Su vinculación generó confianza en Córdoba y se creyó aún más en los Castaño; ya nos favorecía la clase

media de la región pero al tener un «chacho» de la alta sociedad como Mancuso, se acercó la gente que faltaba. (Aranguren, 2001, p. 242).

Proveniente de una prestante y rica familia de emigrantes italianos de Córdoba, con negocios en el cultivo de algodón y arroz y en ganadería, Mancuso reaccionó contra la extorsión y el secuestro de la guerrilla del EPL, de la cual fue víctima. Fundó la Convivir Horizonte en Montería en 1995[17], para luego tener una carrera meteórica como empresario de la coerción. El Bloque Norte acumuló poder y territorio al financiar las campañas de las ACCU en el Sur de Bolívar y el Catatumbo, y controlar cultivos de coca y sus excedentes en esas regiones, además de brindar protección y obtener beneficios de diferentes tipos de actividades ilícitas. Castaño añade:

> Mancuso avanzó en la organización y su punto de no retorno ocurrió al dejarse atrapar por el poder que se ostenta cuando se está en la autodefensa y en la ilegalidad. Mancuso adquirió un poder inmenso en el departamento de Córdoba y en la costa atlántica. Discutía el futuro de la región con los alcaldes y los ministros de Desarrollo y Agricultura. (Aranguren, 2001, p. 243)

Una vez consolidado el frente del Sur de Bolívar, el jefe del Bloque Norte «vendió» esta fuerza armada, los cultivos de coca de la serranía de San Lucas y su territorio a narcotraficantes del Putumayo, hecho que fue señalado como la confirmación de una mayor penetración e influencia del narcotráfico dentro de las AUC y de las capacidades empresariales del gestor de la operación. El mismo Castaño lo confirma: «La autodefensa es una empresa para él». (Aranguren, 2001, p. 243). A partir de este frente y sus nuevos dueños se constituyó el Bloque Central Bolívar a finales de 2002, el cual tiene una mesa de conversaciones con el comisionado de paz, Luis Carlos Restrepo, separada de la encabezada por el propio Mancuso, en asocio con Castaño.

Cada grupo regional ha sido autónomo en su financiamiento, expansión o alianzas, siempre y cuando se mantenga fiel a su prédica contrainsurgente y no haga demasiado evidente el enriquecimiento asociado con el control de una fuerza militar. Si bien los orígenes regionales de los diferentes grupos son muy diversos, el contexto de negociaciones con la guerrilla, la pérdida del control social regio-

nal por parte de las élites y la competencia armada entre narcotraficantes y guerrilleros es lo que ha caracterizado el surgimiento de
estos grupos. En ese marco, la confluencia de élites regionales establecidas o emergentes dispuestas a apoyar políticamente y a financiar los aparatos paramilitares, la asesoría o por lo menos la
cooperación de sectores de las Fuerzas Militares, y el liderazgo de
grupos o individuos vinculados al narcotráfico son los factores que
han marcado la pauta. A esto tiene que sumarse una suficiente presión política y militar de la guerrilla, o de sectores sociales organizados que demandan derechos y reconocimiento para mantener
unidos a tan variada clase de opositores.

En sus inicios, se pueden ubicar dos núcleos principales de
donde surgieron y evolucionaron los grupos conocidos de hoy. Primero, alrededor de 1981 la conformación del grupo MAS, por narcotraficantes (Castro, 1996). El objetivo era eliminar a aquellos
delincuentes comunes o guerrilleros que al ver las evidentes muestras de riquezas de este sector emergente decidieron extraerle recursos a través de la extorsión o el secuestro. El MAS nació ligado
estrechamente a fuerzas de seguridad del Ejército y la Policía, lo
que facilita entender la ampliación de los objetivos iniciales de la
alianza hacia otros de mayor envergadura y cobertura, una vez los
nuevos grupos emergentes consolidaron su poder económico como
importantes propietarios e inversionistas rurales y urbanos.

El segundo núcleo se puede ubicar en la organización, dotación
y entrenamiento de grupos de autodefensa por la XIV Brigada del
Ejército en el Magdalena Medio durante los primeros años ochenta
(Medina, 1990). Estos grupos armados conformados por finqueros
y hacendados ricos tuvieron como propósito inicial protegerse de
las FARC, pero pasaron pronto bajo el control del Cartel de Medellín, y luego se constituyeron en la base de los sicarios que eliminaron candidatos a corporaciones públicas o presidenciales de la UP y
el M-19, jueces, periodistas, sindicalistas o todos aquellos que se enfrentaron al narcotráfico, como Luis Carlos Galán, candidato presidencial del liberalismo y considerado seguro vencedor de las
elecciones para presidente en 1990.

Sin embargo, la reactivación del aparato militar de la familia
Castaño en 1993, y la organización de las ACCU un año después,

incluyó un apoyo social y político más amplio y organizado, y la articulación de un discurso acorde con su intención de convertirse en un aparato político-militar similar al de las guerrillas. Para 1995 el grupo ya había reafirmado su papel de fuerza contrainsurgente, reemplazando paulatinamente a las fuerzas de seguridad del Ejército y montado una red de comunicación radiotelefónica que sólo en Córdoba permitió a 950 fincas ganaderas de la región estar en contacto permanente[18].

Esta forma de comunicación instalada en los territorios controlados por las ACCU, sirvió de modelo para las cooperativas de seguridad Convivir propuestas por el ministro de Defensa, Fernando Botero, con el entusiasta apoyo del Ejército, durante la administración del presidente Ernesto Samper (1994-1998)[19]. Si bien se aclaró que las Convivir eran más que todo una red de inteligencia dirigida por civiles y en coordinación con las Fuerzas Militares, para beneficio de los habitantes de una región determinada, existía el riesgo de que se terminara autorizando legalmente el funcionamiento de los grupos paramilitares, ante la imposibilidad de las autoridades centrales de vigilar el funcionamiento de esas asociaciones, el tipo de armamento que utilizaban y las labores que desempeñaban. Como las críticas y las denuncias sobre coincidencias entre paramilitares y Convivir aumentaron, la Corte Constitucional declaró que estas asociaciones eran «opuestas a la Constitución Política y a la ley»[20].

Al mismo tiempo, este aparato militar surgido en Córdoba y Urabá impulsó desde 1994, en su nueva etapa como ACCU, la agrupación de las diferentes autodefensas y paramilitares del país bajo una misma sigla, las AUC, y bajo el mando de Carlos Castaño. Las AUC han operado como una avanzada militar anticomunista, en «defensa de la propiedad privada y la libre empresa» y han ofrecido su modelo de seguridad a propietarios de otras regiones del país afectados por la guerrilla o algún tipo de protesta social. Definidos como una «organización civil defensiva en armas»[21], obligada a asumir su protección frente a la extracción de recursos y amenaza contra la vida por parte de la subversión, justifican la limpieza política por el «abandono del Estado» de sus funciones de seguridad frente a los propietarios. En las zonas donde han logrado consolidar su control, las ACCU han evolucionado hacia formas de autoridad menos arbitrarias, aunque el carácter agresivo y expansivo de su actividad hace que sigan siendo asociadas con el paramilitarismo, dimensión que sus jefes tienden a soslayar, en favor de una imagen como la autodefensa, más propicia para su proyecto de restauración del orden rural.

Un rasgo que sorprendió de la nueva etapa iniciada por las ACCU a mediados de los años noventa fueron las características de organización político-militar, similar a la guerrilla, y la búsqueda de reconocimiento político. Si bien su objetivo no era enfrentar al Estado, sino suplir sus «debilidades», ese giro también correspondió a un cambio significativo en su composición. Aunque parezca paradójico, las ACCU en su nueva etapa absorbieron parte de los combatientes y cuadros políticos del antiguo EPL y de otros organizaciones de izquierda, los cuales mantenían una agria rivalidad con las FARC desde los años setenta en la región, y que en general habían iniciado una crítica en contra de los métodos de la guerrilla en sus relaciones con las comunidades campesinas. Así, para mediados de los años noventa las ACCU eran una alianza aparentemente insólita, y no sin tensiones, entre negociantes y empresarios vinculados con el narcotráfico, ganaderos y agroexportadores, y ex guerrilleros o antiguos militantes de la izquierda legal o revolucionaria, coalición que se mantenía unida dada la dimensión del objetivo común por enfrentar. El papel de esos sectores venidos desde la izquierda en la jerarquía de las ACCU, además de proveer mandos militares, ha sido clave en el trabajo político y social con la población civil.

Esa nueva composición de las ACCU se reflejó en cierta distancia, al menos en el discurso, frente al Ejército, los partidos tradicionales y el mismo narcotráfico, y un fortalecimiento de las solidaridades internas creadas alrededor de la consolidación del aparato militar y político. Otra característica que afloró con la nueva composición fue el inicio de programas de producción, educación y promoción comunitaria en las zonas de influencia de esta organización, lo cual aumentó su base social, ya no sólo con respaldo dentro de los propietarios pudientes, sino entre grupos de menores ingresos beneficiados con los programas de promoción social y económica. Los años del gobierno Samper (1994-1998) se pueden considerar como un período de ajuste de esa inusual coalición, en la que se pudieron observar dos líneas de acción independientes, sin ser contradictorias. Una relativa a la legalización de las Convivir e impulsada por el grupo de empresarios, ganaderos y propietarios, y otra interesada en un reconocimiento de las autodefensas como actor político legítimo, y liderada, entre otros, por algunos de los llamados ex guerrilleros.

La presión del gobierno de los Estados Unidos y de las organizaciones internacionales de derechos humanos sobre la administración Samper, para que reaccionara frente al evidente crecimiento paramilitar, tuvo efectos cohesionadores en estos grupos y reveló la frágil unidad política que en ese momento existía entre el gobierno central y algunas regiones. El sólido respaldo social dentro de los propietarios logrado por las ACCU en Córdoba lo atestigua la carta que 75 ganaderos enviaron al ministro de Defensa en enero de 1997. La misiva protestaba por la persecución contra Carlos Castaño y los anuncios públicos que ofrecían 500 millones de pesos de recompensa por informaciones sobre su paradero. La carta dice, «Castaño nos quitó el miedo y nos enseñó a pelear contra nuestro enemigo»[22], señalando la transformación del comportamiento político de este grupo social, el apoyo relativo a la autoridad central en esta región del país y la solidez de las lealtades locales y regionales, en contraposición con las nacionales, que habían logrado las ACCU.

El perfil político de las ACCU y de las AUC desarrollado desde 1997 incluyó declararse aliadas del Estado en su lucha contrainsurgente, a pesar de disputarle el monopolio de la fuerza organizada. Esto supuso una enérgica afirmación del derecho a la defensa propia, que como respuesta individual a la agresión suena razonable, pero como estrategia colectiva ha provocado una crisis estatal y humanitaria. Ese perfil se caracterizó por un rechazo a las negociaciones de paz en pie de igualdad con el Estado, a favor de una rendición de los alzados en armas sin compromisos con reformas políticas o redistribución de riqueza. Igualmente abanderaron la denuncia del secuestro y la extorsión como forma de coartar la libertad y violar los derechos humanos, y criticaron la perspectiva económica estatista de los proyectos políticos de los grupos insurgentes, los cuales asociaron con el fracaso del sistema socialista de la antigua Unión

Soviética. En carta al Congreso nacional refiriéndose al apoyo civil para su organización, Castaño afirma:

> Hemos dicho hasta la saciedad, que la subversión colombiana impide el adecuado desarrollo de las fuerzas productivas, que su propuesta política es anacrónica y que sus precarias y abstractas monsergas económicas y sociales han sido desechadas por toda la humanidad civilizada.[23]

Los voceros de los paramilitares también llamaron la atención sobre la creación de riqueza y generación de empleo en las zonas protegidas por sus fuerzas, en contraste con el atraso que a juicio de ellos ocurre en las regiones donde la guerrilla predomina (Castro, 1996). Sin embargo, tres circunstancias oscurecieron esa prédica antisubversiva. La primera es la estrecha vinculación de los grupos paramilitares con sectores asociados con el narcotráfico. Una de sus funciones iniciales fue la «limpieza de indeseables» de las tierras rurales compradas para legalizar las narcoganancias (Reyes, 1994). Esto se complementó en la década de los noventa con el control de territorios con cultivos de coca y amapola, como se puede deducir de la correlación entre evolución de hombres en armas y área sembrada en coca presentada en la Figura 6.1.

La segunda es el uso de la violencia en contra de políticos de izquierda o progresistas, activistas de derechos humanos, campesinos, sindicalistas y en general el liderazgo social popular, rasgo que ha caracterizado a estos grupos irregulares con efectos devastadores para las posibilidades de democratización abiertas por la descentralización y la Constitución de 1991 (Romero, 2000). La tercera es la no diferenciación entre población civil y combatientes, característica de la guerra irregular que pregonan como única alternativa para derrotar a la guerrilla. Esto ha hecho de la población civil el blanco preferido de su estrategia para desalojar a la guerrilla de territorios estratégicos o con potencial económico, siendo los principales responsables de la tragedia humanitaria causada por el desplazamiento de más de dos millones de colombianos en los últimos ocho años (Codhes, 2002).

El inicio del Plan Colombia en el año 2000, la decisión de no realizar negociaciones entre el gobierno y la guerrilla tomada por la nueva administración del presidente Uribe Vélez (2002-2006),

FIGURA 6.1. EVOLUCIÓN DEL
ÁREA SEMBRADA COCA Y ACCIONES ARMADAS DE LAS AUC
1985-2000

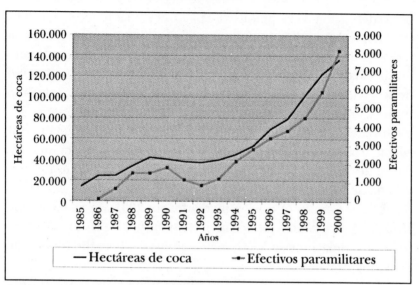

Fuente: Ministerio de Defensa, *Los grupos ilegales de autodefensa*, 2000.

más su propuesta de seguridad democrática le quitaron aire al proyecto contrainsurgente que encabezó Castaño con las AUC hasta el
año 2002. Si a esta nueva situación política se le suma la solicitud
del gobierno de los Estados Unidos de extraditar a los jefes de las
AUC —Carlos Castaño y Salvatore Mancuso— hecha a finales de
2002, acusados de conspirar en contra de la seguridad de este país
al participar en el tráfico de drogas, se entienden mejor las fisuras
en el liderazgo de esta agrupación y las diferencias sobre la forma
de enfrentar la nueva coyuntura. Además, la propuesta de
acercamientos entre el gobierno y los grupos de autodefensa y paramilitares para una eventual desmovilización reveló las hondas discrepancias que en la coyuntura existen entre el liderazgo de estas
agrupaciones sobre la relación con el narcotráfico, las posibilidades
de reinserción a la vida civil y la apreciación acerca de cómo crear
condiciones de seguridad en las regiones donde estos grupos han
obtenido un control territorial[24].

«EL ESTADO CONTRA EL EJÉRCITO»
Y LOS DERECHOS HUMANOS

Además de la tensión entre el Ejecutivo y las Fuerzas Militares por la definición de las políticas de paz observadas hasta el año 2002, también se desarrolló otra zona de disputa y conflicto entre las Fuerzas Armadas y el ámbito civil, esta vez con una sección del Estado fortalecida por la Constitución de 1991. Ésta es la Fiscalía General de la Nación y una serie de instrumentos de defensa del ciudadano frente a abusos de autoridad por parte de funcionarios estatales. A ese fortalecimiento institucional correspondió también una mayor conciencia de la noción de derechos y demandas democráticas de diferentes sectores sociales del país, la cual se consolidó durante la década de los noventa, aunque luego de la designación del nuevo fiscal, Luis Camilo Osorio, a mediados de 2001, de acuerdo con Human Rights Watch, parece incierto el futuro de las investigaciones sobre violaciones a los derechos humanos cometidas por funcionarios estatales.

En efecto, en lo que ha sido considerado un mandato desafortunado, con despido de funcionarios experimentados y dedicados, investigaciones de personal militar suspendidas, desprotección de funcionarios amenazados y desmoralización del personal encargado de la protección de los derechos humanos (HRW, 2002), el fiscal Osorio ha implementado desde su despacho el punto de vista de sectores de las Fuerzas Armadas que consideran que la defensa de los derechos humanos es un recurso que favorece a la guerrilla. Además, con los despidos de los funcionarios de la Unidad de Derechos Humanos, el fiscal aceptó como válidas las acusaciones castrenses sobre una supuesta infiltración de los insurgentes en la Fiscalía, lo mismo que en la Procuraduría y en la Defensoría del Pueblo, organismos encargados de adelantar investigaciones a miembros de las Fuerzas Armadas acusados de comportamientos por fuera de la ley[25].

El general Néstor Ramírez, segundo comandante del Ejército en 1999, había denunciado la infiltración de la guerrilla en esas agencias estatales, en un foro organizado por Tradición, Familia y Propiedad y por la Fundación Cubano-Americana, en Miami, Estados Unidos, en un momento muy caldeado de las relaciones entre el gobierno Pastrana y las Fuerzas Militares. Frente a las afirmaciones del general Ramírez, el fiscal, Alfonso Gómez; el procurador, Jaime Bernal, y el defensor del pueblo, José Fernando Castro, reaccionaron pidiendo retractación pública del comentario o presentación de pruebas. Ninguna de las dos sucedió. El defensor Castro se quejó de las afirmaciones y dijo que las autoridades deben defender la vida, honra y bienes de todos los colombianos y que resulta paradójico que «no sólo las instituciones no hacen eso, sino que acaban con la honra de sus propios funcionarios»[26].

Sectores del estamento militar están convencidos de que los defensores de derechos humanos impulsan una conspiración internacional en contra del orden y la autoridad, y afirman que «las ONG de derechos humanos son tan peligrosas como los mismos guerrilleros», como lo dijo el general Ramírez en el foro mencionado[27]. Luis Camilo Osorio es el primer fiscal general con este tipo de perspectiva, lo que indica también un cambio importante en este sector civil del Estado. La posición del fiscal llega hasta el punto de responsabilizar a gobiernos europeos e incluso a congresistas de los Estados Unidos de una guerra en contra de las autoridades colombianas. Para el fiscal,

> ...la guerra [...] se lleva a cabo internacionalmente [...] para desacreditar a las autoridades, no sólo a los militares, sino al sistema judicial. Es un movimiento internacional no sólo impulsado por las ONG, sino por algunos estados europeos, Suecia, Noruega, Francia en el pasado, y algunos grupos en los Estados Unidos, incluso algunos congresistas demócratas norteamericanos. (HRW, 2002)

Es evidente que esos avances ocurridos en los derechos del individuo no fueron bien recibidos por grupos influyentes de las Fuerzas Armadas, y se hizo salvedad relativa de la Policía, cuerpo que inició una transformación en 1993 y que está aún en proceso. Tal vez la mayor queja del Ejército desde los años ochenta de la centuria pasada se refiere a las posibilidades de que sus miembros sean «judicializados» o acusados de violar los derechos humanos en cumplimiento de su deber. Es lo que un comentarista de prensa cercano a esta fuerza armada calificó como «el Estado contra el Ejército»,

252   Paramilitares y autodefensas, 1982-2003

acusando a la Fiscalía de una «guerra jurídica» en perjuicio de los miembros de la organización militar[28]. La única razón para estas investigaciones, según estos sectores, es que la Fiscalía está infiltrada por la subversión[29], olvidándose de la tragedia humanitaria, el desplazamiento de población y la violencia asociada al conflicto armado, hechos en las cuales los comportamientos irregulares de esta fuerza armada tienen una cuota de responsabilidad significativa.

En el fondo de esta nueva tensión, esta vez no con los intentos de paz de la Presidencia, sino con la aplicación de la ley y las garantías al ciudadano por parte del Estado, se encuentra también la concepción del conflicto que persiste en el Ejército, o al menos dentro de sus aparatos de seguridad, y la caracterización como «enemigo interior» o «idiota útil» a quienes no acepten sus postulados estratégicos. Infortunadamente el contexto internacional de lucha contra el terrorismo va a continuar reforzando esa perspectiva política, la cual está a tono con la idea de que la lucha democrática y por reforma del régimen, en un contexto de enfrentamiento armado de baja intensidad, como el colombiano, es una «guerra subterránea». Así lo expresa el general Adolfo Clavijo, antiguo comandante de la XI Brigada del Ejército —cuando el poder de Fidel Castaño se consolidó en Córdoba— y asesor del candidato Uribe durante la campaña presidencial en el año 2002. Para este antiguo alto mando, la guerra

> …se dirige y pelea desde los escritorios, desde los escenarios políticos y democráticos universales, desde nuestras propias instituciones políticas, económicas, jurídicas, diplomáticas y sociales, es una guerra que se ha enquistado en los medios de comunicación masiva para inclinar la balanza a favor de esta insurgencia terrorista.[30]

Las coincidencias entre la visión del fiscal Osorio y el general Clavijo son obvias, y además preocupantes, por tener el uno a su cargo la aplicación de la ley, y por haber ejercido el otro tan alto mando y asesoría. En la amplitud e imprecisión de la línea de argumentación de estos dos empleados públicos se podría incluir casi cualquier actividad y hacerla aparecer como si favoreciera al terrorismo. Algo similar sucede con el incriminatorio concepto de «parasubversivos» de las AUC, y no queda difícil entender por qué la ausencia de un pensamiento civilista y democrático en sectores estatales ha creado ese campo de coincidencia ideológica y práctica entre grupos de las Fuerzas Militares, por un lado, y paramilitares y autodefensas, por el otro.

En efecto, esas coincidencias ideológicas entre fuerzas estatales y paraestatales han facilitado el tránsito temporal o permanente de la legalidad a la ilegalidad de miembros de las Fuerzas Militares, como lo han reconocido algunos de sus protagonistas o como sucede con soldados en zonas de orden público, quienes en sus días libres y en vacaciones prestan sus servicios en los grupos de paramilitares y de autodefensas (HRW, 2001). Las ACCU se convirtieron a finales de la década de los noventa y comienzos del nuevo siglo en refugio de militares «empapelados», según el uso coloquial, o acusados de violar los derechos humanos, según afirmó la Fiscalía en su momento. El influjo fue tal, que generó roces aun en la misma coalición de los diversos sectores que componen este grupo —«casa Castaño», «casa Mancuso» y el resto—. Sobre todo hubo descontento dentro del sector identificado con posiciones de mayor activismo social e intervención a favor de los grupos más pobres y afectados por el conflicto, quienes perdieron terreno frente a los recién llegados. En mayo de 1999, Castaño reconoció que 13 oficiales del Ejército ingresaron a las ACCU, no por violar la ley, sino como resultado de «la desmoralización en el Ejército». El jefe de escolta del mismo Castaño es un capitán desertor del Ejército. «Es que a uno lo quieren empapelar a toda hora», se quejaba el ex capitán, al tiempo que rechazaba los controles legales de las autoridades civiles.

Este ex oficial fue alumno de la Escuela de las Américas, ubicada en Fort Benning, Georgia, famosa por los cursos de contrainsurgencia y por el récord de violaciones de derechos humanos de sus graduados[31], de acuerdo con sus opositores en los Estados Unidos. Además, el nuevo frente de las AUC en el Valle del Cauca fue conformado por militares retirados, según sus anuncios[32]. Igualmente, de 388 miembros de las Fuerzas Militares retirados del servicio, entre otras razones por violaciones a los derechos humanos a finales del año 2000, aproximadamente 50 fueron reclutados por Castaño[33]. Los servicios de inteligencia del Ejército confirmaron un año después que entre los que engrosaron las filas de las AUC había cinco mayores, nueve capitanes, dos tenientes y tres suboficiales.

En su nueva labor, unos de los ex oficiales estaban encargados de instrucción en el manejo de armas y trabajo de inteligencia en la región del Magdalena Medio, y otros tenían a cargo grupos de choque en el Sur de Bolívar y Guaviare[34]. Se podría pensar que existe un sector dentro de las Fuerzas Militares y de algunos de sus miembros retirados que simpatizan con la causa de las AUC, o más aún, un sector para el cual el fin justificaría cualquier medio.

EL PLAN COLOMBIA Y EL NUEVO MILENIO

Inicialmente se pensó que esa poderosa confluencia de apoyo a paramilitares y autodefensas perdería fuerza como resultado del Plan Colombia. Éste incluye una ayuda estadounidense preliminar de 1.300 millones de dólares para gastar entre los años 2000 y 2003, de los cuales el 80% representa gastos militares y el resto se destina para programas sociales paliativos de los efectos de la parte militar (Restrepo, 2001). El plan se diseñó inicialmente para combatir el narcotráfico, pero después de la ruptura de los diálogos entre el gobierno del presidente Pastrana y las FARC en febrero del 2002, se extendió a la lucha contrainsurgente. La aprobación del plan en el Congreso de los Estados Unidos incluyó condicionamientos de la ayuda militar al cumplimiento de compromisos sobre el respeto a los derechos humanos por parte de la institución militar. El propósito central del Plan Colombia ha sido el fortalecimiento del Estado y su legitimidad. Las Fuerzas Armadas, en concreto el Ejército, han sido el principal receptor de la ayuda estadounidense.

Sin embargo, se ha visto que los vínculos entre las Fuerzas Militares y las AUC no son fáciles de disolver, o al menos no con la rapidez que se esperaba. En el informe del año 2001, Human Rights Watch señalaba que la Vicepresidencia, los ministerios del Interior y de Defensa y las Fuerzas Militares han dedicado «una gran parte de su energía y de su tiempo a un esfuerzo de relaciones públicas tratando de mostrar que los militares han hecho progresos contra los paramilitares»[35]. No obstante, el informe es contundente en mostrar la ausencia de una política en relación con estos grupos: existen 300 órdenes de captura pendientes, pero no tienen apoyo del Ejército para hacerlas efectivas; se han fugado 15 jefes de autodefensas desde 1998, y el 25 de febrero de 2000 y el 15 de enero de 2001 se anunció la conformación de un grupo élite antiparamilitar, pero aún no se conocen sus convocatorias ni sus resultados[36].

Esa afinidad entre grupos paraestatales y fuerzas de seguridad surgida al compartir un enemigo y una ideología ha sido el blanco de los senadores demócratas en el Congreso estadounidense, quienes han llegado al extremo de solicitar a su gobierno el condicionamiento de la entrega de recursos al gobierno colombiano, dadas las abiertas violaciones a los compromisos pactados. En efecto, en abril de 2002 los senadores Edward Kennedy y Patrick Leahy pidieron al secretario de Estado de los Estados Unidos, Collin Powell, demandar al gobierno colombiano la destitución de tres generales acusados de violar los derechos humanos y cooperar con los paramilitares[37]. La carta de los congresistas denunciaba una colaboración estrecha entre Fuerzas Militares y grupos paramilitares en las brigadas III, con sede en Cali; V, con sede en Bucaramanga; XVII, con sede en Carepa, Antioquia, y XXIV, con sede en Santana, Putumayo. Esto ocurrió en plena operación del Plan Colombia y luego de más de dos años de ejecución de los recursos.

Esta demanda de los senadores demócratas, de acuerdo con la ideología del fiscal Juan Camilo Osorio, estaría tratando de crear el caos y el desorden en Colombia. En la misma perspectiva se ubicaría la embajadora de los Estados Unidos en Colombia, Anne Patterson, quien ha advertido que su gobierno cancelará la visa de entrada a su país a los que apoyen o financien a los paramilitares. La misma embajadora ha tenido que intervenir directamente para forzar la acción de las autoridades militares colombianas e impedir operativos de los paramilitares, porque las fuerzas del orden no respondieron a los llamados de la población[38]. En efecto, esto sucedió en Barrancabermeja en diciembre de 2000, en jurisdicción de la V Brigada del Ejército. En la noche de Navidad, aproximadamente 150 hombres de las AUC repartidos en diferentes grupos llegados del Sur de Bolívar estuvieron casi 24 horas seguidas en los barrios Simón Bolívar y Miraflores aterrorizando a la población. Con lista en mano y preguntando por el paradero de presuntos guerrilleros, los paramilitares asesinaron a siete jóvenes sospechosos de pertenecer a la guerrilla. A pesar de la militarización del municipio y de las llamadas desesperadas de pobladores y organizaciones locales, no hubo ninguna respuesta de las autoridades militares o de policía, como se analizó en los apartes finales del Capítulo 2. Gracias a las gestiones de la embajadora Patterson, y tal vez a sus advertencias y amenazas, las Fuerzas Militares finalmente hicieron presencia en los barrios agredidos por las AUC[39].

Hasta el inicio del gobierno del presidente Uribe Vélez, sin embargo, estas presiones por eliminar la colaboración entre Fuerzas Armadas regulares y los grupos paraestatales podían tener un efecto bumerán. Esto sucedió con la baja del servicio de 388 efectivos a finales del año 2000, cuando cerca de 50 de esos individuos entrenados en todo tipo de tácticas de guerra fueron reclutados por el jefe de las autodefensas, como se mencionó antes. Un efecto similar pudieron generar las destituciones y juicios militares condenatorios de uniformados que por omisión o acción hayan contribuido a los objetivos de las AUC —como el del general del Ejército Jaime Alberto Uscátegui y la masacre de Mapiripán en 1997, en la que murieron más de 45 campesinos, a pesar de las advertencias de autoridades locales sobre la inminencia del ataque. Con el nuevo gobierno del presidente Uribe, sin embargo, las presiones y demandas sobre la organización militar cambiaron de carácter. Éstas dejaron de ser una «intromisión» de los civiles, como eran percibidas en el pasado, y el nuevo contexto de fortalecimiento estatal y seguridad que surgió con el Plan Colombia primero, y con la propuesta de seguridad del nuevo gobierno después, está demandando a las Fuerzas Militares transformaciones y resultados frente a las prerrogativas presupuestales y legales que el presidente Uribe, sus electores y el Congreso les han otorgado.

En efecto, hay una combinación de factores que han contribuido a ese cambio en lo que se espera de las Fuerzas Armadas. El contexto de seguridad democrática y los acercamientos entre el gobierno y los grupos de autodefensa y paramilitares para su desmovilización han marcado una coyuntura radicalmente distinta frente a las dos décadas anteriores. En éstas la dinámica política giró en buena parte alrededor de las negociaciones entre gobierno y grupos guerrilleros. La coincidencia entre el punto de vista del alto mando militar y la política presidencial para resolver el conflicto armado, la inexistencia de negociaciones con la guerrilla y el fortalecimiento presupuestal y técnico de la organización armada, además de unos instrumentos jurídicos que facilitan su operación y limitan la protección de los derechos del individuo en situaciones de excepción, han incrementado, paradójicamente, el poder de supervisión civil sobre la organización militar, como ha sucedido en otros países en diferentes momentos, cuando los gobiernos han decidido fortalecer su aparato de guerra, incrementar el cobro de impuestos y canalizar más recursos al sector de defensa y seguridad (Tilly, 1992).

Lo que genera interrogantes en la nueva coyuntura de comienzos de milenio no es tanto el punto de vista militar, ya conocido, sino la visión política que guía a la parte civil, con la cual espera dirigir la fuerza legítima del Estado, y en concreto la perspectiva de esas nuevas coaliciones políticas en el gobierno frente a los derechos humanos, las garantías del individuo frente al Estado y los nexos de las autoridades con grupos irregulares o delincuenciales. La elección del presidente Uribe significó también un debilitamiento dentro de la clase política de las posibilidades de reconciliación con la guerrilla. ¿Qué tan civilista y democrática sea la perspectiva de seguridad que se vislumbra?, está todavía por verse. De lo que no hay duda es de la existencia de facciones en el sector privado con un visión netamente contrainsurgente de los problemas de consolidación estatal y nacional que aún subsisten en Colombia y, como se ha mostrado a lo largo de este texto, los principales afectados por esa perspectiva han sido la población no armada y los activistas sociales y políticos que han tratado de defender derechos, ampliar la democracia y la agenda de discusión pública.

Esa visión contrainsurgente dentro de poderosos grupos civiles quedó en evidencia en la pasada administración presidencial cuando el ministro de Defensa, Luis Fernando Ramírez, reconoció públicamente el apoyo del sector privado a grupos armados irregulares. Al responder críticas en el Congreso sobre la política oficial acerca de los grupos de autodefensa y paramilitares, señaló que ese debate es «hipócrita porque se ha circunscrito a miembros de las Fuerzas Armadas, sin denunciar a civiles y empresarios que respaldan y apoyan esa práctica»[40]. Semejante sindicación, que acepta ese respaldo civil y de sectores pudientes a grupos armados no estatales, nunca se había escuchado en público por parte de un alto funcionario, al menos en las administraciones liberales que gobernaron entre 1986 y 1998. Ese reconocimiento también dejó al descubierto que el énfasis hecho en la organización militar para explicar el surgimiento y consolidación de los grupos de autodefensa y paramilitares oscurecía una parte significativa de la realidad y no dejaba ver la simultaneidad de procesos y confluencias. Más que buscar responsables de la división entre Estado y sociedad, lo que ha pretendido este texto es alumbrar interacciones entre actores ubicados en uno y otro lado de esa frontera, en ocasiones borrosa, e indicar los contextos y mecanismos políticos que pusieron esas interacciones en movimiento. Con esto se ha querido señalar que las Fuerzas Militares no son inmunes a los ambientes en los que les toca actuar, lo vulnerables que son en los contextos regionales a la penetración de intereses privados e ilegales, y la definición estrecha y elitista de nación que domina su perspectiva política.

1. Romero, Mauricio, «Un camino culebrero. La desmovilización de las AUC», *UN Periódico*, 16 de febrero de 2003.

2. Esta expresión se refiere a la trayectoria seguida por un fenómeno social, en la cual las decisiones de los implicados, o los resultados previos, van delineando un camino y reduciendo las posibles alternativas disponibles para los sujetos —individuales o colectivos— involucrados. De esta forma, la evolución de un fenómeno determinado se limita a las variaciones dentro de unos parámetros ya previsibles y con pocas probabilidades de cambio. Las negociaciones de paz iniciadas en Colombia en 1982 son un buen ejemplo. Cada vez que el gobierno ha iniciado conversaciones con la guerrilla, se ha seguido un libreto similar: un primer año de grandes expectativas, seguido de acusaciones de las Fuerzas Armadas que ponen en duda la buena fe de la guerrilla; luego se pasa a acusaciones mutuas sobre incumplimiento de lo pactado y finalmente estancamiento del proceso y después ruptura. Al menos ésta ha sido la trayectoria con las FARC. El intento de negociación del presidente Pastrana fue el quinto desde 1982.

3. Revista *Cambio*, N.º 311, 31 de mayo 7 de junio de 1999.

4. Esta polaridad no significa que un extremo excluya al otro. Más bien, hace referencia a un continuo a lo largo del cual hay movimiento permanente, unas veces más cerca de un extremo que del otro, dependiendo de las condiciones que la afecten. Así, no hay situaciones de absoluta autonomía o absoluta subordinación, sino diferentes combinaciones relacionadas con el contexto político, en concreto con las negociaciones con la guerrilla.

5. Véase Cubides (1998, p. 69).

6. Véanse los informes anuales de la CCJ, HRW y Amnistía Internacional desde los años ochenta en adelante.

7. *El Tiempo*, 18 de agosto de 1999, p. 1A.

8. Se diferencia *civilista* de *civil* porque hay civiles con una concepción más militarista de la solución de los problemas sociales y políticos que los mismos militares. De igual forma, hay militares más civilistas que los mismos civiles.

9. Revista *La Nota Económica*, N.º 39, junio de 1999.

10. *El Tiempo*, 18 de agosto de 1999, p. 1A.

11. *El Tiempo*, 5 de octubre de 2001, p. 1-5.

12. Pizarro, Eduardo, «Superioridad Estratégica, inferioridad táctica», Revista *Cambio 16*, N.º 191, 10 de febrero de 1997.

13. *El Espectador*, 3 de septiembre de 1999, p. 6A.

14. *El Espectador*, 4 de diciembre de 1999, p. 5A.

15. *El Tiempo*, 7 de septiembre de 2000, p. 1-5.

16. *El Tiempo*, 7 de septiembre de 2000, p. 1-5.

17. Revista *Alternativa*, N.º 16, 15 de diciembre de 1997.

18. Revista *Semana*, N.º 669, 28 de febrero de 1995.

19. El ministro Botero fue uno de los primeros funcionarios de alto rango en renunciar al ser acusado, y luego condenado, por recibir cerca de seis millones de dólares del cartel de Cali para financiar la campaña que concluyó con la victoria presidencial del candidato liberal Ernesto Samper (1994-1998).

20. Revista *Alternativa*, N.º 16, diciembre de 1997.

21. Documento de las AUC, en el que se declaran movimiento político-militar, julio de 1997.

22. *El Tiempo*, 18 de enero de 1997.

23. *El Tiempo*, 7 de septiembre de 2000, p. 1-5.

24. Romero, Mauricio, «Un camino culebrero. La desmovilización de las AUC», *UN Periódico*, 16 de febrero de 2003.

25. *Ibid.*

26. *El Tiempo*, 8 de diciembre de 1999, p. 23A.

27. *Ibid.*

28. Mendoza, Plinio Apuleyo, «El Estado contra el Ejército», en *El Espectador*, 16 de septiembre de 1999.

29. Mendoza, Plinio Apuleyo, «Carta al Fiscal», en *El Espectador*, 2 de agosto de 2001.

30. Mendoza, Plinio Apuleyo, «Vuelve y juega», en *El Espectador*, 30 de septiembre de 1999.

31. *El Espectador*, 18 de mayo de 1999, entrevista a Carlos Castaño.

32. Además de las ACCU, están las Autodefensas Campesinas de los Llanos Orientales, Autodefensas Campesinas de Cundinamarca, Autodefensas Campesinas de Casanare, Autodefensas Campesinas de Santander y Sur del Cesar y Autodefensas Campesinas del Magdalena Medio. En el año 2000 se organizó un frente nuevo en el Valle del Cauca, pero no fue claro si era una avanzada de las ACCU o tenía estructura y base regional autónoma. De acuerdo con volantes repartidos en Cali, este frente estaba compuesto en sus mandos altos y medios por miembros retirados de las Fuerzas Militares.

33. *El Espectador*, 21 de octubre de 2000.

34. *El Espectador*, 7 de octubre de 2001, sección E2, p. 10.

35. *El Tiempo*, 5 de octubre de 2001, p. 1-5.

36. *Ibid.*

37. *El Tiempo*, 6 de abril de 2002, p. 1-16.
38. *El Tiempo*, 5 de octubre de 2001, p. 1-5.
39. *Ibid.*
40. *El Tiempo*, 6 de septiembre de 2000, p. 1A.

CAPÍTULO 7

CONCLUSIONES

En este libro se hizo un esfuerzo por mostrar la complejidad del problema del surgimiento y consolidación de los grupos paramilitares y las autodefensas, y ofrecer un marco de interpretación que no descargara el peso explicativo en un único factor localizado en uno u otro lado de la división entre Estado y sociedad, o en el terreno internacional. Más bien, la investigación se propuso señalar las interacciones entre los actores ubicados en uno u otro terreno, sin olvidar las que también ocurren en el mismo dominio de cada una de esas divisiones. Para esto, el trabajo identificó tres mecanismos políticos —polarización, competencia y fragmentación—, que entrelazaron analíticamente diferentes ámbitos institucionales, geografías y grupos sociales, alrededor de los cuales se organizaron los seis capítulos. Con este texto no se pretendió explicar de forma exhaustiva el fenómeno, pero sí se buscó una aproximación analítica que complementa los escasos trabajos publicados sobre el tema hasta el momento.

Esa manera de abordar las preguntas permitió construir una perspectiva distinta a las usualmente empleadas para aproximarse al fenómeno de las autodefensas y paramilitares. El enfoque analiza los efectos y las reacciones políticas en el contexto de modernización política iniciada en 1982 con las negociaciones de paz entre el gobierno central y las guerrillas, la apertura política que acompañó esos acercamientos, la descentralización y la primera elección popular de alcaldes en 1988 y, finalmente, la Constitución de 1991, incluida la elección de gobernadores. Fue en ese marco de transformaciones políticas durante los últimos 20 años donde estas agrupaciones irregulares surgieron en la primera década y se consolidaron después. El trabajo ha querido hacer evidente el carácter reactivo de estos grupos irregulares frente a esos cambios planteados, en particular a las oportunidades de democratización e inclusión ofrecidas por las políticas de paz de los diferentes gobiernos en las dos décadas del estudio.

Hay que recordar que bajo los calificativos de «auxiliadores de la guerrilla», «parasubversivos», «guerrilleros de civil» y otros términos similares, autodefensas, paramilitares y grupos afines han asesinado, acallado o forzado el desplazamiento de miles de líderes y activistas sociales, sindicales, políticos y de derechos humanos, además de simples pobladores de regiones con conflicto social e influencia de los grupos guerrilleros. Ésta ha sido una parte de la crisis humanitaria que ha vivido Colombia en los últimos 20 años, como se mostró en los diferentes capítulos de este libro y como lo han aceptado reconocidos analistas y políticos con diferentes perspectivas sobre el conflicto armado (Pécaut, 1988; Pardo, 1996). Precisamente estos líderes y activistas, así como las organizaciones que representaban y la acción colectiva que promovían, eran parte clave para concretar en la práctica los impresionantes avances que han tenido las instituciones colombianas en términos de derechos y garantías en las últimas dos décadas, y de plasmarlos en una democratización de las relaciones sociales locales y cotidianas.

El ejercicio de esos derechos en un contexto de conflicto armado ha sido sumamente riesgoso por la asociación que algunas autoridades, empresarios y notables locales hacen entre estas acciones colectivas y la subversión, y por las evidentes conexiones que existen entre la una y la otra en algunos casos. Insistir en negar el uso de esos derechos por su asociación real o ficticia con la guerrilla sería como negar la legitimidad de las marchas ciudadanas en contra del secuestro porque su denuncia y castigo forman parte de la agenda de paramilitares y autodefensas, y porque en algunos casos estas agrupaciones las han organizado y apoyado. Lo que queda claro al observar esos límites porosos entre legalidad e ilegalidad es la necesidad de un proceso político para eliminar la violencia de los repertorios de acción pública, proceso que no excluye el uso de la fuerza estatal, pero dentro de un marco de derechos y respeto a la ley.

Identificar la polarización como un mecanismo político de importancia para responder a las preguntas planteadas permitió examinar las reacciones de élites económicas y políticas regionales frente a las decisiones del gobierno sobre el diálogo y la negociación con la guerrilla. El tema de discordancia no era sólo el de las conversaciones en sí, sino la conformación de una posible agenda de reformas que afectaría la posición social, económica y política de esos sectores privilegiados. De igual manera, este mismo mecanismo ayuda a entender la actitud de mano dura, y en ocasiones violenta, con que esas élites respondieron a las acciones colectivas de movimientos sociales regionales que apoyaron las negociaciones de paz y buscaron impulsar su agenda reformista.

Igual sucedió con la competencia armada entre el poder emergente de grupos asociados con el narcotráfico y el poder establecido de la guerrilla. Considerar esa competencia estratégica entre estos dos grupos irregulares como un mecanismo explicativo fue relevante para introducir el narcotráfico en el esquema analítico, lo mismo que los efectos políticos regionales de la consolidación de este sector emergente frente a los procesos de democratización. Finalmente, examinar la fragmentación dentro del Estado y darle peso explicativo fue importante para identificar las disputas, tensiones y rivalidades por el manejo del orden público entre el Ejecutivo y las Fuerzas Militares —que por períodos y en algunas regiones se asemejaron a una fragmentación— y el ambiente favorable que esas diferencias crearon para la emergencia y consolidación de esos empresarios de la coerción.

De la misma forma, examinar los procesos políticos regionales frente a las políticas de paz, la polarización que crearon, el distanciamiento entre el Ejecutivo y altos mandos de las Fuerzas Militares, y la competencia armada entre paramilitares y guerrillas, permitió observar las tensiones entre algunas de las configuraciones de poder regional y el centro. Esto fue claro cuando la Presidencia concretó políticas de negociación con la guerrilla sin suficiente apoyo político, sobre todo del Partido Liberal, agrupación mayoritaria en el Congreso.

Como se ha visto a lo largo del texto, las arenas políticas regionales y locales se constituyeron en el terreno por excelencia donde los mecanismos políticos mencionados operaron y crearon las condiciones para el surgimiento y consolidación de los grupos paraestatales irregulares. Esa importancia de la política regional y sus efectos en el ámbito nacional se vio confirmada con la elección del presidente Uribe Vélez en el año 2002. Él encabezó una campaña electoral donde el tema de seguridad fue la prioridad, unificando diferentes reacciones regionales a las negociaciones de paz con las FARC efectuadas por la administración Pastrana y adelantadas sin cese al fuego ni de hostilidades.

El reconocimiento de ese costo humano y democrático que ha diezmado a los movimientos sociales y políticos de oposición de izquierda los últimos 20 años, no significa cerrar los ojos ante los evidentes vacíos de poder creados en algunas regiones como resultado del inicio de las negociaciones de paz en los años ochenta. Ese vacío permitió la intimidación, detrimento patrimonial e inseguridad de las élites asociadas por sus opositores con las causas de la pobreza, dominación política y desigualdad social en esas regiones. Esa amenaza de cambio y pérdida de estatus y riqueza ha sido una de las mayores quejas del sector ganadero desde el inicio de los acercamientos con la guerrilla en 1982, como se indicó varias veces a lo largo del texto. Recientemente, el gerente de Fedegan, Jorge Visbal, lo dijo claramente: «Nos quieren de rodillas. Diálogo con las guerrillas sí, pero con dignidad»[1]; reflejó así el aprendizaje estratégico de este sector social frente a las negociaciones de paz, y su vigorización en estos 20 años de diálogos como un actor público determinante en cualquier solución que tenga el conflicto armado.

El secuestro y la extorsión, los cuales han afectado a los inversionistas y propietarios rurales en mayor proporción, han sido dos de las manifestaciones evidentes del resquebrajamiento de ese orden social y político rural, basado en la acumulación rentista de la tierra, que paramilitares y autodefensas han reconstruido y redefinido para su beneficio y el de sus asociados en diferentes regiones del país. Así, uno de los resultados no esperados de las negociaciones de paz fue que creó un terreno de coincidencia entre los grupos de nuevos propietarios rurales provenientes del narcotráfico y las viejas élites regionales amenazadas por esa posible redefinición de poder que ha acompañado a los diálogos de paz. Para éstas, los acercamientos entre el gobierno y las guerrillas han sido un factor generador de ansiedad y miedo, dados los riesgos de afectar su posición en la sociedad.

En estas condiciones, como ha sucedido en otros escenarios y continentes en los que han ocurrido situaciones similares de redefiniciones en los equilibrios de poder, los grupos afectados tienen una motivación para organizarse, oponerse al cambio y luchar (Walter, 1999). Bien lo entendió el ex consejero de paz Jesús Antonio Bejarano, para quien negociar redistribuciones de riqueza o poder en contravía de un régimen político en crisis, pero sin colapsar, significaba aumentar esa crisis y profundizar la violencia (Bejarano, 1998), como ha venido ocurriendo en Colombia desde 1982. Otro escenario sería propiciar la formación de una coalición política que haga posible una reforma en la estructura de propiedad de la tierra, como se discutió en el segundo capítulo. Allí se consideró una posible transformación de esa estructura de tenencia como resultado del proceso político, y no como punto de partida de la negociación de paz. Precisamente, uno de los efectos más perversos de paramilitares, autodefensas y grupos afines ha sido el de eliminar las posibilidades de esas coaliciones reformistas. En contraste, otro de los resultados inesperados de los últimos 20 años de intentos de pacificación ha sido el fortalecimiento político de esas élites rurales, exactamente un sector al cual las negociaciones de paz, la la descentralización y democratización esperaban debilitar.

La evolución de las AUC ilustra los cambios de un grupo armado irregular con fuertes nexos con las instituciones militares. Esa decisión inicial que tomaron sus líderes y patrocinadores de armarse y disputarle al Estado el monopolio de la fuerza organizada, motivados por su seguridad y los riesgos de pérdida de posición social, se transformó hacia otros objetivos. Esa fuerza armada que acumularon también les dio la oportunidad para avanzar sus propios intereses y depredar a grupos sociales determinados, incluyendo los dineros públicos. El enriquecimiento abierto y desmesurado de algunos de los dirigentes de las AUC y el uso de esta sigla para tal fin, parece ser una de las razones que han creado diferencias dentro del liderazgo de esta agrupación (Aranguren, 2001), y entre éstos y sus seguidores, además de factores como los intentos de ruptura con el narcotráfico y las negociaciones actuales con el gobierno del presidente Uribe, promovidas por Carlos Castaño, anterior jefe reconocido de las AUC[2].

Las tentativas de Castaño y otros sectores de las antiguas AUC por tratar de desvincular a esta organización de los cultivos ilícitos y del tráfico de estupefacientes buscarían una aprobación de los Estados Unidos a una eventual reincorporación de combatientes y comandantes a la vida civil, además de dar un paso inicial frente a un posible acuerdo con la DEA. Este pacto favorecería a los comandantes pedidos en extradición con una pena corta en los Estados Unidos y, si es posible, teniendo la casa por cárcel. A cambio, los jefes paramilitares entregarían rutas de tráfico de drogas, dinero y colaboración en la erradicación de cultivos y otros temas relativos. En el caso de los acercamientos con el gobierno, es indudable que la propuesta de seguridad democrática y fortalecimiento de las Fuerzas Militares, sin negociación con la guerrilla ni riesgo de reformas pactadas, le quitó espacio político al proyecto de las AUC en las regiones.

El inicio de los diálogos entre el gobierno y las autodefensas y paramilitares confirma el argumento general del libro, según el cual estas agrupaciones son una reacción a los riesgos de cambio en los equilibrios de poder local que han traído consigo las negociaciones con la guerrilla. Sin esas negociaciones, además de un Estado actuante frente a la subversión, las razones para la existencia de ese tipo de agrupaciones paraestatales disminuyen. Sin embargo, una desmovilización general de las AUC y grupos afines depende de la capacidad estatal para ofrecer seguridad en las regiones donde éstos operan. Otra cosa será la posibilidad de ejercer libertades públicas y de demandar el cumplimiento de derechos en esas áreas. ¿Desaparecerá la violencia en contra de activistas sociales, de derechos humanos, sindicalistas, políticos radicales o reformistas con la desmovilización de las AUC y grupos afines? Difícil saberlo, pero nada parece predecir que así será.

Como se discutió en el capítulo primero sobre las trayectorias de consolidación estatal disponibles, la desmovilización del aparato militar y de inteligencia de las AUC y su legalización o fusión con el Estado, dejan expuestas a las autoridades locales y regionales elegidas, al sector judicial y a los movimientos sociales a un poderoso dispositivo económico y político que no obedece precisamente a las reglas de un Estado de derecho. Desde este punto de vista, el fortalecimiento del Estado y de la ley —dos de los puntos clave de la campaña del presidente Uribe— se ve desdibujado en una negociación que no establece responsabilidades ni reparación a las víctimas, antes de perdón o exoneración a los culpables.

Éste es uno de los interrogantes que surgen de los análisis regionales de Córdoba y Urabá presentados en los capítulos cuarto y quinto, y de las afirmaciones de autoridades y líderes de los trabajadores bananeros sobre una supuesta construcción de ciudadanía en esa región. ¿Se puede equiparar la ciudadanía exclusivamente con un relativo mejoramiento en las condiciones de vida y la ausencia de violencia? Sin querer subvalorar estos logros, es pertinente preguntar por las libertades individuales, la posibilidad de disenso y la autonomía frente a aparatos armados sin ningún mecanismo de control público reconocido. ¿Es ese alineamiento en contra de la guerrilla suficiente para hablar de ciudadanía? Contestar estas preguntas es importante porque en algunos círculos de poder se quiere presentar la forma de pacificación de estas regiones como paradigmática y el camino por seguir en otras zonas del país. Se esgrime como argumento la seguridad y estabilidad de esas zonas, y que los paramilitares hacen respetar la legislación laboral, frente a los abusos patronales del pasado. En esto se observa un aprendizaje estratégico de sectores empresariales, pero no se sabe si ese giro hacia el respeto a la ley laboral y cierta sensibilidad social perdurará una vez desaparecida la guerrilla.

Por el contrario, la truncada zona de convivencia para el ELN en el Magdalena Medio y la dinámica regional que habría desencadenado frustró un proceso de aprendizaje, innovación y experimentación que pudo haber sido una guía para otras propuestas de paz regionales futuras. La presencia del PDPMM y su simultaneidad con un proceso de reinserción de una guerrilla como el ELN habrían marcado una pauta de cooperación entre distintos niveles institucionales, sectores de la sociedad civil regional y comunidad internacional, sin precedentes en la historia del país. La oportunidad que se perdió fue preciosa en términos de haber combinado un proceso de reconocimiento o de ampliación de la comunidad política, con uno de inversión de recursos materiales. El liberalismo, sobre todo, ha insistido en políticas redistributivas, sin tener en cuenta el reconocimiento de nuevos competidores por el poder en la arena pública. Esto es parte fundamental en una política de paz integral.

El texto también ha querido resaltar el efecto sobre el Estado de la apertura de los diálogos con la guerrilla. Los mecanismos y procesos políticos desatados por las negociaciones amenazaron con disolver el cemento con el que el viejo orden ha permanecido unido. Esto es evidente en la polarización entre el Ejecutivo y las élites regionales en materia de paz, hecho que ha dificultado la relación entre el centro y la región, sin que las pretensiones reformistas desde la Presidencia hayan encontrado un camino para apoyar con mayor efectividad las demandas por democratización local y regional. Los intentos por ampliar la comunidad política de las administraciones conservadoras de 1982 y 1998, quienes iniciaron los diálogos con las guerrillas, en especial con las FARC, no obtuvieron un respaldo claro del Partido Liberal, su socio bipartidista durante el Frente Nacional. Sin embargo, hay que reconocer el apoyo del Nuevo Liberalismo al gobierno del presidente Betancur en los años ochenta, si bien ese grupo no tenía un electorado significativo en ese momento.

Igualmente, la fragmentación entre Presidencia y Fuerzas Armadas cuando se trata de plantear la inclusión política de las guerrillas a través de una negociación, ha producido diversas crisis en las relaciones entre civiles y militares a lo largo de estos últimos 20 años. En medio de esas diferencias entre gobierno nacional y élites locales, y entre el gobierno y las Fuerzas Armadas sobre cómo obtener la pacificación del país, el liderazgo de sectores del narcotráfico tomó fuerza y contribuyó a la formación de esa federación de grupos irregulares armados que son las AUC. Arrinconadas por ese ruido de armas y muerte, las aspiraciones de democratización, cambio y justicia social de diversos sectores regionales y sectoriales no han corrido la mejor suerte, a pesar de las reformas y los intentos por modificar las vías de acceso al poder institucional.

Uno de los puntos, del análisis que vale la pena recalcar es la relación entre negociaciones de paz, transformación del régimen político y cambio en las formas de coerción. En efecto, los acuerdos o acercamientos nacionales entre partidos políticos legales y las organizaciones ilegales, la descentralización de la coerción y el surgimiento de organizaciones armadas paraestatales y la consolidación de las contraestatales, fueron hechos significativos en la década de los noventa. Esa interacción política entre los actores políticos legales y los ilegales observada en las elecciones presidenciales de 1998, por ejemplo, reveló tanto la competencia de los dos partidos tradicionales legales alrededor de la paz, como los intentos de renovación política a través del éxito o fracaso de las negociaciones con la guerrilla. Hasta hace pocos años la investigación y el estudio de los partidos Liberal y Conservador hacían hincapié en los acuerdos o repartijas burocráticas heredadas del Frente Nacional, sin observar la lenta pero persistente ampliación de la competencia política nacional. Ésta quedó expuesta en 1994, cuando el candidato perdedor del Partido Conservador —el futuro presidente Andrés Pastrana— denunció la financiación de la campaña ganadora del presidente Samper con dinero del narcotráfico, en concreto del antiguo Cartel de Cali, dando origen al llamado Proceso 8.000 en contra de la administración Samper.

Esa competencia también se ha observado en la forma de aproximarse a la paz por parte del Partido Conservador —las facciones distintas a las de origen laureanista o alvarista, principalmente—. No hay que desestimar los intentos de esas facciones conservadoras por redefinir las mayorías electorales a su favor, utilizando la bandera de la paz para ese propósito, luego de un persistente declive electoral durante los últimos 20 años. Este punto se discutió en el capítulo segundo. El hecho de que ese partido minoritario haya sido el gestor de las procesos de paz con las FARC, explica en parte las enormes resistencias a los intentos de incorporación política de esta guerrilla hasta el momento. Esas resistencias han sido principalmente lideradas por el Partido Liberal o por sectores mayoritarios de esta agrupación. De igual manera, ese apoyo de facciones del conservatismo a las negociaciones con las FARC permite reflexionar sobre la renovación o ampliación de los sistemas políticos y el papel que cumplen la rivalidad y competencia entre los partidos o facciones bien ancladas en la legalidad. Es decir, la competencia entre las élites gobernantes hace atractivo buscar el apoyo de diferentes sectores sociales, ampliando el rango de alianzas y agendas públicas. Los diferentes orígenes y proyectos socioeconómicos no importarían, porque hay coincidencias estratégicas sobre el acceso al poder institucional.

No obstante la paradoja, esa alianza tácita entre conservadores y guerrilleros comunistas en 1998, y en algunos momentos durante el período presidencial de Andrés Pastrana, es un caso clásico de juego estratégico, el cual parece que las FARC no supieron o no pudieron aceptar, limitadas por su reducido análisis clasista y la casi inexistente política de alianzas. Parece que para esta guerrilla el presidente Pastrana no hubiera sido más que un típico burgués que defendía sus intereses, antes que un político en busca de votos y prestigio a través de una negociación de paz exitosa. De haber ocurrido ésta, las FARC y sus aliados habrían entrado a formar parte del sistema político, luego de medio siglo de insurrección armada. El presidente Uribe, como lo haría cualquier otro político, construyó una mayoría electoral bipartidista sobre los errores en la negociación cometidos por el gobierno Pastrana y la falta de cálculo y tacto político de las FARC.

Una hipótesis sobre el estancamiento de las negociaciones con este grupo guerrillero durante los gobiernos del Partido Liberal es que en las regiones donde esa guerrilla tiene —o tuvo— influencia política y militar, ese partido ha sido el mayoritario, y una legalización de este grupo, resultado de un proceso de paz, comprometería esas mayorías electorales regionales, como en efecto sucedió en Urabá, en el noreste antioqueño y en regiones del piedemonte llanero en los años ochenta. Sin embargo, hay que profundizar en estudios regionales para conocer mejor esas dinámicas locales. De todos modos, hay que reconocer la profunda enemistad existente entre el Partido Liberal y la guerrilla de las FARC.

De ser esto cierto, se podría sostener que durante el gobierno del presidente Uribe Vélez las posibilidades de volver a la mesa de negociaciones son muy reducidas, y como mínimo estaríamos ad portas de, por lo menos, otros ocho años de conflicto armado, como sucedió entre 1990 y 1998 en la década pasada. ¿Estamos frente a un ciclo político en el cual otra coalición o gobierno conservador, con apoyo de la Iglesia católica, abrirá de nuevo las conversaciones con las FARC luego de esos ocho años? O ¿va a ser el nuevo contexto internacional de lucha contra el terrorismo y el apoyo de los Estados Unidos definitivo para una derrota militar de las FARC? El gobierno Uribe ha mostrado que la negociación política no era la única trayectoria que el enfrentamiento podía tomar, y la sólida unidad de las facciones mayoritarias de los partidos Liberal y Conservador en torno al gobierno no auguran ninguna competencia entre ellas. Esto significa que no habrá intentos por buscar apoyo por fuera del sistema político, como ocurrió en 1998 durante la campaña presidencial. En ese momento la rivalidad abierta entre estos dos partidos avivó la competencia por presentar una propuesta de paz creíble. Cada partido legal incluyó en su campaña un acuerdo preelectoral con un grupo guerrillero.

Otro punto interesante y polémico que surge del enfoque de este trabajo es el de la debilidad del Estado como resultado del proceso político alrededor de las negociaciones de paz y las expectativas que creó en diferentes organizaciones sociales. Lo común ha sido considerar la desarticulación y falta de capacidad estatal sólo como causa del enfrentamiento armado. Sin embargo, el distanciamiento entre región y centro, y entre estamento militar y autoridades nacionales en materia de negociaciones de paz, es lo que ha facilitado el surgimiento de esos empresarios de la coerción y esa reacción liderada por los grupos paramilitares en diversas regiones del país. En este sentido, la crisis del Estado ha sido también un resultado de las negociaciones con la guerrilla, y no sólo la causa de la violencia y el desplazamiento de población. Esto lleva a plantear interrogantes para una eventual negociación futura. ¿Cómo evitar la activación de los mecanismos descritos en caso de un nuevo acercamiento y diálogo entre gobierno y guerrilla? ¿Cómo involucrar a los sectores opuestos a una salida pactada al conflicto en un proceso político distinto que produzca resultados diferentes y positivos? ¿Cómo tratar con esos empresarios de la coerción representados

274   *Paramilitares y autodefensas, 1982-2003*

por las AUC o similares en una eventual negociación futura con la guerrilla?

Por lo pronto, la terminación del gobierno de la Alianza para el Cambio del presidente conservador Andrés Pastrana y el inicio del período del presidente Álvaro Uribe Vélez han puesto punto final a 20 años de negociaciones de paz entre cinco gobiernos y las diferentes guerrillas colombianas. Aún persisten en armas las dos guerrillas más numerosas, las FARC y el ELN, y se han mantenido como una fuerza antisubversiva los grupos paramilitares reunidos alrededor de las AUC hasta el año 2001. La propuesta del actual gobierno de fortalecer el Estado, el respeto a la ley y a sus Fuerzas Militares no da espacio para una solución pactada al conflicto en el corto plazo. Por el contrario, el presidente Uribe ha buscado reunificar el agrietado aparato institucional y político, y reparar las fisuras en el Estado, y entre el centro y las regiones, ocasionadas por las negociaciones con la guerrilla. De ahí el apoyo irrestricto a las Fuerzas Armadas y el restablecimiento de la confianza entre el gobierno central y los diversos sectores regionales afectados por las formas de operación de la insurgencia o por manifestaciones de inconformidad social.

El presidente Uribe ha sido claro en no correr riesgos frente a esas poderosas economías políticas regionales opuestas a las negociaciones con las guerrillas, y prefiere avalar los diferentes statu quo regionales, antes que desafiarlos con pretensiones reformistas. Tiene mayorías electorales claras que apoyaron su propuesta de seguridad democrática, mantiene sus índices de popularidad altos en las principales zonas urbanas, y por esto interviene abiertamente en los departamentos donde la guerrilla tiene influencia política e institucional, como en Arauca, donde sí entra a redefinir los equilibrios políticos, en este momento a favor de la subversión. La enérgica política de fumigaciones de cultivos ilícitos y de extradiciones hacia los Estados Unidos también ha enviado un mensaje claro a los distintos sectores del narcotráfico, o al menos a los que persistan en esta actividad ilícita. Por el contrario, el presidente, como buen pragmático, parece no tener ojos o no darle tanta relevancia a los hechos del pasado en esta actividad. La unidad en contra de la guerrilla es su principal objetivo.

En este marco, lo lógico, de acuerdo con los anuncios de los jefes de los diferentes frentes que hasta hace poco conformaron las AUC, sería una gradual reducción de sus fuerzas, dependiendo de la efectividad del gobierno para neutralizar a la guerrilla. Sin embargo, la vinculación de estos grupos con el cultivo y tráfico de estupefacientes, la solicitud de extradición de sus líderes por parte de los Estados Unidos, acusados de traficar con drogas hacia ese país, y la posibilidad de extradición, no hacen ni fácil ni probable la reinserción de los dirigentes de las AUC a la vida civil, amén de los procesos que les aguardan por asesinatos y atrocidades en contra de poblaciones desarmadas. ¿Cuál será el destino de estos grupos en caso de tener éxito la política de seguridad democrática del presidente Uribe? Difícil saberlo, lo mismo que predecir cómo evolucionarán los problemas internos surgidos en el liderazgo de las AUC desde mediados de 2001; pero de la actitud de los Estados Unidos dependerán muchos vientos, y hasta el momento éstos no han sido favorables para la cúpula de las antiguas AUC.

Finalmente, ¿habría sido posible que la democratización del sistema político colombiano iniciada en 1982 tomara otra trayectoria? Evidentemente sí: los cursos históricos no son inevitables, como se ha insistido a lo largo del texto. Si Jaime Pardo Leal, Bernardo Jaramillo, Carlos Pizarro, Luis Carlos Galán y los miles de activistas sociales y políticos muertos las dos últimas décadas no hubieran sido asesinados, es casi seguro que las FARC y el ELN se habrían dividido, y sus núcleos guerreristas, debilitado. La conformación de una amplia zona de coincidencias sobre reformas democráticas y políticas habría sido más factible, incluyendo una actitud menos agresiva frente a las élites rurales, y una política más constructiva y menos confrontacional en relación con los desequilibrios e inequidades en el sector rural. ¿Fue todo culpa del narcotráfico? En gran parte sí, pero eso es liberar de responsabilidad a la política de contrainsurgencia de sectores de las Fuerzas Militares y a la ausencia clara y explícita de un liderazgo civilista en los sectores políticos, en particular en el Partido Liberal, grupo que tuvo las riendas del poder nacional con mayorías parlamentarias, entre 1986 y 1998, período en el cual los grupos de autodefensas y paramilitares se consolidaron en el país.

Las estrategias apegadas a concepciones de la Guerra Fría para resolver el enfrentamiento armado, bien sean por acción o por omisión, convirtieron a la población civil en el principal blanco, y dentro de ésta, a los agentes individuales y colectivos que pueden —o habrían podido— impulsar un mayor e indispensable cambio democrático en Colombia. Habrá que esperar los resultados concretos de las propuestas de la administración Uribe en materia de seguridad y Estado de derecho. En lo que tiene que ver con la paz y la reconciliación, hay poco que mostrar. La amplitud de este gobierno en los acercamientos con paramilitares y autodefensas —otorgar perdón si primero hay sometimiento a la justicia— sin un proceso similar con las FARC y el ELN, hace surgir muchas preguntas sobre el tipo de consolidación estatal que busca Uribe, y el respeto a la ley y la autoridad que está interesado en promover. Las AUC y los grupos afines han pretendido romper los lazos entre la subversión y la población por medio del terror y el asesinato, sin un proceso político y reformista de por medio que mostrara las bondades del cambio por vías no violentas. Esto ha significado adoptar tácticas de genocidio, como en efecto lo acepta Carlos Castaño, anterior jefe de las AUC. Éstas, en nombre de la libertad, pueden haber aislado territorios de la violencia guerrillera, pero a costa de las posibilidades de democratización y sembrando el miedo. Las víctimas de los militares golpistas del Cono Sur en los años setenta conocen bien el argumento. Y los resultados también.

1. *Revista Credencial*, N.º 196, marzo de 2003.
2. Romero, Mauricio, «Un camino culebrero. La desmovilización de las AUC», en *UN Periódico*, 16 de febrero de 2003.

BIBLIOGRAFÍA GENERAL

Ayoob, Mohammed (1995), *The Third World Security Predicament. State Making, Regional Conflict, and the International System*, Lynne Reinner Publishers.

————, (1991), «The Security Problematic of the Third World», en *World Politics*, N.º 43, p. 2.

Barkey, Karen (1991), «Rebellious Alliances. The State and Peasant Unrest in Early Seventeenth-Century France and the Ottoman Empire», en *American Sociological Review*, N.º 56, p. 2.

———— y Sunita Parikh (1991), «Comparative Perspectives on the State», en *Annual Review of Sociology*, N.º 17, p. 3.

Bayley, David (1975), «The Police and Political Development in Europe», en Tilly, Charles (edit.), *The Formation of National States in Western Europe*, Princeton University Press.

Biersteker, Thomas J. y Weber, Cynthia (1996), «The Social Construction of State Sovereignty», en Biersteker, Thomas J. y Weber, Cynthia (edits.), *State Sovereingty as Social Construct*, Cambridge University Press.

Calhoun, Craig (1991), «The Problem of Identity in Collective Action», en Huber, Joan (edit.), *Macro-micro linkages in sociology*, London, Sage Publications.

Castells, Manuel (1997), *The Power of Identity*, Blackwell Publishers.

Collier, Paul (2000), *Economic Causes of Civil Conflict and Their Implications for Policy*, World Bank.

Friedland, Roger y Alford, Robert (1991), «Bringing Society Back», en *Symbols, Practices, and Institutional*, Contradictions, en Powell, Walter W. y DiMaggio, Paul J. (edits.), *The New Institutionalism in Organizational Analysis*, University of Chicago Press.

Gallant, Thomas W. (1999), «Brigandage, Piracy, Capitalism, and State-Formation: Transnational-Crime from a Historical World-Systems Perspective», en McC. Heyman, Josiah (edit.), *States and Illegal Practices*, Berg Publishers.

Goldstone, Jack (2001), «Toward a Fourth Generation of Revolutionary Theory», en *Annual Review of Political Science*, vol. 4.

Goodwin, Jeff (2001), *No Other Way Out: States and Revolutionary Movements, 1945-1991*, Cambridge University Press.

Hall, Stuart (1996), «Who Needs Identity?», en Hall, Stuart y Du Gay, Paul (edits.), *Questions of Cultural Identity*, Sage Publications.

Heyman, Josiah McC. y Smart, Alan (1999), «States and Illegal Practices. An Overview», en en McC. Heyman, Josiah (edit.), *States and Illegal Practices*, Berg Publishers.

Holsti, Kalevi J. (1996), *The State, War, and the State of War*, Cambridge University Press.

Huntington, Samuel (1957), *The Soldier and the State. The Theory and Politics of Civil-Military Relations*, Cambridge University Press.

Kalyvas, Stathis (2001), «'New' and 'Old' Civil Wars. A Valid Distinction?», en *World Politics*, N.º 54, p. 1.

_____ (2000), *A Theory of Violence in Civil War*, inédito.

Kaldor, Mary (1999), *New & Old Wars. Organized Violence in a Global Era*, Stanford University Press.

Kohli, Atul *et al.* (1995), «The Role of Theory in Comparative Politics. A Symposium», en *World Politics*, N.º 48, p. 1.

Levi, Margaret (1996), «Social and Unsocial Capital. A Review Essay of Robert Putnam's Making Democracy Work», en *Politics and Society*, N.º 24, p. 1.

Lijphart, Arend (1977), *Democracy in Plural Societies. A Comparative Exploration*, Yale University Press.

McAdam, Doug (1982), *Political Process and the Development of Black Insurgency, 1930-1970*, University of Chicago Press.

McAdam, Doug; Tarrow, Sidney y Tilly, Charles (2001), *Dynamics of Contention*, Cambridge University Press.

Migdal, Joel S. (1994), «The State in Society. An Approach to Struggle for Domination», en Migdal, Joel S.; Kohli, Atul, y Shue, Vivienne (edits.), *State Power and Social Forces. Domination and Transformation in the Third World*, Cambridge University Press.

Putnam, Robert (1993), en *Making Democracy Work. Civic Traditions in Modern Italy*, Princeton University Press.

Rice, Edward E. (1988), *Wars of a Third Kind. Conflict in Underdeveloped Countries*, University of California Press.

Roy, Beth (1994), *Some Troubles with Cows. Making Sense of Social Conflict*, University of California Press.

Rueschemeyer, Dietrich; Stephens, Evelyne Huber, y Stephens, John D. (1992), *Capitalist Development and Democracy*, University of Chicago Press.

Schmitt, Karl (1966), *Teoría del partisano*, Madrid, Instituto de Estudios Políticos.

Somers, Margaret (1993), «Citizenship and the Place of the Public Sphere. Law, Community, and Political Culture in the Transition to Democracy», en *American Sociological Review*, N.º 58, p. 2.

Somers, Margaret y Gibson, Gloria D. (1994), «Reclaiming the Epistemological 'Other'. Narrative and the Social Constitution of Identity», en Calhoun, Craig (edit.), *Social Theory and the Politics of Identity*, Blackwell Publishers.

Snow, David A. y Benford, Robert D. (1988), «Ideology, Frame Resonance, and Participant Mobilization», en Klandermans, Bert; Kriesi, Hanspeter, y Tarrow, Sidney (edits.), *From Structure to Action. Comparing Social Movement Research Across Cultures*, International Social Movement Research, vol. 1, JAI Press.

Tarrow, Sidney (1996), «Culture, History and Political Behavior. A Reflection on Robert Putnam's Making Democracy Work», en *American Political Science Review*, N.º 90, p. 2.

_____ (1994), *Power in Movement. Social Movements, Collective Action and Politics*, Cambridge University Press.

Tarrow, Sidney (1993), «Modular Collective Action and the Rise of the Social Movement. Why the French Revolution Was Not Enough», en *Politics and Society*, N.º 21, p. 1.

Tarrow, Sidney (1992), «Mentalities, Political Cultures, and Collective Action Frames. Constructing Meanings through Action», en Morris, Aldon D. y McClurg, Carol Mueller (edits.), *Frontiers in Social Movement Theory*, Yale University Press.

Taylor, Charles (1994), «The Politics of Recognition», en *Multiculturalism*, Princeton University Press.

Te Brake, Wayne (1998), *Shaping History. Ordinary People in European Politics 1500-1700*, University of California.

Thomson, Janice E. (1994), *Mercenaries, Pirates, and Sovereigns. State-Building and Extraterritorial Violence in Early Modern Europe*, Princeton University Press.

Tilly, Charles (2002), «Violence, Terror, and Politics as Usual», inédito.

_____ (2001a), «Violent and Nonviolent Trajectories in Contentious Politics», Symposium on States in Transition and the Challenge of Ethnic Conflict, Russian Academy on Sciences/U.S. National Academy of Sciences, Moscow.

_____ (2001b), «Mechanisms in Political Processes», en *Annual Review of Political Science*, vol. 4.

_____ (2000a), «Violence Viewed and Reviewed», en *Social Research*, N.º 67, p. 3.

_____ (2000b), «Who is Strong When the State is Weak. Violent Entrepreneurship at Russia's Emerging Markets», Conference on Beyond State Crisis. The Quest for the Efficacious State in Africa and Eurasia, University of Wisconsin.

_____ (1998), «Political Identities», en Hanagan, M.; Moch, L. P., y Te Brake, W. (edits.), *Challenging Authority. The Historical Study of Contentious Politics*, Minneapolis, University of Minnesota Press.

_____ (1996), «Citizenship, Identity, and Social History», en Tilly, C. (edit.), *Citizenship, Identity, and Social History*, International Review of Social History Supplement 3, Cambridge, Cambridge University Press.

_____ (1995a), «Democracy is a Lake», en Reid Andrews, George y Chapman, Herrick (edits.), *The Social Construction of Democracy, 1870-1990*, New York University Press.

Tilly, Charles (1995b), «State-Incited Violence, 1900-1999», en Davis, Diane y Kimeldorf, Howard (edits.), *Political Power and Social Theory*, vol. 9.

Tilly, Charles (1994a), «A Bridge Halfway. Responding to Brubaker», en *Contention. Debates in Society, Culture, and Science*, N.º 4, p. 1.

_____ (1994b), «Citizenship, Identity, and Social History», en *Working Paper*, N.º 205, Center for Studies of Social Change, New School for Social Research.

_____ (1992), *Coercion, Capital, and European States, AD 990-1992*, Blackwell Publishers.

_____ (1986), «Does Modernization Breed Revolutions?», en Goldstone, Jack (edit.), *Revolutions. Theoretical, Comparative, and Historical Studies*, HBJ Publishers.

_____ (1985), «War Making and State Making as Organized Crime», en Evans, Peter; Rueschemeyer, Dietrich, y Skocpol, Theda (edit.), *Bringing the State Back In*, Cambridge University Press.

Volkov, Vadim (2000a), «The Political Economy of Protection Rackets in the Past and the Present», en *Social Research*, N.º 67, p. 3.

Walker, R. B. J. (1991), «State Sovereignty and the Articulation of Space/Time», en *Millennium. Journal of International Studies*, vol. 20, p. 3.

Walter, Barbara (1999), «Introduction» en Walter, Barbara y Snyder, Jack (edits.), *Civil Wars, Insecurity, and Intervention*, Columbia University Press.

Wendt, Alexander and Michael Barnett (1993), «Dependent State Formation and Third World Militarization», en *Review of International Studies*, N.º 19, p. 3.

Zolberg, Aristide (1980), «Strategic Interactions and the Formation of Modern States. France and England», en *International Social Sciences Journal*, N.º 32, p. 4.

BIBLIOGRAFÍA SOBRE AMÉRICA LATINA Y COLOMBIA

Aguayo, Sergio (1995), «The Intelligence Services and the Transition to Democracy in Mexico», inédito.

Aguayo, Sergio (1990), «Los usos, abusos y retos de la Seguridad Nacional Mexicana, 1946-1990», en Aguayo, Sergio y Bagley, Bruce (edits.), *En busca de la seguridad perdida. Aproximaciones a la Seguridad Nacional Mexicana*, Siglo Veintiuno.

Álvarez, Sonia; Dagnino, Evelina, y Escobar, Arturo (1998), «Introduction. The Cultural and the Political in Latin American Social Movements», en Álvarez, Sonia; Dagnino, Evelina, y Escobar, Arturo (edits.), *Culture of Politics/Politics of Cultures. Re-visioning Latin American Social Movements*, Westview Press.

Americas Watch (1994), *Estado de guerra. Violencia política y contrainsurgencia en Colombia*, Tercer Mundo-IEPRI-CEI.

_____ (1992), *Political Murderer and Reform in Colombia. The Violence Continues*, Nueva York, Human Rights Watch.

Amnistía Internacional (1980), «Recomendaciones al gobierno colombiano», en *Represión y tortura en Colombia. Informes internacionales y testimonios nacionales*, Comisión Permanente por la Defensa de los Derechos Humanos, Suramérica.

Aranguren, Mauricio (2001), *Mi confesión. Carlos Castaño revela sus secretos*, La Oveja Negra.

Archer, Ronald P. (1995), «Party Strength and Weakness in Colombia's Besieged Democracy», en Mainwearing, Scott y Scully, Timothy R. (edits.), *Building Democratic Institutions. Party Systems in Latin America*, Stanford University Press.

Archila, Mauricio (2000), «Luchas sociales del post-frente nacional (1975-1990)», en *Controversia*, N.º 176.

Arnson, Cynthia (edit.), (1999), *Comparative Peace Processes in Latin America*, The Woodrow Wilson Center Press.

Behar, Olga (1985), *Las guerras de la paz*, Planeta.

Bejarano, Ana María (1990), «Estrategias de paz y apertura democrática. Un balance de las administraciones Betancur y Barco», en Leal, Francisco y Zamosc, León (edit.), *Al filo del caos. Crisis política en la Colombia de los años 80*, Tercer Mundo-IEPRI.

Bejarano, Jesús Antonio (1998), «Para que el derecho sea eficaz, el Estado tiene que ser eficaz», en *No ha pasado nada. Una mirada a la guerra. Entrevistas de Guillermo Solarte Lindo*, Tercer Mundo-Misión Rural-IICA.

Bejarano, Jesús Antonio (1988), «Efectos de la violencia en la producción agropecuaria», en *Coyuntura Económica*, Bogotá, N.º 18, p. 3.

Bell, Gustavo (1998), «The Decentralized State. An Administrative or Political Challenge?», en Posada Carbó, Eduardo (edit.), *Colombia. The Politics of Reforming the State*, St. Martín's Press.

Botero, Fernando (1990), *Urabá. Colonización, violencia y crisis del estado*, Medellín, Universidad de Antioquia.

Bowden, Mark (2001), *Killing Pablo. The Hunt for the World's Greatest Outlaw*, Atlantic Montly Press.

Camacho, Álvaro (1993), «Hablan los reformadores de la Policía», en *El Tiempo*, 15 de agosto, s. p.

Castañeda, Jorge G. (1993), *Unarmed Utopia. The Latin American Left After the Cold War*, Knopf.

Castellanos, Camilo (1992), «A la nueva república le falta sujeto», en *Colombia. Análisis al futuro*, Bogotá, CINEP.

Castro, Germán (1996), *En secreto*, Planeta.

Cavarozzi, Marcelo (1992), «Beyond Transitions to Democracy in Latin America», en *Journal of Latin American Studies*, N.º 24, p. 3.

Chevigny, Paul (1995), *Edge of the Knife. Police Violence in the Americas*, New York, The New Press.

Cinep (1995), *Urabá*, Colección Papeles de Paz.

Comisión Andina de Juristas (1994), *Urabá*.

Comisión Colombiana de Juristas (1997), *Colombia, derechos humanos y derecho humanitario. 1996*.

Codhes (2002), Report N.º 31, April 17, Consultoría para los Derechos Humanos y el Desplazamiento, Bogotá.

Comisión de Estudios sobre la Violencia (1987), *Colombia. Violencia y democracia*, Bogotá, IEPRI.

Comisión de Superación de la Violencia (1992), *Pacificar la paz*, Bogotá, IEPRI-Cinep-CAJ-CECOIN.

Cubides, Fernando (1999), «Los paramilitares y su estrategia», en Deas, Malcolm y Llorente, María Victoria (edits.), *Reconocer la guerra para construir la paz*, Uniandes-CEREC-Norma.

_____ (1998), «De lo privado y de lo público en la violencia colombiana. Los paramilitares», en *Las violencias. Inclusión creciente*, UN-CES.

Cubides, Fernando; Olaya, Ana Cecilia, y Miguel Ortiz, Carlos (1995), *Violencia y desarrollo municipal*, CES-Universidad Nacional de Colombia.

Cuervo, Luis Mauricio (1992), *De la vela al apagón. 100 años de servicio eléctrico en Colombia*, Bogotá, CINEP.

Dagnino, Evelina (1998), «Culture, Citizenship, and Democracy. Changing Discourses and Practices of the Latin American Left», en Álvarez, S.; Dagnino, E., y Escobar, A. (edits.), *Culture of Politics/Politics of cultures. Re-visioning Latin American Social Movements*, Boulder, Westview Press.

Dávila, Andrés (1998), *El juego del poder. Historia, armas y votos*, Bogotá, Uniandes.

_____; Escobedo, Rodolfo; Gaviria, Adriana, y Vargas, Mauricio (2001), «El Ejército colombiano durante el período Samper. Paradojas de un proceso tendencialmente crítico», en *Colombia Internacional*, N.º 49-50, Centro de Estudios Internacionales, Universidad de los Andes.

Deas, Malcolm y Gaitán, Fernando (1995), *Dos ensayos especulativos sobre la violencia en Colombia*, FONADE-DNP.

Diamond, Larry; Linz, Juan J., y Martin Lipset, Seymor (1989), «Introduction», en Diamond, Larry; Linz, Juan J., y Martin Lipset, Seymor (edit.), *Democracy in Developing Countries. Latin America*, Lynne Reinner Publishers.

Dix, Robert H. (1980), «Consociational Democracy. The Case of Colombia», en *Comparative Politics*, N.º 12, p. 3.

Dugas, John (1993) «¿La Constitución Política de 1991. Un pacto político viable?», en Dugas, John (edit.), *¿La Constitución Política de 1991. Un pacto político viable?*, Bogotá, Uniandes.

Duzán, María Jimena (1994), *Death Beat. A Colombian Journalist's Life Inside the Cocaine Wars*, Harper Collins Publishers.

Echandía, Camilo (1999), *El conflicto armado y las manifestaciones de violencia en las regiones de Colombia*, Bogotá, Presidencia de la República.

_____ y Rodolfo Escobedo (1994), *Violencia y desarrollo en el municipio colombiano. 1987-1993*, Bogotá, Presidencia de la República.

El Tiempo (2000), *Educación y paz*, suplemento, 16 de agosto, s. p.

Fitch, J. Samuel (1986), «Armies and Politics in Latin America. 1975-1985», en Lowenthal, Abraham F. y Fitch, J. Samuel (edits.), *Armies and Politics in Latin America*, Holmes y Meier.

Fundación Progresar (1996), *Recuperar el proceso de paz en Urabá. Informe sobre derechos humanos en Urabá con relación al proceso de paz del EPL.*

Gallón, Gustavo (edit.), (1989), *Entre movimientos y caudillos. 50 años de bipartidismo, izquierda y alternativas populares en Colombia*, Cinep-CEREC.

——— (1983), «La república de las armas», en *Controversia*, N.º 109-110, Cinep.

———, (1979), *Quince años de estado de sitio en Colombia. 1958-1978*, América Latina.

García, Clara Inés (1996), *Urabá. Región, actores y conflicto, 1960-1990*, Medellín, INER-CEREC.

García-Peña, Daniel (1995), «Light Weapons and Internal Conflict in Colombia», en Boutwell, Jeffrey; Klare, Michael T., y Reed, Laura W. (edits.), *Lethal Commerce. The Global Trade in Small Arms and Light Weapons*, American Academy of Arts and Sciences.

Giraldo, Javier y Camargo, Santiago (1986), «Los paros y movimientos cívicos en Colombia», en *Movimientos sociales ante la crisis en Sudamerica*, Cinep.

González, Fernán (1994), «Poblamiento y conflicto social en la historia colombiana», Silva, Renán (edit.), en *Territorios, regiones, sociedades*, Univalle-CEREC.

Goodman, Louis W.; Mendelson, Johanna S.R., y Rial, Juan (eds.), (1990), *The Military and Democracy. The Future of Civil-Military Relations in Latin America*, Lexington Books.

Guardino, Peter (1994), «Identity and Nationalism in Mexico. Guerrero, 1780-1840», en *Journal of Historical Sociology*, N.º 7, p. 3.

Hagopian, Frances (1994), «Traditional Politics Against State Transformation in Brazil», en Migdal, Joel S.; Kohli, Atul, y Shue, Vivienne (edits.), *State Power and Social Forces. Domination and Transformation in the Third World*, Cambridge University Press.

——— (1993), «After Regime Change. Authoritarian Legacies, Political Representation, and the Democratic Future of South America», en *World Politics*, N.º 45, p. 3.

Hartlyn, Jonathan (1992), «Civil Violence and Conflict Resolution. The Case of Colombia», en Licklider, Roy (edit.), *Stopping the Killing. How Civil Wars End*, New York University Press.

_____ (1988), *The Politics of Coalition Rule in Colombia*, Cambridge University Press.

_____ (1986), «Military Governments and the Transition to Civilian Rule. The Colombian Experience of 1957-1958», en Lowenthal, Abraham F. y Fitch, J. Samuel (edit.), *Armies and Politics in Latin America*, Holmes y Meier.

Human Rights Watch (2002), *A Wrong Turn. The Record of the Colombian Attorney General´s Office*, Washington,

_____ (2001), *The «Sixth Division»: Military-paramilitary Ties and U.S. Policy in Colombia*, Washington.

Iepri-Instituto de Estudios Políticos y Relaciones Internacionales (2000), *El Plan Colombia y la Internacionalización del Conflicto*, Planeta.

Joseph, Gilbert (1990), «On the Trial of Latin American Bandits. A Reexamination of Peasant Resistance», en *Latin American Research Review*, N.º 25, p. 3.

Joseph, Gilbert M. y Nugent, Daniel (1994), «Popular Culture and State Formation in Revolutionary Mexico», en Joseph, Gilbert M. y Nugent, Daniel (edits.), *Everyday Forms of State Formation. Revolution and the Negotiation of Rule in Modern Mexico*, Duke University Press.

Kalmanovitz, Salomón (1990), «Los gremios industriales ante la crisis», en Leal, Francisco y Zamosc, León (edit.), *Al filo del caos. Crisis política en la Colombia de los años 80*, Tercer Mundo-IEPRI.

Knight, Alan (1994), «Weapons and Arches in the Mexican Revolutionary Landscape», en Joseph, Gilbert M. y Nugent, Daniel (edits.), *Everyday Forms of State Formation. Revolution and the Negotiation of Rule in Modern Mexico*, Duke University Press.

Lara, Patricia (2000), «Isabel Bolaños, *la Chave*, dirigente de las autodefensas», en *Las Mujeres en las Guerra*, Planeta.

Leal, Francisco (2002), *La seguridad nacional a la deriva. Del Frente Nacional a la Posguerra Fría*, CESO-Alfaomega-Flacso.

_____ (1994a), *El oficio de la guerra. La seguridad nacional en Colombia*, Tercer Mundo-IEPRI.

Leal, Francisco (1994b), «Defensa y seguridad nacional en Colombia, 1958-1993», en Leal, Francisco y Tokatlian, Juan Gabriel (edits.), *Orden mundial y seguridad. Nuevos desafíos para Colombia y América Latina*, Bogotá, Tercer Mundo-IEPRI-SID.

_____ (1993), «La crisis del Estado-nación en el contexto de la seguridad nacional», Bernal-Mesa, Raúl *et al.* (edit.), en *Integración solidaria. Reconstitución de los sistemas políticos latinoamericanos*, Universidad Simón Bolívar (Caracas).

_____ (1991), «El Estado colombiano. Crisis de modernización o modernización incompleta», en Melo, Jorge Orlando (edit.), *Colombia hoy. Perspectivas hacia el siglo XXI*, Siglo Veintiuno.

_____ (1989), *Estado y política en Colombia*, Siglo XXI-CEREC.

Lernoux, Penney (1987), «A Society Torn Apart by Violence», en *The Nation*, November 7.

Loaeza, Soledad (1994), «La experiencia mexicana de liberalización», en *Foro Internacional*, El Colegio de México, N.º 34, p. 2.

Lowenthal, Abraham F. (1986), «Armies and Politics in Latin America», en Lowenthal, Abraham F. y Fitch, J. Samuel (edit.), *Armies and Politics in Latin America*, Holmes y Meier.

Mainwaring, Scott (1992), «Transitions to Democracy and Democratic Consolidation. Theoretical and Comparative Issues», en Mainwaring, Scott; O'Donnell, Guillermo, y Samuel Valenzuela, J. (edits.), *Issues in Democratic Consolidation. The New South American Democracies in Comparative Perspective*, University of Notre Dame Press.

Medina, Carlos (1990), *Autodefensas, paramilitares y narcotráfico en Colombia*, Documentos Periodísticos.

Medina, Santiago (1997), *La verdad sobre las mentiras*, Planeta.

Melo, Jorge Orlando (1990), «Los paramilitares y su impacto sobre la política», en Leal, Francisco y Zamosc, León (edits.), *Al filo del caos. Crisis política en la Colombia de los años 80*, Tercer Mundo-IEPRI.

Meyer, Lorenzo (1990), «Introducción», en Aguayo, Sergio y Bagley, Bruce (edits.), *En busca de la seguridad perdida. Aproximaciones a la seguridad nacional mexicana*, Siglo Veintiuno.

Movimiento 19 de Abril, (1985), *En Corinto venció la dignidad*, s. e.

Negrete, Víctor (1995), *Los desplazados por la violencia en Colombia. El caso de Córdoba*, Barranquilla, Antillas.

O'Donnell, Guillermo (1993) «On the State, Democratization and Some Conceptual Problems. A Latin American View with Glances at Some Postcommunist Countries», en *World Development*, N.º 21, p. 8.

Ortiz, Carlos Miguel (1999), *Urabá. Tras las huellas de los inmigrantes. 1955-1990*, Bogotá, ICFES.

Ospina, Juan Manuel (2002), «La paz que no llegó. Enseñanzas de una negociación fallida», en *Opera*, CIPE-Universidad Externado de Colombia.

Palacio, Germán y Rojas, Fernando (1990) «Empresarios de la cocaína, parainstitucionalidad y flexibilidad del régimen político colombiano. Narcotráfico y contrainsurgencia», en Palacio, Germán (edit.), *La irrupción del paraestado. Ensayos sobre la crisis colombiana*, ILSA-CEREC.

Palacios, Marco (2001), *De populistas, mandarines y violencias. Luchas por el poder en Colombia*, Bogotá, Planeta.

_____ (1999), «La solución política al conflicto armado, 1982-1997» en Camacho, Álvaro y Leal, Francisco (edits.), *Armar la paz es desarmar la guerra*, IEPRI-FESCOL-CEREC.

_____ (1980), «La fragmentación regional de las clases dominantes en Colombia. Una perspectiva histórica», en *Revista Mexicana de Sociología*, N.º 42, p. 4.

Pardo, Rafael (1996), *De primera mano. Colombia 1986-1994. Entre conflictos y esperanzas*, CEREC-Norma.

Pécaut, Daniel (2000), «The Loss of Rights, the Meaning of Experience, and Social Connection. A Consideration of the Internally Displaced in Colombia», en *International Journal of Politics, Culture, and Society*, vol. 14, N.º 1.

_____ (1992), «Guerrillas and Violence», en Bergquist, Charles; Peñaranda, Ricardo y Sánchez, Gonzalo (edits.), *Violence in Colombia. The Contemporary Crisis in Historical Perspective*, Scholarly Resources Books.

_____ (1988), *Crónica de dos décadas de política colombiana 1968-1988*, Siglo XXI.

Pinheiro, Paulo Sérgio (1992), «The Legacy of Authoritarianism in Democratic Brazil», unpublished manuscript, Center for the Study of Violence, Universidade de São Paulo (São Paulo, Brazil).

Pion-Berlin, David (1995), «The Armed Forces and Politics. Gains and Snares in Recent Scholarship», en *Latin American Research Review*, N.º 30, p. 1.

Pizarro, Eduardo (1995), «La reforma militar en un contexto de democratización política», en Leal, Francisco (edit.), *En busca de la estabilidad perdida*, Tercer Mundo-IEPRI-Colciencias.

_____ (1989), «La guerrilla y el proceso de paz», en Gallón, Gustavo (edit.), *Entre movimientos y caudillos. 50 años de bipartidismo, izquierda y alternativas populares en Colombia*, CINEP-CEREC.

Poole, Deborah (1994), «Introduction. Anthropological Perspectives on Violence and Culture. A view from the Peruvian High Provinces», en Poole, Deborah (edit.), *Unruly Order. Violence, Power, and Cultural Identity in the High Provinces of Southern Peru*, Westview Press.

Ramírez, Socorro y Restrepo, Luis Alberto (1989), *Actores en conflicto por la paz. El proceso de paz durante el gobierno de Belisario Betancur 1982-1986*, Bogotá, Siglo XXI-CINEP.

Ramírez, William (1997), *Urabá. Los inciertos confines de una crisis*, Bogotá, Planeta.

República de Colombia, Defensoría del Pueblo (1992), *Estudio de caso de homicidio de miembros de la Unión Patriótica y Esperanza, Paz y Libertad*, Bogotá, Gustavo Ibáñez.

_____, Departamento de Estado (1999), *Informe sobre derechos humanos. Colombia, 1998*, USIS.

_____, Departamento Nacional de Planeación (2000), *Costos del conflicto armado. Escenarios económicos para la paz*.

_____, Ministerio de Defensa (2000), *Los grupos ilegales de autodefensa*, reporte confidencial.

_____, Presidencia de la República (1982), *Discurso de posesión del presidente Belisario Betancur en la plaza de Bolívar*, Imprenta Nacional.

_____, Vicepresidencia de la República (2002), «Algunos indicadores sobre el accionar de las autodefensas», en *Colombia, conflicto armado, regiones, derechos humanos y DIH 1998-2002*.

Restrepo, Dario (1995), «La descentralización un modelo en construcción», en Flórez, Luis Bernardo (edit.), *Gestión económica estatal en los 80's. Del ajuste al cambio institucional,* CID-Universidad Nacional, CIID-Canadá.

Restrepo, Luis Alberto (2001), «El Plan Colombia. Una estrategia fatal para una ayuda necesaria», en *El Plan Colombia y la internacionalización del conflicto,* Planeta.

_____ (2001), «Colombia en la hora de las decisiones», en *Síntesis 2001. Anuario Social, Político y Económico de Colombia,* IEPRI-Tercer Mundo.

Reyes, Alejandro (1994), «Territorios de la violencia en Colombia», en Silva, Reán (edit.), *Territorios, regiones, sociedades,* Universidad del Valle-CEREC.

Reyes Echandía, Alfonso (1989), «Legislación y seguridad nacional en América Latina», en *El pensamiento militar latinoamericano. Democracia y seguridad nacional,* Centro de Estudios Militares General Carlos Prats (CEMCAP), Universidad de Guadalajara.

Ríos, José Noé y García Peña, Daniel (1997), *Construyendo la paz del mañana. Una estrategia de reconciliación nacional,* Comité Exploratoria de Paz, Presidencia de la República.

Romero, Mauricio (2003), «Camino culebrero. La desmovilización de las AUC», en *UN Periódico,* N.º 43.

_____ (2002), «La política en la paz y la violencia», en *Análisis Político,* N.º 45, IEPRI-Universidad Nacional de Colombia.

_____ (2000a), «Democratización política y contrarreforma paramilitar en Colombia», en *Bulletin de l'Institut Francais de'Etudes Andines,* Lima, IFEA, tomo 29: 3.

_____ (2000b), «Changing Identities and Contested Settings. Regional Elites and the Paramilitaries in Contemporary Colombia», en *International Journal of Politics, Culture, and Society,* N.º 14, p. 1.

_____ (1995), «Transformación rural, violencia política y narcotráfico en Córdoba, 1953-1991» en *Controversia,* N.º 167, Cinep.

Roseberry, William (1994), «Hegemony and the Language of Contention», en Joseph, Gilbert y Nugent, Daniel (edits.), *Everyday Forms of State Formation. Revolution and the Negotiation of Rule in Modern Mexico,* Duke University Press.

Rouquié, Alain (1986), «Demilitarization and the Institutionalization of Military-Dominated Polities in Latin America», en O'Donnell, Guillermo; Schmitter, Philippe C., y Whitehead, Laurence (edits.), *Transitions from Authoritarian Rule. Comparative Perspectives*, The Johns Hopkins University Press.

Safford, Frank y Palacios, Marco (2001), *Colombia. Fragmented Land, Divided Society*, Oxford Universit Press.

Salcedo, Juan (1999), «Respuestas personalísimas de un general de la República sobre cosas que casi todo el mundo sabe», en Deas, Malcom y Llorente, María Victoria (edits.), *Reconocer la guerra para construir la paz*, Uniandes-CEREC-Norma.

Salgado, Carlos y Prada, Esmeralda (1999), *La protesta campesina. 1980-1995*, manuscrito.

Sánchez, Gonzalo (1989), en «Violencia, guerrillas y estructuras agrarias», en *Nueva historia de Colombia*, tomo 2, Bogotá, Planeta.

Sandoval, Marbel (1997), *Gloria Cuartas. Por qué no tiene miedo*, Bogotá, Planeta.

Scheper-Hughes, Nancy (1992), *Death Without Weeping. The Violence of Everyday Life in Brazil*, University of California Press.

Semana (Weekly Magazine) (1995), «La otra coordinadora», Bogotá, N.º 669, 22 de febrero.

Serrano, Mónica (1995), «The Armed Branch of the State. Civic-Military Relations in Mexico», en *Journal of Latin American Studies*, N.º 27, p. 2.

Slater, David (1998), «Rethinking the Spatialities of Social Movements. Questions o(B)orders, Culture, and Politics in Global Times», en Álvarez, Sonia; Dagnino, Evelina, y Escobar, Arturo (edits.), *Culture of Politics/Politics of Cultures. Re-visioning Latin American Social Movements*, Westview Press.

Schmitter, Philippe C. y Whitehead, Laurence (edits.), (1986), *Transitions from Authoritarian Rule. Comparative Perspectives*, Johns Hopkins University Press.

Stepan, Alfred (edit.), (1989), *Democratizing Brazil. Problems of Transition and Consolidation*, Oxford University Press.

————— (1988), *Rethinking Military Politics. Brazil and the Southern Cone*, Princeton University Press.

Stepan, Alfred (1973), «The New Professionalism of Internal War-fare and Military Role Expansion», en Stepan, Alfred (edit.), *Authoritarian Brazil,* Yale University Press.

Téllez, Édgar; Montes, Óscar y Lesmes, Jorge (2002), *Diario Íntimo de un fracaso. Historia no contada del proceso de paz con las FARC,* Planeta.

Thoumi, Francisco (1994), *Economía política y narcotráfico,* Tercer Mundo.

—————— (1992), «Why the Illegal Psychoactive Drugs Industry Grew in Colombia», en *Journal of Interamerican Studies and World Affairs,* N.º 34, p. 3.

Tokatlian, Juan Gabriel y Ramírez, José Luis (edits.), (1995), *La violencia de las armas en Colombia,* Fundación Alejandro Angel Escobar.

Torres, Javier Alonso (1986), *Military Government, Political Crisis, and Exceptional State. The Armed Forces of Colombia and the National Front, 1954-1974,* Ph. D. dissertation, State University of New York at Buffalo.

Umaña Luna, Eduardo (1998), *Carta abierta a los firmantes del acuerdo «La Puerta del Cielo»,* Bogotá, Impresión gráficas Punto y Trama.

Uprimny, Rodrigo y Vargas, Alfredo (1990), «La palabra y la sangre. Violencia, legalidad y guerra sucia», en Palacio, Germán (edit.), *La irrupción del paraestado. Ensayos sobre la crisis colombiana,* ILSA-CEREC.

Uribe Vélez, Álvaro (2000), «La nueva política de seguridad en Colombia», en *El papel de las fuerzas militares en una democracia en desarrollo,* Escuela Superior de Guerra-Universidad Javeriana.

Uribe, María Teresa (1992), *Urabá. ¿Región o territorio? Un análisis en el contexto de la política, la historia y la etnicidad,* Corpouraba-INER.

Uribe, María Victoria (1994), *Ni canto de gloria ni canto fúnebre. El regreso del EPL a la vida civil,* Colección Papeles de Paz, Cinep.

Vargas, Mauricio (2001), *Tristes tigres. Revelador perfil de tres mandatarios que no pudieron cambiar a Colombia,* Bogotá, Planeta.

Villarraga, Álvaro y Plazas, Nelson (1994), *Para reconstruir los sueños (una historia del EPL),* Bogotá, Fundación Progresar-Fundación Cultura Democrática.

Warren, Kay (1993), «Introduction. Revealing Conflict Across Cultures and Disciplines», en Warren, Kay B. (edit.), *The Violence Within. Cultural and Political Opposition in Divided Nations*, Westview Press.

Yashar, Deborah (1997), *Demanding Democracy. Reform and Reaction in Costa Rica and Guatemala, 1870s-1950s*, Stanford, Stanford University Press.

Zamosc, León (1990), «The Political Crisis and the Prospects for Rural Democracy in Colombia», en *The Journal of Development Studies*, N.º 26, p. 4.

Zaverucha, Jorge (1993), «The Degree of Military Political Autonomy during the Spanish, Argentine and Brazilian Transitions», en *Journal of Latin American Studies*, N.º 25, p. 2.

ENTREVISTAS

Agudelo, Mario, antiguo comandante del EPL en la zona bananera, dirigente político de Esperanza, Paz y Libertad y alcalde de Apartadó (2001-2004), Medellín, 12 de julio de 2000.

Agudelo, María de, antigua militante del Partido Comunista y compañera de Mario Agudelo, Medellín, 12 julio de 2000.

Cuartas, Gloria, alcaldesa de Apartadó (1995-1998), elegida por una coalición de doce agrupaciones políticas; Bogotá, octubre 26 de 2000.

García Caicedo, Rodrigo, ex gerente de la Federación de Ganaderos de Córdoba, Montería, 11 de agosto de 1997.

Madarriaga, Antonio, presidente del consejo directivo de la ENS-Antioquia y asesor de Sintrainagro, Medellín, 11 de julio de 2000.

Ríos, Norberto, director de la Escuela Nacional Sindical-Antioquia, ENS-Antioquia; organización que coordina el trabajo de educación de Sintrainagro, Medellín, 12 de julio y 8 de noviembre de 2000.

Rivera, Guillermo, presidente de Sintrainagro, Medellín, 12 de octubre de 2000.

Vásquez, Héctor, encargado de convenciones colectivas, ENS-Antioquia, Medellín, 8 de noviembre de 2000.